KB096617

김재일의 묵헌일기默軒日記 2

김재일의 묵헌일기 2

발 행 | 2023년 12월 14일
역 자 | 권수용
펴낸이 | 한건희
펴낸곳 | 주식회사 부크크
출판사등록 | 2014.07.15.(제2014-16호)
주 소 | 서울특별시 금천구 가산디지털1로 119 SK트윈타워 A동 305호
전 화 | 1670-8316
이메일 | info@bookk.co.kr

ISBN | 979-11-410-5983-5

www.bookk.co.kr

조선시대 관직일기

김재일의
묵헌일기默軒日記 2

역자 권수용

일러두기 ‖

* 본서는 김재일의 일기를 시간순으로 탈초하고 번역한 것이다.
* 본서는 한국정신문화연구원에서 간행한 『고문서집성 39』를 저본으로 삼았다.
* 본서는 책자의 순차를 따르지 않고 편의상 시간순으로 다시 편집하여 꾸몄다.
* 본서는 독자의 이해를 쉽게 하기 위해 날짜별로 번역하고 바로 그 밑에 원문을 실었으며, 독해의 편의를 위해 문장 부호를 표기하였다.
* 원본은 현재 (재)한국학호남진흥원에 소장되어 있다.

들어가는 말

　본서의　대상이　된　「묵헌일기(默軒日記)」는　김재일(金載一)이 1788년 12월 29일부터 1816년 1월 29일까지 약 27년 동안 작성한 일기 중의 일부이다. 즉 본서에서는 1797년 10월부터 1802년 12월까지 약 5년 동안에 작성한 일기를 탈초하고 번역한 것이다.

　일기는 해남의 노송사(老松祠)에 보관하던 것을 최근에 한국학호남진흥원에 기탁해와서 지금은 한국학호남진흥원에 소장되어 있다. 노송사는 김해김씨 삼현파의 후예로 주벽인 김기손(金驥孫, 1455~1492)을 비롯하여 정유재란 시 노량해전에서 전몰한 김선지와 병자호란 때 창의한 김안방, 김안우, 김연지를 배향하기 위하여 1801년에 창의사로 창건한 곳인데, 1868년 서원 철폐령에 따라 훼철되었다가 1949년에 중건하면서 '노송사'로 고쳐 부르게 된 곳이다.

　김재일(金載一, 1749~1817)의 자는 여현(汝賢), 호는 묵헌(默軒), 본관은 김해(金海)이다. 할아버지는 김세흠(金世欽)이고, 아버지는 김창오(金昌五)이며, 어머니는 순천김씨 김윤태(金潤泰)의 딸이다. 1786년에 문과에 병과로 급제하였으며, 그 이듬해 승문원 부정자를 시작으로 벼슬길에 나섰다.

　김재일의 유집으로는 『묵헌유고』 5권 1책이 있는데, 목활자본으로, 1900년에 현손 김기홍(金基洪)이 간행한 것이며, 권두에 기우만(奇宇萬)이 1899년에 찬술한 서문이 붙어 있다.

　「묵헌일기(默軒日記)」는 현재 7권이 남아있다. 원래 권1부터 권8까지 있었지만 현재 권7이 사라지고 없는데, 1812년부터 1813년까지의 일기 부분에 해당한다.

본서에서 대상이 된 일기는 크게 세 부분으로 나눠볼 수 있다. 첫 번째 부분은 「일기3 북행록(北行錄)」이라고 일기책자 제목에 적혀 있는 것처럼 '함경도사'를 지내는 시기에 해당된다. 두 번째 부분은 휴직기에 해당한다. 이때는 해남에 귀향해 있기도 하고, 서울에서 복직을 대기하기도 하였다. 세 번째 부분은 자여도찰방 시기에 해당한다.

함경도사 시기의 주요 활동을 살펴보자면, 이때 일기는 "1797년 8월 30일에 함경도사(咸鏡都事)1)의 수망(首望)에 들어 몽점을 받고, 9월 2일에 사은숙배를 하였으며, 10월 6일에 임금에게 하직인사를 하였다."라는 기록부터 시작하고 있다.

저자는 전라도 해남사람으로서 함경북도 함흥은 너무나도 멀고 색다른 곳이었다. 그는 10월 7일에 북행을 출발하여 17일에야 함흥 임소에 도착했다. 도사를 아사(亞使)라고 부르며, 직무하는 곳을 아영(亞營)이라고 부르는데, 공해로 '문소관'이 있지만 '향사당'을 주거처로 삼게 되는 웃픈 상황을 맞이한다. 가까운 곳에는 순사(巡使)가 근무하는 상영(上營)과 수령이 근무하는 본부(本府)가 따로 있다. 도사는 직책상 순사(巡使)의 아래이기 때문에 가끔 상영에 들어가 순사에게 예를 표해야 했다.

저자가 주로 하는 일은 도내를 순방하는 것 외에 지역 선비들을 만나보고 그들 집안에 전해오는 선현의 필적을 감상하는 일이었다. 북방에 선비들이 많이 있는 것에 놀라워했다. 또 1일과 15일 및 절일에는 객사에 가서 망궐례를 행하였다. 한편 함흥은 태조 이성계의 유적이 많이 남아있는 곳이라 틈틈이 유적을 탐방하기도 했

---

1) 함경도사(咸鏡都事) : 함경도의 도사(都事). 도사는 종5품으로 경력과 함께 수령관(首領官)이라고 불렸다. 정원은 1도(道)에 1명이며 경력이나 도사 가운데 1명만 두었다. 1388년(우왕 14)에 설치했는데, 경력은 1465년(세조 11)에 폐지되어 이후에는 도사만 남았다. 임기는 1년이었다. 감사가 자리를 비웠을 때는 임무를 대행하고, 감사와 지역을 나누어 도내를 순시했다.

다.

이곳에서 그와 가장 친하게 지낸 사람은 중군 민백길이었다. 틈나는 대로 찾아와서 외로운 회포에 위로를 해주고 함께 시간을 보내주어서 그에 대해 항상 고마운 마음을 적고 있다.

그가 함흥에 있을 때 큰 사건으로는 11월 20일에 서문밖 민가에 큰불이 나서 민가 403호가 타버린 일이다. 그는 이때 순사와 본관에게 화재민을 보호할 방도를 적극 피력하였다.

한편 저자는 북방의 풍속에 대해서도 관심있는 눈으로 바라보았다. 1797년 12월 18일 기록에는 "이날은 곧 입춘날로, 시는 술시이다. 취침에 든지 얼마 안 있어 하리가 와서 춘경품(春耕稟)을 바쳤는데, 밝은 횃불이 마당에 가득하고, 떠드는 소리가 귀에 가득하였다. 때문에 이불을 감싼 채 앉아서 창을 열고 보니, 목우를 만들고 여기에 쟁기를 씌우고서 마당을 빙글빙글 돌면서 밭갈이하는 형상을 하고, 일꾼들은 지팡이를 가지고서 곡식 씨앗을 묻는 형상을 하며, 치곤(緇髡, 승려)은 바라를 가지고 치면서 새를 쫓는 소리를 내었다. 이처럼 봄이 된 후 동작(東作, 봄농사)을 할 때마다 관례대로 이러한 모양을 하는 것은 놀이에 가까운 것 같지만, 그 근본을 살펴보면 매우 귀한 것이다."라고 적고 있다.

그런가 하면 12월 30일에는 "이날 밤 야심할 때 예리가 와서 매귀품(埋鬼稟)2)을 바치고, 얼마 안 있어 물고기 머리와 귀신 얼굴을 한 병졸들이 마당에 빽빽이 섰는데, 횃불을 환히 밝히고 포를 3번 쏘았다. 그러자 산승 2명이 각자 바라와 작은 징을 잡고서 몸을 뒤집으며 쳤다. 속한(俗漢)이 귀신 쫓는 말을 외우니 어린아이들이 한 소리로 답을 하였다. 덩실덩실 어지럽게 춤을 추는 천태만상의 형상은 울적한 가운데 한바탕 웃기에 족하였다. 각양의 풍속

---

2) 매귀품 : 매귀굿을 한다고 아룀. 매귀(埋鬼)는 잡귀를 쫓아내고 복을 불러들이는 벽사 축원의 굿을 말한다. 음력 정월 2일부터 15일 사이에 풍물패가 풍물을 하면서 부락을 한 바퀴 돈 다음 집집마다 들어가 지신을 달래고 복을 빈다. 마당밟기. 걸립.

이 가는 곳마다 다른 것은 과연 처음 만든 사람이 있어서 그런지 모르겠다."라고 적고 있다.

즉 함경도 함흥지방에 전해오는 풍년기원의 춘경연희와 축귀발복의 매귀굿 원형을 살필 수 있는 내용이다.

저자는 함경도사에서 어서 체직되길 바랐던 것으로 보인다. 12월 27일 도목정사를 보고 예상과 틀어지게 되어 실망했다. 그러다가 1798년 3월 29일에 체직되었고, 4월 15일에 함흥을 출발하여 서울로 돌아갔다.

서울에 있으면서 고위 관직자를 찾아다녔지만 원하는 바가 이루어지지 않아서 1798년 7월 20일에는 귀향길에 올랐다. 고향에 돌아가서는 농사일을 살펴보고 친척이나 벗들을 방문하면서 보냈으며, 11월 27일에는 선조의 사우를 창건하는 일로 친히 수영에 가서 수백(水伯, 전라우수사)을 만나 소나무를 베어도 좋다는 허가를 받고 대둔사로 가서 벌목을 하고 왔다. 북행록의 일기는 1798년 11월 27일까지 실려 있다.

다음의 일기는 바로 「일기2」의 중간부터 시작한다. 「일기2」의 구성은 을묘년(1795) 윤2월 9일의 일기부터 시작하여 북행을 하기 전까지인 1797년 10월 1일까지 일기와, 바로 이어서 경신년(1800) 4월 24일 일기부터 시작하여 임술년(1802) 3월 30일까지의 일기로 되어 있다. 도중에 이렇게 빈 것은 북행록이 따로 있기 때문이다. 즉 북행록에 정사년 10월부터 무오년, 기미년까지의 일기가 들어있는 것이다.

즉 저자는 1798년 7월부터 1800년 4월까지 거의 2년 동안 해남에 있었던 것이다. 고향에 있을 때인 관직 소식으로는 1799년 1월에 재종제는 자여우승에 들고 자신은 전적에 들었다는 내용뿐이다. 그는 1799년 3월에는 산천 유람을 떠나기도 하는데 인근 수령을 방문하여 선물을 받기도 하고 이에 대해 인물평을 하기도 했다.

그러다가 「일기4」를 1800년 4월 24일부터 새롭게 시작한 이유는 이때 서울행을 출발했기 때문이다. 이후 저자의 서울 생활은 한동안 계속된다. 서울에 있는 동안인 1800년 6월 28일에 정조가 등의 종기로 인해 갑작스레 승하하는 일이 발생했다. 저자는 산반에 있기 때문에 궐내가 아닌 궐밖에서 곡반에 참여하였다. 매월 1일과 15일, 그리고 특별한 날이면 새벽에 궐밖에 나아가 곡반에 참여하고 오는 일이 주요 일과가 되었다. 정조의 인산은 1800년 11월 3일에 발인을 하여 11월 6일에 하관을 하였던 것이다.

저자의 휴직기는 매우 오래갔다. 즉 1798년 4월부터 1801년 7월까지 산반 상태였다. 그러다가 1801년 7월 22일 도정에서 경상도 자여찰방 수망에 들어 낙점을 입게 되고 8월 2일에 경상도로 출발하게 되었으며, 1801년 8월 15일에 도임을 하였는데, 모든 의절(儀節)은 오히려 잔읍보다는 나았다고 하였다.

자여도(自如道)는 경상도 창원의 자여역(自如驛)을 중심으로 한 역도(驛道)로, 중심역에 찰방(察訪)이 소재한다. 관할범위는 함안-창원-김해-밀양-양산 방면에 이어지는 역로와 창원-웅천-칠원 방면에 이어지는 역로이다. 이에 속하는 역은 창원의 근주(近珠)·신풍(新豊)·안민(安民), 칠원의 창인(昌仁)·영포(靈浦), 김해의 대산(大山)·금곡(金谷, 김해)·성법(省法, 김해)·적항(赤項, 김해)·남역(南驛, 김해), 함안의 파수(巴水)·춘곡(春谷), 밀양의 양동(良洞, 밀양), 웅천의 보평(報平) 등 14개 역이다. 자여도 소속 역들은 모두 소로(小路 또는 小驛)에 속하는 역들이었다.

경상도의 감영은 대구에 있고, 자여역은 창원에 있다. 감영까지 거리는 200리가 되기 때문에 감영의 순사를 보러 가기 위해서는 하루에 90리 정도를 갈 수 있어서 2~3일이 소요되었다. 이때 그가 감영을 오고 가면서 알게 된 사람으로 갈전리의 선비 김성율(金聲律)이 있다. 그는 저자가 들릴 때마다 좋은 음식을 준비하고 기다리다가 대접해주어서 동성의 우의를 다지기도 했다.

저자는 1801년 9월 12일에는 휴가를 내서 고향의 산소에 다녀온다. 그리고 10월 8일에 집을 출발하여 10월 16일에 임소에 도착하였다. 또한 1802년 9월 26일에도 딸의 혼례를 치르기 위해서 휴가를 얻고 10월 1일에 해남에 도착, 11월 3일에 딸의 혼례를 치르고 11월 7일에 출발하여 11월 14일에 임소에 도착하였다. 이때 "관사 아래 사는 백성 남녀노소로서 길을 사이에 두고 바라보는 자들이 얼마나 되는지 알 수 없을 지경이었다. 아마 벼슬자리를 비운 나머지라 간절히 그리워한 바가 있어서 그런 것이겠지!"라고 하며 자신의 소회를 피력했다.

자여도 찰방으로서 한 일 중 가을에 환곡을 거두어들이고 봄에는 환곡을 내주는 일이 가장 중요하였던 것으로 보인다. 1801년 10월 18일에는 창고를 열고 환곡을 받아들이기 시작하여 12월 8일에 환곡 창고를 봉하였는데, 배당량이 4천석이었던 것으로 보인다. 1802년 1월 13일에는 환곡을 각역 사람들에게 나누어주었고, 3월 2일, 4월 3일, 4월 15일에도 나누어주었으며, 4월 21일에는 노적된 환곡을 창고에 들여놓았다. 그리고 휴가를 갔다가 돌아온 다음날인 1802년 11월 15일에는 다시 환곡을 거두기 시작하여 12월 13일에 거두어들인 환곡 수효가 4530석이어서 배당 목표량을 다 채웠음을 알 수 있다.

한편 자여도 찰방에 재직하는 시절에도 여전히 정조대왕의 상기에 해당되기 때문에 매달 1일과 15일 및 절일에는 객사에 나아가 망곡례와 망하례를 행하였다. 1802년 6월 28일에 국상이 끝난 후부터는 망하례만을 행하였다.

외직에 있는 벼슬아치는 6월과 12월에 실시하는 근무성적 평가를 외면할 수 없다. 저자도 이에 대해 꼭 적고 있는데, 1801년 12월 16일에 받은 포폄(褒貶)에서 '사마사장(斯馬斯藏)'이란 제목으로 최(最)를 맞았다. 1802년 6월 16일의 포폄에서도 '봉직각근(奉職恪勤)'이라는 제목으로 최(最)를 받았으며, 1802년 12월 16일의 포폄에서도 '인자졸약(人自拙約)'이란 제목으로 최(最)의 점수를 받았다.

그는 주변 사람들과 원만한 관계를 유지하며 지냈고, 아랫사람에게도 온화하고 너그럽게 대하였다. 연말에는 하리들이나 하인 등 관속들 124명에게 고기와 백미 및 술과 반찬 등을 나누어주었고, 관하의 70세 이상 노인 77명에게는 쌀과 생선을 보냈으며, 동수와 집강들에게도 고기 등을 보내주었다. 벗들이나 선비들에게 친절하고 정감있게 대하였으며, 농사철에는 바쁜 농사에 보탬이 되도록 관속들을 내보내주는 등 배려심도 많았다. 그의 온화하고 너그러운 성품을 곳곳에서 엿볼 수 있다.

또한 일기 속에는 저자가 지은 시문이 많이 들어있는데, 그가 문관이기 때문에 시문을 짓는 것은 당연한 일이지만, 특히 시에 능하여서 어떤 장소에서도 그의 실력을 유감없이 발휘하여 많은 사람의 존경을 받았던 것으로 보인다. 그런데 시문에서도 그의 온화한 성품이 잘 드러난다. 한편 자신이 힘들 때 도움을 준 사람은 잊지 않고 기억하며 은혜를 갚으려고 노력하는 모습도 곳곳에서 볼 수 있어서 마음을 훈훈하게 한다.

목차 ‖

일러두기
들어가는 말

Ⅰ. 함경도사 시기
1. 1797년 일기   14
2. 1798년 일기(상)   75
Ⅱ. 휴직 시기
1. 1798년 일기(하)   144
2. 1799년 일기   164
3. 1800년 일기   171
4. 1801년 일기(상)   194
Ⅲ. 자여도찰방 시기
1. 1801년 일기(하)   206
2. 1802년 일기   235

I
함경도사 시기

「일기 3 북행록(北行錄)」

1. 1797년 일기

1797년 8월 30일에 함경도사(咸鏡都事)의 수망(首望)[3]에 들어 몽점을 받고, 9월 2일에 사은숙배를 하였으며, 10월 6일에 임금에게 하직인사를 하였다.

丁巳八月三十日, 以咸鏡都事首望蒙點, 九月初二日謝恩, 十月初六日辭朝.

1797년 10월 7일. 식주인(食主人) 길경복(吉慶福)과 함께 북행을 출발하고 누원(樓院)까지 30리를 가서 점심을 먹었는데, 그곳에서 역졸인 보종(步從) 6명과 기복마(騎卜馬) 2필이 와서 기다리고 있어서 비로소 조개(皁蓋)[4]를 폈다. 어석사(魚碩士)가 우연히 일로 인해 나갔다가 내가 이곳에 와 있다는 말을 듣고 들어와서 보이고 잠깐동안 얘기를 나누다가 먼저 읍내로 갔다. 오후에 출발하여 양주(楊州)까지 30리를 가서 유숙했다. 목사 오정원(吳鼎源)[5]은 평소에 친하게 지낸 사람인 데다 또 한 도에 사는 사람이다. 그의 아

---

3) 수망(首望) : 관원을 서임할 때 이조나 병조가 올리는 세 명의 후보자 중의 첫째를 말한다. 관리를 추천할 때 삼망(三望) 제도가 있었다. 첫째로 추천된 사람을 수망(首望), 둘째를 부망(副望), 셋째를 말망(末望)이라고 한다.

4) 조개(皁蓋) : 흑색의 수레 덮개라는 뜻으로, 지방 장관을 가리킨다.

5) 오정원(吳鼎源, 1741~?) : 자는 공보(公輔), 본관은 나주(羅州)로, 담양 출신이다. 아버지는 오현주(吳鉉冑)이고, 공예(公藝) 오한원(吳翰源, 1750~?)의 형이다. 1766년에 문과에 급제, 1789년에 홍문관(弘文館)이 되었고, 1801년부터 여러 번 사간원대사간(司諫院大司諫)에 임명되었고, 1805년(순조 5)에 정순대비(貞純大妃)의 승하를 알리는 사신으로 청나라에 다녀왔다.

우인 장령 오한원(吳翰源) 또한 관아에 와 있었기 때문에 서로 다정하게 회포를 풀었다.

初七日. 與食主人吉慶福, 治發北行, 至樓院三十里中火, 自其處驛卒步從六名, 騎卜馬二匹來待之, 始張皁蓋. 魚碩士偶因事出去, 而聞余住此, 入來見之, 暫晤先去于邑內. 午後離發, 至楊州三十里留宿. 牧使吳鼎源平日所親, 而且同道之人也. 其弟掌令翰源亦來于衙中, 故相與穩敍.

　

1797년 10월 8일. 평명(平明)[6]에 길을 떠나 포천(抱川)의 송우역(松隅驛)까지 50리를 가서 점심을 먹었는데, 포진(鋪陳)과 지응(支應)[7]하는 사람이 와서 기다리고 있었다. 주관(主官, 수령) 김동선(金東善)이 공장(公狀)[8]을 바쳤다. 오후에는 본현의 읍내에 도착하여 김봉조하(金奉朝賀)를 찾아뵙고 잠깐동안 말을 주고받았으며, 또 주쉬(主倅, 본관수령)를 찾아가 잠깐 만나보고 헤어졌으니, 한탄스런 것은 사행(私行)과는 다르다는 점이다. 영평(永平)의 양문역(梁門驛)까지 50리를 가서 유숙했다. 주관(主官, 본관수령)인 박제가(朴齊家)[9]가 공장(公狀)을 바쳤다.

初八日. 平明離發, 至抱川松隅驛五十里中火, 鋪陳支應來待之, 主官金東善進公狀. 午後歷到于本縣邑內, 進拜于金奉朝賀, 乍爲酬酢, 又見主倅, 霎面而分, 所歎者異於私行也. 至永平梁門驛五十里留宿, 主官朴齊家進公狀.

---

6) 평명(平明) : 해가 돋아 밝아올 무렵을 뜻한다.
7) 포진(鋪陳)과 지응(支應) : 포진(鋪陳)은 자리를 깔고 물건들을 배치하는 것을 말하고, 지응(支應)은 관원이 공무 출장 중에 소용되는 물품을 현지에서 대어주는 일을 말한다.
8) 공장(公狀) : 수령(守令)이나 찰방(察訪) 등이 공식으로 상관을 만날 때 먼저 명함을 써서 드리는 것이다.
9) 박제가(朴齊家, 1750~1805) : 자는 재선(在先)·차수(次修)·수기(修其), 호는 초정(楚亭)이다. 박평(朴坪)의 서자로 태어났으며, 박지원(朴趾源)의 문인이자, 북학파의 거두이다. 1796년에 영평현감에 부임했다.

1797년 10월 9일. 평명에 길을 나서서 철원(鐵原)의 풍전역(豊田驛)까지 40리를 가서 점심을 먹었다. 본부사(本府使, 철원부사) 이하보(李夏保)가 공장(公狀)을 바쳤다. 오후에는 금화현(金化縣)까지 50리를 가서 유숙했다. 주관(主官) 민치겸(閔致謙)이 공장(公狀)을 바쳤다. 나와 그 사람과는 일찍부터 아분(雅分)이 있기 때문에 혹시라도 속례(俗例) 때문에 사모관대를 갖추고 올까 염려되기에 내가 먼저 전갈을 보내 '내가 마땅히 들어갈 테니 나오지 말라'고 했는데, 답하길 '사사로움으로 공적인 것을 폐한다'고 해서 한바탕 웃었다. 사처[下處]에서 조금 쉰 후에 들어가 주쉬를 만나보고 대략 막힌 회포를 풀었다. 이윽고 두 사람이 다담상을 내왔는데 성찬이라고 말할만하였다. 조금 먹은 후에 역졸에게 내주었다. 그때 눈비가 어지럽게 내리기 때문에 남여(藍輿)를 타고 우비를 갖추고 나왔다. 황혼 때 하리(下吏)가 와서 폐문(閉門)한 사유를 고하였다. 주쉬가 촛불을 들고 찾아와서 잠깐동안 정담을 나누다가 갔다. 그날 밤에는 눈이 몇 촌 남짓 내렸지만 날씨는 오히려 별로 춥지 않으니 다행이다. 취수(吹手) 2명과 사령(使令) 2명이 강원도 철원 지경부터 비로소 와서 기다리고 있었는데, 지나가는 다른 고을에서도 모두 이처럼 했다.

初九日. 平明離發, 至鐵原豊田驛四十里中火, 本府使李夏保進公狀. 午後至金化縣五十里留宿, 主官閔致謙進公狀. 余與其人曾有雅分, 故或慮其以俗例具帽帶出見, 余先傳喝曰, '吾當入去, 勿爲出來云', 則答以 '以私廢公'云, 好笑好笑. 乍憩下處後入見主倅, 略敍阻懷, 俄爾二人奉進茶啖床, 可謂盛饌, 少喫後出給于驛卒. 其時雨雪亂下, 故乘藍輿備雨具而出來, 黃昏時下吏來告閉門之由. 主倅秉燭出來, 有頃穩敍而去. 其夜雪來數寸餘, 而日氣猶不甚寒, 可幸. 吹手二名使令二名, 自江原道鐵原境始爲來待, 而所經他邑皆如是.

1797년 10월 10일. 평명에 출발하여 금성현(金城縣)까지 50리를 가서 점심을 먹었다. 본관인 김상목(金相穆)은 공무로 인해서 원주로 출장을 갔다고 한다. 홍창녕(洪昌寧)의 청으로 하리 고경천(高擎天)을 불러서 만나보고 술을 주고 다담상을 내주었는데, 그 아전에게는 자못 크게 생색이 나는 뜻이 있었다. 오후에는 창도역(昌道驛)까지 30리를 갔는데, 지나는 곳마다 좌우가 모두 산이고 깊고 깊은 골짜기여서 거의 20리 동안은 인적이 드물었다. 역관(驛館)에서 유숙했다.

初十日. 平明離發, 至金城縣五十里中火, 本官金相穆, 因公出去原州云. 以洪昌寧所請, 招見下吏高擎天, 饋酒而出給茶啖床, 其吏似有大生光之意. 午後至昌道驛三十里, 而所過之處左右皆山, 深深窮峽, 村居絶稀者近二十里也. 留宿于驛館.

1797년 10월 11일. 평명에 출발하여 회양부(淮陽府)의 신안역(新安驛)까지 40리를 가서 점심을 먹었다. 오후에는 10여 리쯤 갔을 때 북풍에 대설이 몰아치고 천지가 어두워져서 지척에 있는 산천도 분간하기 어려웠다. 눈발을 무릅쓰고 본부 내의 30리까지 와서 유숙했다. 본부사(本府使) 이우진(李羽晉)은 이미 알고 지낸 사이인데 공무로 인해서 원주에 출장을 갔다고 하니 한탄스럽다.

十一日. 平明離發, 至淮陽府新安驛四十里中火, 午後行至十餘里許, 北風驅大雪天地晦冥, 不辨咫尺山川, 冒雪到本府內三十里留宿. 本府使李羽晉, 已雖知面, 而因公出去原州云, 可歎.

1797년 10월 12일. 평명에 길을 나서서 은계역(銀溪驛)까지 10리쯤 갔는데, 폭풍에 눈발이 휘몰아치며 얼굴과 눈을 때리기 때문에 상하 사람이 모두 추위를 이기지 못하고 잠시 역참에서 쉬었다. 본부사가 와서 죽을 먹길 청하기에 추위에 언 몸을 녹이고자 하여 억지로 조금 먹었다. 이윽고 바람이 조금 뜸해지기 때문에 출발하여 철령(鐵嶺)까지 40리를 가니 함경도(咸鏡道)로, 사람과 말의 무리가 고개 위에 와서 기다리고 있었다. 대저 이 고개는 남과 북을 한계짓는 곳이다. 남여에 앉아서 고개 북쪽을 쳐다보니 지형이 깊숙하다가 비로소 평야가 열리고, 곳곳에 촌락이 바둑판과 별처럼 널려있다. 이곳 북쪽 지경에 이르러서야 평탄한 평야와 험한 비탈의 이치를 더욱 깨닫겠다. 그러나 천지 조화옹이 산천의 형세를 혹은 통하게 하고 혹은 막히게 하는 까닭은 또한 쉽게 헤아릴 수 없는 것이다. 돌길은 얼음이 언 데다가 울퉁불퉁함이 심해서 100걸음을 가는 데 9번이 꺾여진다. 좌우에서 부축해주어서 어렵사리 고개를 내려왔는데 마음속으로 매우 두려웠다. 날이 비록 저물지는 않았지만 바람 또한 매우 차가워서 전진할 수가 없기에 고산역(高山驛)까지 10리를 가서 유숙했는데, 이곳은 안변(安邊)의 경계이다. 본부사 이태형(李太亨)이 공장(公狀)을 바쳤다. 향소(鄕所)가 각항의 이예(吏隷)들과 함께 지응하고 포진하였는데, 모든 거행하는 예절이 좀 전에 지나온 역참에 비해서 배나 더 나았다.

十二日. 平明離發, 至銀溪驛十里許, 暴風吹雪撲面射眸, 上下俱不勝寒, 暫憩于驛店矣. 本府吏來請進粥, 思欲禦寒少强飮之, 俄爾風少休, 故離發至鐵嶺四十里, 則咸鏡本道, 人馬之徒來待於嶺上. 大抵此嶺所以限南北也. 坐于藍輿越瞻嶺北, 則地形深隱, 始開平野, 處處村居碁布星羅. 到此北境, 尤覺夷險平陂之理也. 然而天地造化翁之使山川形勢, 或通或塞之所以然之故, 亦不易測也. 石路成氷, 崎嶇且甚, 百步九折, 左右扶護, 艱關下嶺, 心極悚懍. 日雖未暮, 而風且寒酷, 不得前進, 留宿于高山驛十里, 此則安邊境也. 本府使李太亨進公狀. 鄕所與各項吏隷, 支應鋪陳, 凡干擧行等節, 比於目前所過之站, 倍爲稍勝.

1797년 10월 13일. 평명에 출발하여 남산역(南山驛)까지 50리를 갔는데, 그 사이에 아주 험한 두 개의 가파른 벼랑이 있어서 오르내리느라 매우 힘들었기 때문에 물어보니, 하리가 대답하길 '세속에서는 맥탄(麥{土+難})이라고 부른다'고 했다. 본도에 들어온 후부터는 도로에서 추솔(騶率, 상전을 따라다니는 하인)이 앞에서 인도하니, 위세가 자못 별성(別星)10)의 의미가 있는 것 같았는데, 고요히 생각해보니 도리어 스스로 마음속에 부끄러웠다. 역관에서 점심을 먹었는데, 그때 함흥에 사는 선전관(宣傳官) 한민헌(韓民獻)이 상경하는 길에 지나가면서 뵙기를 청하기 때문에 들어오길 허락하고 얘기를 나눈 후 다담상을 차려주고 약과를 싸서 주니, 그 사람은 많이 감사해하는 뜻이 있었다. 오후에는 덕원(德源)까지 50리를 갔는데, 지나가다가 원산포(元山浦) 마을을 살펴보니, 몇백여 호가 강가에 즐비하게 있으니 장대하다고 말할만하였다. 본부사 원의진(元毅鎭)이 공장(公狀)을 바쳤다. 이 고을부터 비로소 수청기생이 있어서 내보였는데, 그 모양을 보니 원체 쓸만한 물건이 없다.

十三日. 平明離發, 至南山驛五十里, 而其間有絶險兩峻坂陟降極艱, 故問之, 則下吏對曰, 俗所謂麥{土+難}云. 自入本道之後, 道路騶率前陪, 威儀似有別星意思, 靜言思之, 旋爲自愧於心矣. 中火于驛館, 其時咸興居韓宣傳民獻, 以上京行過去而請見, 故許以入來, 酬酢後, 饋以茶啖裹給藥果, 其人多有感意. 午後至德源五十里, 而歷觀元山浦村, 則累百餘戶, 臨江櫛比, 可謂壯且大矣. 本府使元毅鎭進公狀. 出見自此邑始有守廳妓生, 看其貌樣, 元無可用之物.

1797년 10월 14일. 평명에 출발하여 문천(文川)까지 30리를 가서 점심을 먹었다. 주관(主官)인 이상준(李尙儁)은 나와는 동방(同榜)인 데다 또 감찰(監察)일 때 동료였기에 이미 아분이 있는 자이다. 듣기에 황저(黃疽, 악창)로 신음하다가 지금은 조금 나았지만 아직은 세수를 하지 못한다고 하기 때문에 내가 먼저 전갈을 하고 잠시 쉰 후에 들어가 보니, 병색이 얼굴에 가득하였다. 잠깐동안 얘기를 나누고 나왔다. 정언(正言) 민치재(閔致載)의 청으로 인해

하리를 불러서 본읍의 기생 분단(粉丹)과 그 아들 우득(偶得)에 대해서 물어보자, 대답하길 '분단은 지금 바야흐로 50리쯤 되는 곳에 나가서 살고 있고, 그 아들 우득은 죽은 지 이미 오래되었다'고 했다. 아영(亞營)의 영리(營吏)인 채종언(蔡宗彦)은 문천(文川)에 사는 사람으로서 군에 도착했을 때 몸을 드러내어 기역(騎驛)을 배행했는데, 그 아전은 20살 먹은 사람으로 또한 문필에 능하니 기특하도다! 오후에는 고원군(高原郡)까지 50리를 가서 유숙했다. 주관인 장현택(張顯宅)이 공장(公狀)을 바치고 찾아와서 한참 얘기를 나누다가 들어갔다. 연일 바람기가 거세어서 삿갓을 쓰고 있기가 힘드니, 이것은 실로 길가는 자의 고생스런 일이다.

十四日. 平明離發, 至文川三十里中火, 主官李尙雋, 與余同榜且監察作僚, 而已有雅分者也. 聞以黃疸呻吟而今則少差猶未梳洗云, 故余先傳喝暫憩後見, 則病色滿顏, 霎爲酬酢而出來. 以閔正言致載所請, 招致下吏, 問本邑妓粉丹與其子偶得之存否, 則對曰'粉丹今方出居于五十里許, 而偶得則死已久云.' 亞營營吏蔡宗彦, 以文川所居漢, 見身於到郡時而騎驛陪行, 厥吏以二十歲之漢, 亦能文與筆, 奇哉! 午後至高原郡五十里留宿, 主官張顯宅進公狀, 出見有頃相唔而入去. 連日風力蓬蓬, 笠難堪着, 此實行者之苦事也.

1797년 10월 15일. 평명에 출발하였는데 여독이 크게 생겨서 영흥(永興)까지 40리를 가서 유숙했다. 본부사 김희조(金熙朝)는 일찍부터 아분이 있기 때문에 내가 먼저 전갈하길, '조금 쉰 후에 마땅히 들어갈 것이니 나오지 말라'고 하였다. 이윽고 공복을 갖춰 입고서 오기에 내가 웃으며 말하길, "집사는 사사로움으로써 공례를 폐하지 않은 자라고 말할 수 있구려. 나를 위해 함흥의 이아(貳衙)에 편지를 써 주시오."라고 하고, 저녁때는 나 또한 관아에 들어가서 한참동안 정담을 나누다가 나왔는데, 여러 가지 대접이 정성스럽고 간절했으니 행세(行世)를 잘하는 사람이라고 말할만하다.

十五日. 平明離發, 而路憊大作, 至永興四十里留宿. 本府使金熙朝, 曾有雅分, 故余先傳喝曰, '小憩後當入去, 勿爲出來云'矣. 俄爾具公服來見, 余笑曰, "執事, 可謂不以私交廢其公禮者也. 爲余折簡于咸興貳衙." 夕時余亦入衙, 有頃穩敍而出來, 凡干接遇款曲愈切, 亦可謂善於行世者也.

1797년 10월 16일. 평명에 출발하여 금파원(金坡院)까지 30리를 가서 점심을 먹었다. 지응(支應)은 어떤 고을이 출참(出站)[11]하여 기다리고 있는가에 대해 물으니, 하리가 대답하길 "영흥(永興)에서 또 담당합니다."라고 말했다. 내가 웃으면서 "그렇다면 본부에서만 4차례나 지공(支供)하는 것은 너무 지나치지 않는가?"라고 말하였다. 오후에는 정평(定平)까지 50리를 가서 유숙했다. 본부사 최명건(崔命健)이 공장(公狀)을 바치고 나왔기에 얼굴을 접해보니, 이전에 내가 기랑(騎郞, 병조 낭관)일 때 시위(侍衛)하는 반열에서 매양 서로 얘기를 나누던 친한 사람이다. 천 리 먼 타향에서 알고 지내던 사람을 갑자기 만나니, 기쁜 마음이 없을 수 없는데, 저 사람 또한 그럴 것이다. 본부의 선비 한경령(韓景玲)과 이응(李膺) 두 사람이 명함을 바치며 뵙기를 청한다고 하기 때문에 들어오길 허락하였다. 함영(咸營)의 마도(馬徒)와 농리(籠吏)가 와서 기다리고 있었다.

十六日. 平明離發, 至金坡院三十里中火, 而問其支應之何邑出站來待, 則下吏來對曰, "永興又當之云." 余笑曰, "然則本府之四次支供, 不已過乎?" 午後至定平五十里留宿, 本府使崔命健進公狀, 出見接面, 則前者余爲騎郞時侍衛班列, 每每相晤親知者也. 千里他鄉忽逢所知之人, 不無欣幸之心, 而彼亦然矣. 本府士人韓景玲李膺兩生納名請見云, 故許以入見,

---

11) 출참(出站) : 사신(使臣)·감사(監司)의 영접과 모든 전곡(錢穀)·역마(驛馬)를 지공하기 위하여 그의 숙역(宿驛)에서 가까운 역에 사람을 보내는 일을 말한다.

咸營馬徒與籠吏來待之.

1797년 10월 17일. 평명에 출발하여 지경막(至境幕)까지 20리
를 가서 잠시 말에서 내려 휴식하고, 오전에 함흥(咸興)까지 30리
를 가서 임소에 도착했다. 지나온 주현(州縣)의 토지 색깔은 모두
흰색 토양으로 전혀 비옥한 기가 없었다. 땅에서 나온 소출도 반드
시 이것에 걸맞을 것이니, 토양이 이미 이러하다면 거주민의 생리
(生利)는 어찌 넉넉할 수 있겠는가? 감영에 도착할 때 좌우를 둘러
보니 사면으로 들판이 열려 있어서 눈앞이 확 트여있고, 또 판교
(板橋)가 장천에 가로로 걸쳐 있길 거의 3~4리나 되니 이름하여
'만세교(萬歲橋)'라고 한다. 다리의 동쪽에는 낙민루(樂民樓)가 있는
데 단청이 화려하고 치첩(稚堞)의 위로 우뚝 솟아 있으니, 명승지
라고 이름할 만하다. 아영(亞營)의 공해(公廨)는 이름을 '문소관(聞
韶館)'이라고 하는데, 비록 무너지지는 않았지만, 본부에서 미리 짐
작하길 '아사(亞使)는 오래 머물지 않을 것인데 창호와 벽지를 새
로 갈기는 어렵다'고 여겨서 향사당(鄕社堂)을 아사의 주거처로 삼
은 것이어서 까치집에 비둘기가 사는 것과 다르지 않으니, 이 또한
말도 되지 않은 일이다. 조금 후에 다담(茶啖)을 내왔는데, 식전방
장이라고 말할만하며, 다음으로 식상(食床)을 내왔는데 본관이 감당
했다고 한다. 조금 쉰 후에 흑단령(黑團領)을 입고 객사의 전패에서
연명(延命)[12]하며 전후로 두 번 사배례를 하였는데, 의장(儀仗)과
공인(工人)이 좌우로 나란히 섰다. 예를 마친 후 순사(巡使) 이정운
(李鼎運)을 찾아뵙고 안부를 주고받은 후에 나왔다. 올 때 본영(本
營)의 중군(中軍)인 민백길(閔百吉)에게 전갈해보니, '도시소(都試所)
의 시관(試官)이라서 가볍지 못한다'고 답을 했다. 그 사람은 내가
동릉에서 산을 살필 때 발이 걸려 넘어지면서 갑자기 팔이 부러졌

---

12) 연명(延命) : 왕명(王命)을 맞이하는 의식, 또는 수령이 감사를 처음
으로 가서 보는 의식을 말한다.

는데, 우연히 현재(顯齋)로 와서 나를 위해 며칠동안 침을 놔주며 치료해준 사람이다. 시관에 나간 것으로 인해서 서로 얼굴을 볼 수 없으니 매우 한탄스럽다.

十七日. 平明離發, 至至境幕二十里, 暫下馬休息, 午前至咸興三十里, 到任. 所過州縣土地之色, 皆是白壤, 全無肥沃之意, 地之所出, 想必稱是, 土旣如此, 則居民之生利, 豈可贍乎? 到營時, 左右顧眄, 則四面開野, 眼界通闊, 且有板橋橫亘長川, 幾于三四里, 名曰萬歲橋. 橋之東有樂民樓, 丹靑照耀, 髣出於稚堞之上, 可謂名勝之地也. 亞營公廨, 名以聞韶館, 而雖不頹圮, 本府豫料亞使之不久居, 難於牕壁之修葺, 以鄕社堂爲亞使之所住處, 無異於鵲巢之鳩居, 此亦不成說之事也. 俄爾進茶啖, 可謂食前方丈, 次進食床本官當之云. 少憩後着黑團領, 延命于客舍殿牌, 前後再四拜, 儀仗工人左右列立. 禮畢後進見巡使李鼎運, 寒暄酬酢後出來. 來時傳喝于本營中軍閔百吉, 則答以'都試所試官, 未得往見云', 其人則余之在東陵巡山時, 足跌顚伏, 忽然折臂, 而偶來顯齋, 爲余多日針刺調治者也. 緣於赴試, 趂未相面, 可歎可歎.

1797년 10월 18일. 평명에 하리가 와서 고하길, "오늘 동지 전문(箋文)13)을 봉할 때 사또님께서 관례로 참석해야 합니다."라고 하기 때문에 밤새도록 크게 아픈 나머지에 병든 몸을 부여잡고 말을 달려 순사와 잠시 얘기를 나누었다. 전문을 봉할 때는 선화당(宣化堂)14)에다 자리를 열었는데, 음악을 연주하고 다담을 내왔다. 본부 상영(上營)의 기생들이 일제히 와서 춤추기도 하고 앉아있기도 했는데, 전문을 봉하는 일을 마친 후에야 음악을 거두었다. 차사원은 거산찰방(居山察訪) 류위(柳煒)이다. 전문을 모시고 나갈 때 순사(巡使)와 아사(亞使)는 뜰로 내려와 북향하여 국궁하고 지송(祗

13) 전문(箋文) : 나라에 경사가 있을 때 신하들이 임금, 왕비, 세자 등에게 올리는 송축문이다.
14) 선화당(宣化堂) : 관찰사가 사무를 보던 정당(政堂)을 말한다.

送)15)한 후 다시 선화당으로 올라갔으며, 자리가 파한 후에 나왔다. 도임장(到任狀)은 당일에 발송했으며, 마패는 상영(上營)에 봉납(封納)하고, 받아가지고 나온 서목(書目)이 도부(到付)한 것을 받아가지고 왔다.

十八日. 平明, 下吏來告曰, "今日封冬至箋文時, 使道主例爲進參云." 故終夜大痛之餘, 扶病馳進, 與巡使暫晤. 封箋時, 開坐于宣化堂, 張樂進茶啖. 本府上營妓生等一齊來會, 或舞或坐, 封箋畢後徹樂. 差使員, 則居山察訪柳煒也. 箋文陪出時, 巡使亞使下庭北向鞠躬祗送, 還升宣化堂, 罷坐後出來. 到任狀則當日發送, 而馬牌則封納于上營, 而受來書目到付.

1797년 10월 19일. 평명에 흑단령을 입고 문묘에 나아가 알성(謁聖)을 하고, 향안(香案) 앞에 나아가서 3번 향을 올리고 내려와 자리에 돌아와서 사배례를 행하였다. 교생 10여인이 와서 집례를 기다리고 있었다. 예를 마친 후 감영에 도착하니, 그날 본부 판관 박시영(朴始榮)이 하리를 보내 전갈하길, '연일 제사가 있는 것으로 인해 21일 파재(罷齋)한 후에 와서 뵙겠다'고 하기 때문에 생각해 보니, 비록 상하관의 체모와 공사례(公私禮)의 관례가 있을지라도 본관의 나이 이미 65세인 데다 내가 이곳에 온 것이 이미 3일이 되었는데, 가만히 앉아서 그 노인이 찾아오기만을 기다린다면 망녕되이 스스로 잘난 체하는 것에 가까울 뿐만 아니라 주객의 도리에 있어서도 또한 서로 어긋나는 탄식이 없을 수 없다. 때문에 예리(禮吏)를 불러서 먼저 전갈하고 가서보니, 확삭(矍鑠)16)한 노인이

---

15) 지송(祗送) : 임금의 거가(車駕)를 백관(百官)이 도열(堵列)하여 공손히 배송(拜送)하는 것이다.
16) 확삭(矍鑠) : 나이 든 사람이 여전히 강건하여 젊은이처럼 씩씩하게 행동하는 것을 말한다. 동한(東漢)의 복파장군(伏波將軍) 마원(馬援)이 62세의 나이에도 불구하고 말에 뛰어 올라 용맹을 보이자, 광무제(光武帝)가 "이 노인네가 참으로 씩씩하기도 하다.[矍鑠哉是翁也]"

근력은 더욱 씩씩하였으며, 얘기를 주고받은 것이 은근하였고, 또 내가 먼저 찾아와준 것에 대해 감동하였다. 이것은 비록 체례(體例, 관리 사이에 지키는 예절)에 어긋나기는 할지라도 세상에는 정도를 지키면서 권도를 행하는 일이 많이 있으니, 무슨 해가 되겠는가? 한참동안 얘기를 나누다가 나왔다. 적막한 가운데 오늘은 본부 근처에 문사(文士) 최경원(崔景遠)이 있다는 소리를 들었기 때문에 하리를 보내 존문(存問)[17]을 하니, 얼마 안 있어 찾아왔다. 말을 들어보고 모습을 살펴보니 단아한 것이 기특하다. 또 나이도 겨우 32살인 데다 금년 추과(秋科, 향시)에서 7번째 합격을 했다고 한다. 북쪽 먼 변방에서 이와 같은 인재가 있다니 더욱 가상하다.

대저 이곳의 규례에서는 아사(亞使)가 도임한 날 접대하는 일들은 본관이 감당하고, 다음날 이후에는 상영(上營)에서 별도로 공수청(供需廳)을 정해두고 아영(亞營)의 삭봉(朔捧)으로 지공(支供)을 획급한다. 때문에 예고(禮庫)와 영고(營庫)와 아영(亞營)의 등록(謄錄)을 살펴보니, 각종 분배(分排)가 매우 잔박(殘薄)하다. 이 관직과 상황을 돌아보니, 진실로 가소롭다. 하속으로는 사령 2명, 군노 2명, 급창 1명, 통인 2명, 감상색(監嘗色) 1명, 다모 2명, 방자 1명, 기생 4명으로, 상영(上營)과 본부(本府)가 나누어 담당해서 보내줌으로써 날마다 대령하게 한다. 가만히 앉아서 이러한 신세를 생각해보니 오랫동안 낙양의 객이 되었다가 또 함흥의 객관(客官, 관아의 사무에 직접적인 책임이 없는 벼슬아치)이 되니, 이는 실로 객중의 객이다. 스스로 운수가 건둔(蹇屯)[18]함을 탄식할 따름이다. 어쩔 것

라고 찬탄한 고사가 전한다. 『後漢書 卷24 馬援列傳』

17) 존문(存問) : 고을 수령이 그 지방의 찾아볼 만한 사람을 인사로 방문하는 일을 말한다.

18) 건둔(蹇屯) : 어려운 상황이라는 말이다. 『주역』「건괘(蹇卦) 단(彖)」에 "건은 어려움이니 험함이 앞에 있다.[蹇難也, 險在前也]"라고 하였고, 『주역』「둔괘(屯卦) 단(彖)」에 "둔은 강과 유가 처음 사귀어 어려움이 생겨났다.[屯, 剛柔始交而難生]"라고 하였다.

인가?

十九日. 平明, 着黑團領, 詣文廟謁聖, 而進詣香案前三上香, 降復位行四拜禮. 校生十餘人來待執禮. 禮畢後出來到營, 日本府判官朴始榮, 送下吏傳喝曰, '以連有忌故, 念一罷齋後來見云', 故思之, 則雖有上下官之體貌, 公私禮之格例, 本官年旣六十有五, 而余之來此已三日矣, 坐待其老人之來見, 則不惟近於妄自尊大, 而其於主客之道, 亦不無齟齬之歎, 故招致禮吏, 先爲傳喝而往見, 則矍鑠老人筋力益壯, 酬酢懃懃, 且感余之先來見之. 此雖體例之倒錯, 世多有守經而行權之事, 庸何傷乎? 有頃相晤而出來. 涔寂之中, 卽聞本府近處有文士崔景遠, 故送下吏存問, 則俄爾入來見之. 聽言觀貌, 端雅可奇, 且年纔三十二, 幷今秋科七次拔解云. 逖矣北境, 有如是之人才, 尤爲可嘉. 大抵此處規例, 則亞使到任日接待凡節, 本官當之, 而自翌日以後, 上營別定供需廳, 以亞營朔捧, 劃給支供, 故取看其禮庫營事亞營謄錄, 則各種分排, 極其殘薄. 顧此官與況, 良可笑也. 下屬則使令二名, 軍奴二名, 及唱一名, 通引二名, 監嘗色一名, 茶母二名, 房子一名, 妓生四名, 上營本府分當送之, 逐日待令. 坐思此身世, 長作洛陽之客, 而又爲咸興之客官, 此實客中之客也. 自歎命數之蹇屯而已. 奈何奈何?

1797년 10월 21일. 도시(都試)[19] 출신(出身)이 와서 기다리기 때문에 잠시동안 호신래(呼新來)[20]를 하고 또 삼현(三絃)의 소리를 들었다. 이 또한 적막함을 깨는 한 가지 일이다.

二十一日. 都試出身來待, 故暫呼新來, 且聽三絃之音, 是亦破寂之一事也.

1797년 10월 23일. 본관이 공복을 갖추고서 찾아와 한참동안

---

19) 도시(都試) : 중앙에서는 병조(兵曹)와 훈련도감(訓鍊都監)의 당상관(堂上官), 지방은 관찰사(觀察使)와 각 진영(鎭營)의 병마절도사(兵馬節度使)가 매년 봄과 가을에 무사(武士)를 선발하는 제도이다.
20) 호신래(呼新來) : 과거 급제자에게 행하는 축하행사의 일종이다.

얘기를 나누었는데, 그가 어떤 관직으로 서사(筮仕, 첫 벼슬)를 하였는지를 물어보니, 답하길 "사마(司馬)가 아니기 때문에 처음에는 돈령참봉에 제수되었다가 서승(序陞)21)으로 출육(出六, 참상관에 오름)하고, 아울러 지금의 본직까지 이미 6개 고을을 거쳤으니, 선음(先蔭) 아님이 없습니다."라고 했다.

二十三日. 本官具公服來見, 有頃酬酢, 而問其以何官筮仕, 則答以'未司馬, 故初除敦寧參奉, 序陞出六, 幷今本職已經六邑, 莫非其先蔭云.'

1797년 10월 24일. 본궁(本宮)에 가고자 했으나 바람이 혹독하게 차가워서 군령을 다시 거두고, 우선 훗날 날씨가 온화해질 때를 기다리기로 했다. 오늘 듣기에 도시(都試)의 군병을 호궤(犒饋, 음식을 베풀어 군사를 위로함)하는 날은 순사께서 자리를 여는 것이니, 아사(亞使)는 관례대로 동참해야 한다고 했다. 때문에 사모관대를 갖추고서 말을 달려갔으며, 교유서(敎諭書)를 모시고 들어올 때 국궁하여 지영(祗迎)22)하였고, 판관과 중군도 그렇게 했다. 이번 겨울의 도시 출신과 다른 관시(觀試) 군병들 수백여 명이 마당의 좌우에 줄지어 앉아있었으니, 이 또한 하나의 장관이었다. 이윽고 호궤상이 나오고 다음으로 다담이 나왔으며, 음악을 펼치고 기생들이 춤을 추었다. 조금 젓가락질을 한 후에 아영의 하속들에게 내주었으며, 자리가 파한 후에 나왔다.

二十四日. 欲往本宮, 而以風且寒酷, 還收軍令, 姑俟後日日氣之溫和矣. 卽聞其日犒饋軍兵, 而巡使開坐, 則亞使例爲同參云, 故具帽帶馳進, 敎諭書陪入時, 鞠躬祗迎, 而判官中軍亦然. 今冬之都試出身與他觀試軍兵, 累百餘名, 列坐于庭之左右, 此亦一壯觀事也. 俄爾進犒饋床, 次進茶啖, 張樂舞妓. 少爲下箸後, 出給于亞營下屬, 罷坐後出來.

---

21) 서승(序陞) : 관직에 있는 햇수를 따라서 품계나 벼슬이 올라가는 것을 말한다.

22) 지영(祗迎) : 공경히 맞이한다의 뜻으로 제왕(帝王)·신령(神靈) 또 그의 사자(使者)·하사물(下賜物) 등을 맞이하는 데 쓰는 말이다.

1797년 10월 25일. 본부 외촌(外村)에 사는 선비 윤송(尹淞)이 찾아왔다.

二十五日. 本府外村居士人尹淞來見.

1797년 10월 26일. 본부 퇴조(退潮)에 사는 선비 주진인(朱鎭人)은 곧 장령 중옹(重翁)의 아들인데 또한 찾아왔다. 두 사람이 모두 이 관직이 매우 박함을 말하고, 또 완상할만한 승경처를 말했는데, 하나는 웃자고 한 말이고, 하나는 흠탄할 일이다. 이곳에 온 지 며칠이 지난 후에 홍원태수(洪原太守) 이명연(李明淵)에게 편지를 부쳤는데, 그것에 대한 답장편지가 왔기에 두세 번이나 열어보고서야 말의 뜻을 살필 수 있었으니, 곧 찾아오고 싶지만 이러한 정종(情踪)으로는 끝내 지경 밖으로 나갈 길이 없다는 것이다. 그 말이 혹은 그럴듯하다.

二十六日. 本府退潮居士人朱鎭人, 卽掌令重翁之子也, 亦爲來見. 兩生俱言此官之甚薄, 且說可翫之景處, 一則好笑事也, 一則欽歎事也. 來此數日之後, 付書于洪原太守李明淵矣, 答翰來到, 披閱再三, 槪審辭意, 則卽欲進見, 而以此情踪末有出境外云, 其言似或然矣.

1797년 10월 28일. 평명에 남문에서 출발하여 의릉(義陵)까지 말을 타고 나아갔는데, 거리는 20리쯤으로, 곧 도조대왕(度祖大王)[23]의 침원(寢園)이다. 하예와 나졸들은 모두 동구밖에 두고 몸소 재실에 도착하여 입직 참봉과 얘기를 나누었다. 어떤 복색을 착용

---

23) 도조대왕(度祖大王) : 태조 이성계의 할아버지이다. 익조대왕의 제4남으로 이름은 춘(椿), 처음 이름은 선래(善來), 몽고명은 패안첩목아이다. 함흥(咸興) 송두등리(松頭等里)에서 탄생하여 1342년에 사망, 1394년 (태조 3) 11월 6일에 도왕(度王)으로 추존되고, 후에 태종이 공의성탁(恭毅聖度)이라고 존호를 올렸다. 능은 의릉(義陵)으로, 함남 흥남시 운남면 운흥리 임좌(壬坐)에 있으며 표석(表石)이 있다.

할 것인가를 물어보니 답하길 "이미 봉명(奉命)한 것이 아니라 곧 사알(私謁)한 것이니 평복차림으로 첨망하는 것이 좋을 듯합니다. 이전에 사객(使客)으로서 왕래한 사람들도 모두 그렇게 했습니다." 라고 했다. 내 생각도 그 사람의 말과 같았다. 마침내 참봉과 함께 두루 첨망한 후에 재실로 내려와서 고적을 봉심하였다. 순식간에 자세히 다 살필 수 없기 때문에 『능전지(陵殿誌)』[24] 3책을 빌렸는데 며칠동안 본 후에 곧바로 보내주겠다는 뜻으로 참봉에게 언급하였다. 참봉의 성명은 곧 임희언(任希彦)이고, 거주지는 본부 외촌이며, 소과에 합격했고, 또 금년에는 공령과(功令科) 시험에서 합격하지 못했지만 제획(製劃)한 사람의 차서로서 외람되게 직장(直長)이 되는 은혜를 입어 상과(上窠)로서 임금의 전교를 받들게 되었다고 한다. 그 사람의 인품을 살펴보니 단아하니 아름답다. 조금 늦어진 후 다시 돌아오는 길에 올라서 본궁에 나아갔는데, 본궁은 본부로부터 남쪽으로 거리가 15리쯤 되고, 들판 이름은 운전(雲田)이다. 때마침 입직 별차는 일로 인해서 감영에 갔다고 하였다. 때문에 수복(守僕) 무리들과 함께 궁의 뒤뜰로 들어가서 태조대왕이 손수 심은 소나무를 봉심했다. 수복의 말에 '본래 5그루가 있었는데 지금 남은 것은 2그루이고, 그중 한 그루는 시들고 한 그루는 살아있다'고 했다. 두 손을 모으고 나무를 올려다보니, 구불구불한 것이 마치 늙은 용이 서린 모양 같아서 400여 년의 지나온 자취를 추모함에 더욱 감회가 더했다. 기타 유적은 별차가 없는 것으로 인해서 봉심할 수가 없었으니 매우 한탄스럽다. 궁의 뜰에는 또 반송의 연리지가 있는데 매우 기이하다. 문밖에는 풍패루(豐沛樓)가 있는데, 높은 누각으로 우뚝 솟아 있고 단청이 화려하기 때문에 물어보니, 금년에 개수를 하였고 물력은 북청부(北青府)에서 감당했다고

---

24) 능전지(陵殿誌) : 『북도릉전지(北道陵殿誌)』를 말한다. 정랑 위창조(魏昌祖, ?~?)가 봉교 편록한 것으로, 함영(咸營)에서 영조 34(1758)에 목판본 8권 3책으로 간행하였다.

했다. 누각을 거닐면서 현판을 두루 살펴보니, 이전의 본도 관찰사였던 유득일(俞得一)과 윤의립(尹毅立)의 제영이다. 운자를 베껴서 필갑에 두고 다시 사처로 돌아오니, 본부에서 지공(支供)한 것이 기다리고 있기 때문에 조금 먹은 후 출발하여 영에 도착했다. 날이 아직 저물지를 않은 데다 매우 따뜻하여 조금도 한기가 없었다. 대저 이번 달은 따뜻한 날은 많고 추운 날은 적으니, 이 또한 객이 된 사람으로서는 한 가지 다행스런 일이다. 본부의 중군인 민백길(閔百吉)이 일전에 도착하여 한참동안 정답게 얘기를 나누다가 갔기에 나도 가서 답례를 하고 왔다.

〈詣本宮日馬上口占〉 본궁에 가던 날 말 위에서 읊다

馬上周瞻眼欲花　　말 위에서 두루 바라보니 눈이 어질어질,
茫茫平野杳無涯　　망망한 평야는 아득히 끝이 없네.
皇天有意開茲土　　하늘은 뜻이 있어서 이 땅을 열어놓았으니,
可占鴻休萬億多　　홍복을 점유하여 억만년이나 오래가리.

二十八日. 平明, 自南門出馳詣義陵, 此去二十里許, 而卽度祖大王寢園也. 下隸羅卒皆置于洞口之外, 身自到齋室, 與入直參奉相爲酬酢, 而問以着何服色云, 則答曰, "旣非奉命則便是私謁, 以平服瞻望似好. 前此使客之往來者皆然云." 吾之意亦如其人之言矣. 遂與參奉徧爲瞻望後, 下來齋室, 奉審古蹟. 須臾之頃, 未由盡詳, 故借來陵殿誌三冊, 而以數日看審後, 卽爲賚送之意, 言及于參奉. 參奉姓名卽任希彦, 而居本府外村, 登小科, 且今年功令科未及登第, 而以製劃之次, 猥蒙直長, 以上稟承傳云. 看其人品, 端雅可嘉. 差晚後還爲復路, 而詣本宮, 本宮則自府南去十五里許, 坪名雲田曰. 時適入直別差因事往營云, 故與守僕輩入于宮之後庭, 奉審太祖大王手植松, 而守僕言內, '本有五株矣, 今餘二株, 而一株枯一株生云.' 拱手仰瞻枝株, 盤屈若老龍之狀, 追慕四百餘年之往蹟, 采增感懷. 其他遺蹟, 緣於別差之無乎, 未得奉審, 伏歎伏歎. 宮之庭又有盤松連理枝, 甚可異也. 門之外有豐沛樓, 樓高峥嶸, 丹靑輝煌, 故問

之則'今年修改, 而物力則北靑府當之'云. 徘徊樓軒, 周覽懸板, 則前者本
道觀察使兪得一尹毅立之題詠也. 謄出韻字置諸匣中, 還到下處, 則本府
支供來待, 故少喫後, 離發到營. 日猶未暮, 甚溫暖少無寒氣. 大抵今月
暖多寒少, 是亦爲客者之一幸事也. 本府中軍閔百吉, 日前來到, 有頃穩
話而去, 余亦往謝而來.

詣本宮日馬上口占. 馬上周瞻眼欲花, 茫茫平野杳無涯. 皇天有意開玆
土, 可占鴻休萬億多.

1797년 10월 30일. 서울에서 파발편을 통해 좌랑 재종제가 편
지를 부쳤기 때문에 손을 바삐하여 열어보니, 우선 무고하지만 객
지생활의 어려움이 추운 계절을 당해 배나 더 어렵다고 했다. 그
말을 들으니 매우 번민스럽다. 삼종인 여광(汝光)이 일로 인해서
서울에 올라왔다는 소식을 간접적으로 들었는데, 본가 또한 무고하
다고 한다. 비록 다행이기는 하지만, 어찌하여 삼종이 경성에 올
때가 교묘하게 내가 함흥에 있을 때인 것인가? 남북으로 너무 멀
어서 서로 상면하지 못하고 곧바로 고향으로 돌아갔다고 한다. 머
리를 빼들고 남쪽 구름을 바라보자니 다만 저절로 서글픈 탄식만
할 따름이다. 첨지(僉知) 조세웅(曺世雄)도 편지를 보내왔는데, '사
람이 색에 있어서는 영웅이나 열사가 없다'는 말로 누누이 경계하
는 말을 하였다. 만약 평소에 나를 염려함이 깊은 것이 아닌 자라
면 어찌 이러한 말을 할 수 있겠는가? 이러한 한마디 말에서도 그
사람의 마음을 알 수 있다. 사인 윤송(尹淞)이 한 동네에 사는 사
인 주흠회(朱欽晦)와 함께 찾아와 주었으니, 매우 기특하다.

三十日. 自京撥便佐郎再從弟付書, 故忙手披覽, 則姑爲無故, 而旅榻
艱苦當寒倍難云, 聞極可悶. 三從汝光因事上洛, 而聞風信, 則本第亦無
故云, 雖可幸也, 而何其三從之來到京城, 巧當余在咸興之時乎? 南北落
落, 未得相面, 而旋卽還鄕云. 翹首南雲, 只自悵歎而已. 曺僉知世雄亦
送書, 而以人之於色無英雄烈士之語, 縷縷爲戒, 若非平日念我之深, 烏

能爲此言乎? 於斯一說, 亦可以知其人之心矣. 士人尹淞與同里居士人朱欽晦, 又爲來見, 可奇可奇.

1797년 11월 1일. 새벽에 흑단령을 입고 객사로 달려나가서 잠시 의막에서 쉬었다가 판관과 중군이 서로 이어서 도착하기에 서로 인사를 나눈 후에 동정(東庭)의 위차로 나가 서서 교유서(敎諭書)를 모시고 들어올 때 국궁하여 지영했다. 순사는 뒤를 따라 들어왔으며, 개동(開東)을 할 때 전후로 사배례를 행하고, 예를 마친 후 교유서를 모시고 나갈 때 또 지영을 하였다. 순사가 먼저 나가자 나도 나왔고, 판관과 중군도 차례로 나갔다.

十一月初一日. 曉, 着黑團領, 馳詣客舍, 暫憩依幕矣, 判官中軍相繼來到, 共話寒暄後, 出立于東庭位次, 敎諭書陪入時, 鞠躬祗迎. 巡使則隨後入來, 開東時行前後四拜禮, 禮畢後敎諭書陪出時, 又爲祗迎, 巡使先出, 余亦出來, 判官中軍鱗次出去.

1797년 11월 2일. 고요히 앉아서 책을 보았다. 상영 예막(禮幕)의 첨지 송환규(宋煥奎)가 찾아왔다가 한참동안 얘기를 나누다가 갔다.

初二日. 靜坐看書矣. 上營禮幕宋僉知煥奎來謁, 有頃酬酢而去.

1797년 11월 3일. 상영에서 관례대로 삭봉(朔封)을 진상하기 때문에 그편에 고향으로 보내는 편지와 좌랑에게 보내는 답장편지 및 서너 곳으로 보내는 편지를 부쳤다. 겸하여 약간의 어곽(魚藿) 등의 물건을 부치고, 종일토록 붓을 잡고서 이 관직 자리의 담박함에 대해 스스로 비웃었다. 보내는 사람의 마음이 이와 같으니 받는 사람의 마음을 알 수 있을 것 같다. 그러나 물건이 비록 작은 것일지라도 저쪽에서는 응당 짐작하고 있을 것이니, 이러한 객관(客官)의 없음과 있음에 대해 거의 나를 비루하다고 여기지 않을 것이다. 때문에 편지와 함께 보낸 것이지만, 손으로 주무를 물건이 없어서 마음이 저절로 겸연쩍다. 신문 밖의 주인집에도 또한 약간의 복물을 보냈는데, 외주(外主)인 길경복(吉慶福)은 이곳에 함께 와서 머물고 있기 때문에 날마다 더불어 얘기를 나누며 조금은 울적한 마음을 깨뜨리게 된다. 이달 삭봉의 진상을 가지고 가는 색리(色吏)는 곧 영흥부의 전도혼(全道混)이라는 사람이다.

初三日. 自上營例爲朔封進上, 故其便付送鄕書及佐郞答狀, 與數三處書簡, 兼付若干魚藿等物, 而終日操毫自笑此宦之淡薄. 餽者之心如此, 受者之意想可知矣, 而物雖些少, 彼應斟酌, 此客官之無有, 庶不以余爲鄙庸. 故伴簡而送之, 以手撫物, 心自慊然. 新門外主人家, 亦送如干卜物, 而外主吉慶福, 則偕來留此, 日相與語, 稍可破盃. 今月朔進上領去色吏, 卽永興府全道混爲名漢也.

1797년 11월 4일. 오늘은 동짓날이다. 새벽에 객사에 나아가서 또 초하루에 거행한 것처럼 하례의 의례를 행했는데, 세 차례 호숭(呼嵩)[25]하고 다시 사배례를 더하니 모두 전후로 12배를 한 것이다. 예가 파한 후에 나와서 홀로 환한 등불을 대하자니 자고 싶어도 자지 못하고 우연히 칠절(七絶)을 읊었다.

子夜潛雷始發音	자야에 잠긴 우레가 처음 소리를 내니,
一陽生處見天心	하나의 양이 생기는 곳에서 천심을 보네.
淸晨四拜呼千歲	맑은 새벽에 사배하고 천세를 외치니,
尤覺君恩共海深	임금의 은혜 바다처럼 깊음을 더욱 깨닫겠네.

---

25) 호숭(呼嵩) : 한(漢)나라 무제(武帝)가 숭산(崇山)에 올라가 제사를 지낼 때 곳곳에서 만세 소리가 들렸다는 고사(故事)에서 나온 말로서, 백성들이 임금을 찬양하여 만세를 부르며 즐거워함을 말한다.

동짓날은 상영에서 관례대로 자리를 열고 예를 받기 때문에 식후에 갓과 의복을 착용하고 의막에 달려가니, 판관은 이미 먼저 도착해있기에 한참동안 서로 얘기를 나누었다. 얼마 안 되어 하리가 와서 여쭈는 것이 있기 때문에 들어가서 순사에게 절을 하니, 곧 오늘과 같은 날에는 더욱 도연명의 높은 아취를 흠앙하게 된다. 곧바로 나오자 영(營) 본부의 하리와 장교 무리가 기생들과 함께 나에게 예알(禮謁)을 하니, 나는 도리어 마음속으로 우스웠다. 한적하고 일이 없으니, 영에 도착한 초기에 향교의 주서(朱書)를 가져와서 상우(尙友, 벗으로 삼을만한 뛰어난 옛사람)와 소일하는 자료로 삼았다. 이 또한 객중에서의 한 가지 기쁜 일이다.

初四日. 卽冬至也. 淸曉詣客舍, 亦如初一日, 賀禮之儀節, 而三次呼嵩, 更添四拜禮, 幷前後十二拜也. 禮罷後出來, 耿對孤燈, 欲眠未眠, 偶吟七絶.

子夜潛雷始發音, 一陽生處見天心. 淸晨四拜呼千歲, 尤覺君恩共海深.

至日則上營例爲開坐受禮, 故食後着冠服, 馳進依幕, 則判官已先到, 有頃相晤矣. 俄而下吏來有所稟, 故入拜于巡使, 乃於今日尤爲欽仰淵明之高致也. 卽爲出來, 則營本府下吏將校輩, 與諸妓等, 亦禮謁于余, 余反自笑於心矣. 閑寂無事, 到營之初, 取來鄕校朱書, 以爲尙友消日之資, 此亦客中之一喜事也.

1797년 11월 5일. 일전에 찾아왔던 본부의 제생들이 또 찾아왔고, 윤송이 그 집안의 가승(家乘)을 가져왔기 때문에 그의 선세 행적을 살펴보니, 집안에서는 지극히 효도하고 나라에서는 충성을 다하였으며, 인묘(仁廟)의 인산(因山) 때와 소대상(小大祥) 때 분곡(奔哭)하지 않음이 없었던 것이 일기에 자세히 나왔다. 또 완남(完南) 이후원(李厚源)이 본도의 감사였을 때 그 일을 연품(筵稟, 국왕에게 품의함)하여 정려와 복호를 주는 전(典)이 있기에 이르렀다. 그 충과 효는 매우 아름다우니, 비록 북방의 먼 변경에 있을지라도 이와 같은 사람이 있어서 사람들로 하여금 평상을 벗어나 탄복하게 하는 것이다.

初五日. 日前所到本府諸生, 又爲來見, 而尹淞齋來渠之家乘, 故考見其先世行蹟, 則於家而極其孝, 於國而盡其忠, 仁廟因山小大祥時, 無不奔哭, 日記昭昭. 且完南李厚源, 以本道監司, 筵稟而至有旌閭給復之典. 其忠其孝, 極爲可嘉, 雖在北方遠外之境, 而有如是之人, 令人出尋常歎服處也.

1797년 11월 6일. 앞어서 생각해보니, 내가 영에 도착한 뒤로 마침 공고(公故)로 인해서 순상(巡相)과 더불어 얘기를 나누는 일을 일찍이 하루라도 전적으로 나아가 마주하고 대화하지 못했다. 때문에 내 몸에 돌이켜보면 소홀히 대한 뜻이 있는 것 같기에 날이 저문 후에 순사를 찾아가보니, 해남의 생리(生利)가 좋은지 나쁜지를 묻고, 또 송정(松汀)의 가세에 대한 일과 연동(蓮洞)의 윤씨와 친한지 여부를 물었다. 또 말하길, '어찌하여 자주 찾아와서 서로 대화를 나누지 않았는가?'라고 하기에 내가 변명하는 말로 대답하길, "자주 상영에 출입하는 것은 다만 번설(煩褻)함에 가까울 뿐만 아니라 또한 매양 장복(章服)을 착용하는 것도 또한 불편한 일이 있기 때문에 그렇게 하지 못했습니다."라고 하였다. 그러자 순사가 말하길, "철릭(天翼)을 가져오지 않았던가요? 만약 그렇다면 이렇게 입고 자주 오십시오."라고 했다. 나올 때 순사의 대인(大人)을 찾아가 보니, 80살 남짓한 노인으로, 기력이 아직 건장하고 얼굴에는 때가 끼지 않았는데, 수작하는 말이 매우 너그러우니, 완복(完福)한 사람이라고 말할 수 있겠다. 낭청 이주면(李周冕)은 곧 순사의 서표종(庶表從)인데, 여러 차례 찾아오기에 내가 말하길, "내가 이곳에 온 것은 지나가는 객관(客官)과는 다르기 때문에 가서 사례를 할 수가 없으니, 이와 같음을 허물하지 마시오. 그러나 혹 틈이 나거든 때때로 와서 적막함을 깨뜨려주시오."라고 하자 그도 그렇게 하겠다고 했다.

初六日. 坐而思之, 則余自到營之後, 時因公故, 與巡使相晤, 而未嘗一日委進接語. 故反之於躬, 似有疎忽之意, 日晚後往見巡使, 則問以海南生利好否, 又及松汀家勢之事, 與蓮洞尹氏親否之由. 且曰'何不頻入來相語乎云', 故余游辭以答曰, "頻數出入於上營, 非但似近於煩褻, 且每着章服亦有難便之事, 故未果云", 則巡使曰, "不爲持來天翼耶? 若然則着此頻來云." 出來時歷見巡使之大人, 則以八十餘老人, 氣力尚健, 面無浮垢, 酬酢甚寬, 可謂完福之人矣. 李郎廳周冕, 卽巡使之庶表從也, 累次來見, 而余曰, "我之來此, 異於過去之客官, 故未得往謝, 勿咎如此, 而或有暇隙, 則時來破寂云." 則彼曰然矣.

1797년 11월 8일. 일찍 밥을 먹은 후에 동문을 나와서 정화릉(定和陵)으로 말을 달려갔는데, 곧 환조대왕(桓祖大王)26)과 왕비 의혜왕후최씨(懿惠王后崔氏)의 침원(寢園)이다. 재실에 들어가보니 참봉 이목영(李牧榮)이 마루로 나와서 맞이해주기에 더불어 수작을 하였다. 그의 연세가 얼마나 되는지와 소과에 합격했는지를 물어보니, "나이는 이제 31세이고, 사마에는 들지 못했습니다."라고 하기에 내가 말하길, "그렇다면 어떻게 이 본직을 얻게 되었는가?"라고 묻자, "판서 김화진(金華鎭)이 본도 감사일 때 도천(道薦)에 들어 외람되게 천점(天点)을 입게 되었습니다."라고 했다. 또 그의 선세에 벼슬한 사람이 있는지를 물어보니, "아버지의 휘가 덕부(德溥)인데, 또한 본릉의 참봉에 제수되었다가 승육(陞六)27)하여 연풍수령이 되

---

26) 환조대왕(桓祖大王, 1315~1360) : 태조 이성계의 아버지이자, 도조대왕의 제2남으로, 이름은 자춘(子春)이다. 1394년(태조 3) 11월 6일에 환왕(桓王)으로 추존되고 태종이 연무성환(淵武聖桓)이라고 존호를 더 올렸다. 능은 정릉(定陵)으로, 함흥 동쪽 귀주동(歸州洞)에 있다.

27) 승육(陞六) : 7품 이하의 벼슬인 참하의 품위에서 6품의 품계로 오

었으며, 등제를 한 후에는 북청부사와 통정(通政)·승선(承宣)을 거쳤고, 목조대왕(穆祖大王)[28]의 후예가 됩니다."라고 했다. 그 사람됨과 여러 가지 응접하고 주선하는 일을 살펴보니 그가 북방에 살고 있는 것이 애석하였다. 조금 쉰 후에 참봉과 함께 능에 올라가 바라보니 서너 개의 석물 머리에 철갑이 입혀있기 때문에 괴이하여 물어보니 답하길, "저번에 호적(胡賊)이 석물에 변을 일으켜 상처난 곳이 많이 있기 때문에 전교로 인해서 이처럼 하였습니다."라고 했다. 들고보니 지극히 통절한 분심(憤心)을 이길 수 없었다. 내가 사사로운 말로 참봉에게 이르길, "저들은 우리 동방과는 불공대천의 원수이다. 그러나 대소와 강약에서 동등하지 않은 것을 어찌할 것인가?"라고 했다. 첨망한 후에 재실로 내려와서 잠시동안 대화를 나누고, 공직(供職)에 성실할 것을 권하자, 그가 "삼가 가르침을 받겠습니다."라고 말했다. 그곳을 떠나 경흥전(慶興殿)에 이르렀는데, 능에서 1리 정도 거리였다. 전각 내에는 비석이 있는데, 비석 앞면에는 '양성탄강구기(兩聖誕降舊基, 정종과 태종이 탄강한 옛터)'라는 여섯 글자가 붉은색으로 채워져 있었다. 전각의 곁에는 3칸짜리 기와집이 있는데, 별다른 사치의 뜻이 없는 것은 잠저시에 살았던 모양을 취한 것 같다. 잠시 바라보고 이어서 독서당으로 향하였는데, 당은 전각으로부터 4리쯤에 있다. 지나는 길에 안장에서 몸을 들어 멀리 바라보니, 능의 주봉은 용이 꿈틀꿈틀 굽혔다 폈다 하는데, 용이 서리고 호랑이가 웅크리길 거의 10여 절(節)이며, 그 위에는 또 큰 바위가 있어서 우뚝하게 하늘을 받치고 있기 때문에 물어보니, 이름을 '석씨암(石氏岩)'이라고 한다. 이는 실로 하늘과

르던 일을 말한다.
28) 목조대왕(穆祖大王) : 태조 이성계의 고조부 이안사(李安社)를 말한다. 1394년(태조 3) 태조가 4대조를 추존할 때, 덕을 베풀고 의로써 행했다 하여 목조로 추존하였다. 능호는 덕릉(德陵)으로, 처음 경흥성(慶興城) 남쪽에 있었으나 1410년(태종 10)에 함흥 서북쪽으로 옮겼다.

땅이 아껴서 감추어두었다가 우리 동방에게 준 억만년 무강한 복이다. 어찌 아름답지 않을 것인가? 성대하도다! 당 앞에는 절이 있는데, 한 방에 편액이 걸리길 '설봉산귀주사(雪峯山歸州寺)'라고 했다. 절에는 승려 수십여 명이 있는데, 노승에 대해 물어보자, "이 절의 문적(文籍)은 모두 병화에 잃어서 비록 직접 들을 수는 없을지라도 전래해오는 말에는 태조대왕이 절의 뒤에 별도의 소당을 짓고 독서할 때 이 절의 승도들이 그를 위해 밥을 해서 바쳤다고 합니다."라고 했다. 절의 뒤는 곧 태조의 독서당 옛터이기 때문에 한 칸짜리 당이 지어져 있고, 단청이 화려하며 편액에 '독서당'이라고 되어 있다. 독서당의 좌우 측면에는 또 반석이 빙 둘러 떠받들고 있으며, 툇마루에는 난간이 있고, 당 앞에는 석간수가 있어서 졸졸거리며 길게 쉬지 않고 흐르고 있으니, 마땅히 성조(聖祖)의 유풍 여운이 산수와 더불어 장구하고 무궁하리라. 당 아래에는 좌대석이 만들어져 있는데, 비석을 세운 일이 없기 때문에 승려에게 물어보니 대답하길, "판서 조종현(趙宗鉉)이 본도의 방백이 되었을 때 비석과 기와를 비록 이미 갖추어 두었지만 지금까지 완성하지 못한 것은 우선 비석과 비각을 세우라는 상교(上敎)를 기다리고 있어서입니다."라고 했다. 본부에서 지응(支應)이 와서 기다린 지 이미 오래되었기에 조금 먹은 후에 산의 해가 이미 서쪽으로 기울고 있고 찬바람도 점차 일어나고 있기 때문에 출발하여 영에 돌아왔다. 이때 연기가 만가(萬家)에 올라오고 밤새가 숲으로 찾아들고 있었다.

初八日. 早食後, 自東門出, 馳進定和陵, 卽桓祖大王及王妃懿惠王后崔氏寢園也. 入去齋室, 則參奉李牧榮出軒而迎, 相與酬酢, 而問其年歲幾何, 與登小科之由, 則答曰, "年今三十一, 而司馬則未也." 曰, "然則何以得此本職乎?" 曰, "金判書華鎭爲本道監司時, 入於道薦, 而猥蒙天点"云. 且問其先世之有冠冕, 則曰, "大人諱德溥, 亦除本陵參奉, 而陞六作宰于延豊, 登第後經北靑府使通政承宣, 而爲穆祖大王之後裔云." 看其爲人, 與凡應接周旋之節, 可惜其居北也. 小憩後, 與參奉瞻望陵上, 則三四石物之頭被以鐵甲, 故怪而問之, 則答曰, "曩時賊胡作變于石物, 多有傷缺處, 故因傳教爲此"云. 聞來有不勝至痛之憤心. 余私語于參奉曰, "彼人則與東方不共戴天之讎也. 然而其於大小强弱之不同何?" 瞻望後下來于齋室, 暫爲相語, 勸以供職之勤, 則彼曰, "謹受教矣云." 離發至慶興殿, 則自陵一里許也. 殿內有碑, 碑之前面, 書以兩聖【定宗·太宗】誕降舊基六字而塡紅. 殿之傍有三間瓦家, 而別不侈靡意者, 似取龍潛時所居樣也. 暫爲瞻望, 而仍向讀書堂, 堂則自殿四里許也. 歷路據鞍遙望, 則陵之主峯, 行龍逶迤屈曲, 龍盤虎踞, 幾乎十餘節, 節之上又有大岩, 峭然撑空, 故問之, 則名曰石氏岩, 此實天慳地祕, 以畀我東方億萬年無疆之休也. 豈不猗歟? 盛哉! 堂之前有寺, 一房揭扁曰'雪峯山歸州寺', 寺有緇徒數十餘名, 問老僧則對曰, "此寺文籍, 皆失於兵火, 而雖不可徵聞, 傳來之語, 則太祖大王別構小堂于寺之後, 而讀書之時, 此寺僧徒爲之炊飯進之云." 寺之後卽太祖之讀書舊址, 故構成一間堂, 丹靑煌煌, 扁曰讀書堂. 堂左右之側, 又有盤石環拱, 退軒有欄干, 堂之前有石澗, 淙淙長流不息. 宜乎聖祖之遺風餘韻, 與山水共長久而無窮也. 堂之下有治成坐臺石, 而無立碑之事, 故問于僧則對曰, "趙判書宗鉉, 爲本道方伯時, 碑石與材瓦, 雖已備置, 而迄今未成者, 姑待上教竪碑立閣云." 本府支應來待已久, 少喫後山日已西, 寒風漸起, 故離發還營, 時則烟起萬家夕鳥投林也.

1797년 11월 10일. 덕원부사(德源府使) 원의진(元毅鎭)이 찾아와서 잠깐동안 수작을 하다가 갔다. 이날은 날씨가 매우 따뜻하고 또 잔바람도 없기 때문에 남여를 타고 나가서 남문루에 올랐다. 누각 아래에 시장을 열고 상점이 줄지어 있는 모습은 서울을 모방하였다. 동성(東城)에서부터 돌아서 각처의 누각에 이르렀는데, 누각은 모두 성으로 인해서 지어졌다. 남여에서 내려 조금 쉬며 살펴보니, 그 편액은 명검(鳴劒)·간검(看劒)·망양(望洋)·의허(倚虛) 등이다. 성의 북쪽 가장 높은 곳에는 의운루(倚雲樓)가 있고, 누각 위에 또 하나의 누각이 우뚝하게 있어 단청이 화려한데 이름은 북산루(北山樓)라고 했다. 사다리를 통해 위로 올라가서 마루에 앉으니, 이 몸이 마치 반공 위에 있는 것 같았다. 사방을 내려다보니, 성의 가운데와 바깥으로 여염집이 즐비하고, 건물은 깨끗하여 거의 만천여 가나 되는데, 완연히 바둑판이나 별이 늘어서 있는 형상이다. 다리의 동서쪽으로는 평평한 땅이 광활하여 끝없이 아득한 것이 3~40리에 이를 것이니, 평평한 숫돌과 쟁반의 물과 같은 형상이다. 기특한 승경이도다! 본부의 주봉은 반룡산으로부터 구불구불하며 끊어질 듯 이어지는데, 한줄기가 우뚝 광야 가운데 솟아 있고, 그 아래가 곧 본부이다. 혼돈의 처음에 하늘이 우리 동방을 위하여 이와 같은 흥왕(興王)의 땅을 열어둔 것이 아니겠는가? 아름답고 성대하도다! 그 나머지 청계가 길게 흐르고 밝은 모래가 넓게 깔린 모습 등 눈에 가득한 풍경은 어찌 짧은 붓으로 다 기록할 수 있을 것인가? 마루 위에서 소요하며 오래도록 돌아갈 것을 잊고 있는데, 산중의 해가 이미 서쪽으로 기울고 있어서 지팡이를 부여잡고 억지로 일어나 아주 천천히 내려올 때, 멀리에서 산을 돌아다니는 사냥꾼이 있는 것을 보고 하예를 시켜서 불러오게 해서 근처에서 잠깐동안 매를 풀어 꿩을 잡는 모양을 관찰했다. 가마를 버리고 도보로 성을 따라 올라가다가 소로로 서쪽으로 내려오니, 집승정(集勝亭)이 있고, 정자 아래로는 낙민루(樂民樓)가 있으며, 누각 앞에는 만세교(萬歲橋)가 있다. 마루 위에서 배회하며 누각에 가득한 현판을 두루 살펴보니, 모두가 경향의 고금 사람들이 지은 제영이다. 돌아올 때는 길이 본부 관문 앞으로 질러가게 되었기 때문에 잠시 들어가서 얘기를 나누다가 왔다. 올 때 입으로 단율(短律)을 지었다.

偶乘冬日暖　우연히 따뜻한 겨울날을 만나,
步上北山樓　걸어서 북산루에 올라봤네.

滿眼無窮景　　눈에 가득한 끝없는 풍경은,
錦囊難盡收　　금낭에 다 거두기 어렵구나.

〈삼가 농암의 낙민루 현판시에 차운하다〉
佳氣鬱蔥自北方　　좋은 기운 무성하게 북방으로부터 와,
萬年橋在水之陽　　만세교가 강물의 양지쪽에 있도다.
城川日夜流無盡　　성곽의 냇물 밤낮으로 흘러 끝없으니,
洪業綿綿共此長　　홍업도 면면히 이와 함께 길이 가리라.

〈삼가 삼연의 시에 차운하다〉
携酒登樓聞馬蹄　　술병 들고 누각에 올라 말발굽소리 들으니,
層欄百尺與雲齊　　높은 난간은 백척이나 되어 구름과 나란하네.
群山迥立地疑盡　　산들은 멀리 서 있어서 땅이 끝나는가 싶고,
廣野寬平天欲低　　광야는 넓고 평평하여 하늘에 이르려 하네.
風月偏尋軒上滿　　풍월을 찾은 싯구는 처마 위에 가득하고,
煙霞爭入眼中迷　　연하는 다투어 들어 눈앞에 희미하네.
咸民須看華扁意　　함흥 백성들 모름지기 편액의 뜻을 볼지니,
莫羨仙都有紫梯　　신선 세계만 자줏빛 사다리 있음 부러워 말라.
初十日. 德源府使元毅鎭來見, 少頃酬酢而去. 是日日氣甚溫, 且無微風, 故乘籃輿而出, 登南門樓, 樓之下開市列肆之狀, 模倣乎京. 巡自東城, 轉至各處之樓, 樓皆緣城而作. 下輿小憩而觀之, 則扁其額曰鳴劍看劍望洋倚虛也. 城之北最高處, 有倚雲樓, 樓之上又有一樓崢嶸, 丹靑煌煌, 名曰北山樓. 升自層梯而上, 坐于軒, 則此身疑在半天上矣. 俯瞰四方, 則城之中外, 閭閻櫛比, 棟宇淨灑, 幾乎萬千餘家, 而宛若碁布星羅之形. 橋之東西, 平陸廣闊, 極目渺茫, 至於三四十里, 而依然平砥盤水之狀, 奇乎勝哉! 本府之主峰, 則自盤龍山, 逶迤而來, 欲斷還連, 一脈突起于廣野之中, 其下卽本府也. 無乃混沌之初皇天爲我東方開此興王之地耶? 猗歟盛哉! 其餘淸溪之長流, 明沙之平鋪, 滿目風景, 安可以寸管盡記之乎? 逍遙軒上, 久而忘返, 山日已西矣, 扶杖强起, 倦步踏踏, 下來之際, 遠見有獵夫遍山, 故使下隷呼來, 近處暫觀放鷹逐雉之狀. 舍輿而步緣城上小路西下, 則有集勝亭, 亭之下有樂民樓, 樓前有萬歲橋. 徘徊軒上, 周覽滿樓懸板, 則皆京鄉今古諸公之題詠也. 歸時路逕本府官門之前, 故暫入相唔而來. 來時口占短律.

偶乘冬日暖, 步上北山樓. 滿眼無窮景, 錦囊難盡收.

謹次農巖樂民樓懸板韻. 佳氣鬱蔥自北方, 萬年橋在水之陽. 城川日夜流無盡, 洪業綿綿共此長.

謹次三淵韻. 携酒登樓聞馬蹄, 層欄百尺與雲齊. 群山迥立地疑盡, 廣野寬平天欲低. 風月偏尋軒上滿, 煙霞爭入眼中迷. 咸民須看華扁意, 莫羨仙都有紫梯.

1797년 11월 12일. 밤에 중군 민백길이 달빛을 타고 찾아와서 서로 정답게 얘기를 나누는 가운데, 평생동안 벼슬길의 고생스러움에 대해 말하기에 이르렀다. 지금 이 관직 자리의 담박함에 대해 그 소회를 다 펼치지 않음이 없었고, 끝에 가서는 근년에 그 장자를 곡하였는데 겨우 성복(成服)을 하고 난 후 며느리가 단식을 한지 7일 만에 따라 죽어서 한 무덤에 묻혔다고 한다. 매우 처참한 이야기이다. 그러나 그 정열을 살펴보면 탁이하다고 할 수 있어서 진실로 정려를 내리기에 합당하지만, 아직까지 이루지 못했고, 다만 조금 위로될만한 것은 손자가 5명이 있다는 것이다. 촛불 심지를 잘라가며 대화를 나누다가 거의 삼경이 되어서야 갔다. 내가 이곳에 와서 그의 치적을 들어보니 마음가짐이 공평하여 백성들이 모두 그 덕을 칭송한다고 한다. 평소에도 이미 그 사람의 정명(精明)함을 알고 있었지만 지금 와서 듣고 보니, 과연 알고 있는 것과 부합하여 매우 축하할 일이다.

十二日. 夜, 中軍閔百吉乘月來到, 相與穩敍, 說道平生科宦之艱苦. 今此官況之淡薄, 無不畢陳其所懷, 而末乃以近年哭其長子, 而纔過成服後, 婦息絶穀七日, 長逝同穴云, 聞極慘然. 而究其貞烈, 可謂卓異, 亶合旌閭, 而迄今未果, 但稍可少慰者, 有孫五男云. 剪燭相語, 幾至夜三更而去. 余來此聞其治績, 則持心公平, 民皆頌德云. 平日已知其人之精明, 而今來聞之, 果符於所知矣. 可賀可賀.

1797년 11월 13일. 지평 박재덕(朴在德)이 갑자기 임금의 견책을 입고 경원(慶源)으로 유배되어 가다가 본부에 도착했다. 때문에 나와 그 사람은 비록 친분은 없을지라도 그의 정경을 생각하면 가련한 마음이 없지 않아서 잠시 가서 만나보았다. 대략 그가 당한 이야기를 듣고 내가 말하길, "책임은 원수(元帥)에게 있는데, 그대가 죄를 지었으니 매우 황송한 일이오. 그러나 이것은 하리에게 속임을 당한 일에 불과하니, 어찌 그리 사리에 어두워서 검찰하지 못함이 심한 것이오? 다만 먼 길을 가는 사람이 마음이 편안치 않으면 병이 더해질까 염려스러우니, 원컨대 안심하고 배소에 도착해서 귀양생활을 잘하도록 하시오."라고 했더니, 답하길, "그대의 말은 충고의 말이라고 할만하오."라고 했다. 그의 옷 입은 것을 살펴보니, 상하가 모두 엷은 것인지라 이처럼 매우 추운 겨울을 당해서 깊은 북쪽의 추위는 이곳보다 배나 더할 것이니, 이 또한 더욱더 걱정할 만한 것이다.

十三日. 朴持平在德, 忽被天譴, 竄配于慶源, 而來到本府. 故余與其人雖無雅分, 念其情景, 不念悶然之心, 暫往見之. 略聞其所遭之辭, 而余曰 "責在元帥, 尊之罪負, 極涉惶悚. 然而此不過見欺於下吏之事, 而何其曚不檢察之甚也? 但遠行之人, 心不寧, 則添病可慮, 願安心到配, 善爲居謫也." 答曰, "尊言可謂忠告之說云." 看其衣着, 上下俱薄, 當此隆冬, 深北之寒, 想必倍於此矣. 是亦尤爲可悶處也.

1797년 11월 15일. 새벽에 객사에 나아가 초하루에 한 의례와 같이 하는데, 국기(國忌)로 인해 음악은 철폐했으며, 예를 마친 후에 나왔다. 이날은 한기가 더욱 혹독하였고, 또 밤새도록 대풍이 불어서 민가의 삼중 이엉이 모두 걷혀버렸으며, 사립문과 창문이 울어대서 끝내 잠을 이루지 못했다. 하물며 또 이 객이 잠이 없음에랴? 대저 금년 겨울은 따뜻한 날이 많아서 사람들은 추위에 떠는 탄식이 없었다. 북방이 이와 같으니, 남쪽도 그럴 것이라, 이 또한 먼 곳에서 객지 생활하는 사람에게는 조금 위로가 되는 한 가지 일이다. 고원군수(高原郡守) 장현택(張顯宅)이 찾아와서 잠깐동안 얘기를 하고 갔다.

十五日. 曉, 詣客舍, 如初一日之儀禮, 而以國忌徹(撤)樂, 禮畢後出來. 是日寒氣甚酷, 且終夜大風, 捲盡民家之三重茅, 而蓬籟吼懲, 竟未交睫. 況又此客之無眠乎? 大抵今年之冬, 暖日常多, 人無苦寒之歎, 北方如此, 南土可想, 此亦足以爲稍慰遠客之一事也. 高原郡守張顯宅來見, 霎語而去.

1797년 11월 18일. 밤에 달빛이 밝아서 잠을 이루지 못하고 우연히 사율시를 읊조렸다.

日閱朱書當百朋	날마다 주서를 열람하니 백붕[29]에 해당하고,
卷中至語斥蘿藤	책 가운데 지극한 말은 맘속의 등라 물리치네.
身參賀禮官如鷁	몸이 하례에 참여하니 벼슬이 황새와 같고,
夢斷花林客似僧	꿈속에서 화림과 끊어지니 객은 승려와 같네.
千里家山何處在	천리 먼 곳의 고향은 어느 곳에 있는가,
一輪明月夜天登	둥그런 명월이 밤하늘에 떠오르네.
昏霞滿眼難看字	노을이 눈에 가득하여 글자보기 어렵지만,
獨對吉人剪小燈	홀로 길인을 대하여 소등의 심지를 자르네.

29) 백붕(百朋) : 많은 재물을 말한다. 『시경』 「청청자아(菁菁者莪)」에 "이미 군자를 만나 보니, 나에게 백붕을 주신 듯하네.〔旣見君子 錫我 百朋〕" 하였다. 옛날 조개 껍데기를 돈으로 사용할 때에 오패(五貝)를 붕(朋)이라 하였다.

十八日. 夜月明無眠, 偶吟四律.

日閱朱書當百朋, 卷中至語斥蘿藤. 身參賀禮官如鶉, 夢斷花林客似僧.

千里家山何處在, 一輪明月夜天登. 昏霞滿眼難看字, 獨對吉人剪小燈.

1797년 11월 20일. 거산찰방이 차사원이 되어 상경하면서 본부에 들렀다가 나를 찾아와서 보고 갔다. 이날 북풍이 크게 일었는데, 서문 밖의 민가에 불이 나서 연기와 화염이 하늘까지 치솟고 있다는 것을 들었기 때문에 말을 재촉하여 나가보니 불길과 바람이 매우 성하여 끌 수가 없었다. 촌사람에게 분부하여 짚자리를 거둬오게 하고 물을 적신 후 불에 덮게 하여 다른 집으로 번지지 않게 하였지만, 바람은 더욱 거세어지고 불티가 흩날려서 그 사이에 사람의 힘을 허용하지 않고 차례로 연소하여 집이 없는 곳까지 가서 그쳤다. 마음이 놀라고 눈이 참혹하여 차마 거주민의 상황을 볼 수 없는 지경이다. 이때 순사가 나왔기 때문에 서로 화변(火變)의 일에 대해 이야기를 하였는데, 내가 말하길, "이처럼 매우 추운 때를 당하여 집이 불타버린 사람은 반드시 밖으로 드러나 있는 짐을 잃어버릴까 싶어서 마땅히 밤새도록 지키고 있을 것입니다. 또한 오늘 저녁은 반드시 굶었을 것이고 또 냉지에 있을 것이니, 생각기에 얼어 죽는 사람이 많이 있을 것입니다. 바라건대 반드시 죽을 끓이도록 분부하시고 하예를 시켜서 곳곳에 나누어주게 하여 입에 풀칠을 하고 추위를 막는 방도로 삼게 해주시되, 유루(遺漏)되어서 죽는 폐단이 없게 해주시는 것이 좋을 듯합니다."라고 했다. 그러자 순사가 말하길, "그 말이 좋습니다."라고 하고 마침내 비장으로 하여금 한 섬의 쌀을 내어서 죽을 끓이는 자료로 삼게 하겠다고 했다. 날이 이미 황혼이 되고 또 바람과 불이 서로 휘날리기 때문에 두루 살펴볼 수가 없어서 순사와 함께 들어왔고, 판관과 중군도 또 그렇게 했다.

二十日. 居山察訪, 以差使員上京, 而還到本府, 來見而去. 是日北風大起, 忽聞西門外民家失火, 煙焰漲天云, 故促馬出去, 則火熾風盛, 莫可撲滅. 分付村漢, 收取藁席, 以水沾之覆于火, 未及延之家, 而風愈蓬蓬, 散火飛揚, 難容人力於其間, 次第延燒, 至于無家之處而熄. 驚心慘目, 不忍見居民之景像矣. 時巡使亦出來, 故相語以火變之事, 而余曰, "當此極寒之日, 燒屋之民, 必慮露處卜物之見失, 當爲終夜守直矣. 且今夕必飢而又處冷地, 則想多有凍死之民. 幸須分付煮粥, 使下隸分往處處, 以爲糊口禦寒之道, 而俾無遺漏致傷之弊, 似好云." 則巡使曰, "其言好矣." 遂使裨將出一石米, 以爲煮粥之資云. 日已黃昏, 且風火交飛, 故難可周觀, 與巡使共爲入來, 判官中軍亦然.

1797년 11월 21일. 또 서문으로 나가서 두루 불난 곳을 살펴보니, 다만 불탄 재가 바람에 흩날리고 있었다. 사람들은 대부분 잿더미를 속을 파헤치면서 잃어버린 물건을 찾고 있으니, 처참하여 쳐다볼 수가 없었다. 하예를 시켜서 백성들에게 혹시라도 사람이 상한 일이 있는지를 물어보게 하니 대답하길, "불이 대낮에 일어났기 때문에 사람은 한 명도 사상자가 없다고 합니다."라고 했다. 이것은 불행 중 다행이다. 들어올 때 곧바로 상영(上營)에 도착하여 순사와 함께 진지하게 화재민의 참상에 대한 말을 했다. 또 말하길, "이 사람들로 하여금 장차 편안하게 살 곳을 정해주는 방도에 있어서 순사께서는 대단히 신경 쓰이는 일이 없을 수 없을 것입니다."라고 했다. 얼마 동안 수작을 하고 나왔다. 올 때 본관을 헐소방(歇所房)에서 만나 대략적으로 화재민을 보호할 방도에 대해 말을 하니, 본관도 그러겠다고 했다. 또 불에 타버린 집의 숫자와 점검한 숫자가 과연 얼마나 되는지를 물어보니, 403호나 된다고 답했다.

二十一日. 又出西門, 徧觀所燒處, 則但有灰燼從風而飛. 民多掘灰土之中, 而尋其所失之物, 慘不忍見. 使下隸, 問于民人等曰, "或有傷人之事乎?" 曰, "火起白晝, 故人則無一死傷云." 是則不幸而幸也. 入來之時,直到上營, 與巡使盛言火民慘悶之狀, 且曰, "使斯民將爲奠居安保之道, 則巡使不無大端用慮之事云." 有頃酬酢而出來. 來時遇本官于歇所房, 略言火民保存之道, 則彼曰然矣. 又問爲火所焚之家照數點檢數果幾許, 則答以四百三家云.

1797년 11월 22일. 본부의 운전사(雲田社)에 사는 진사 문산규(文山奎)가 찾아왔기 때문에 그가 본래 이곳에서 살았는지를 물어보니 답하길, "선조의 휘는 천봉(天奉)인데 한성판윤으로서 단종이 손위할 때 거짓으로 미치광이 행태를 하다가 이곳 고을로 유배를 왔으며, 7년 후에 방면되었지만 끝내 상경하지 않고 눌러살았습니다. 그리하여 자손들이 마침내 북방 사람이 되었고, 또 중세에는 오충일열(五忠一烈)이 있습니다."라고 했다. 듣고보니 매우 아름다운 일이다.

二十二日. 本府雲田社居文進士山奎來見, 故問其本居此土, 則答曰, "先祖諱天奉, 以漢城判尹, 端廟遜位時, 佯狂發出而竄配于此州, 七年後蒙放, 終不上京仍居焉. 子孫竟爲北方之人, 且中世有五忠一烈云." 聞甚可嘉.

1797년 11월 23일. 숙릉(淑陵) 참봉 한성순(韓性淳)과 석사 이약수(李若洙)·한약림(韓若霖)이 함께 찾아왔는데, 성순은 이미 사마에 등과했고, 나머지 두 사람은 모두 이번 가을 초시에 합격했다고 한다. 말을 듣고 얼굴을 살펴보니 과연 북방의 걸사(傑士)라고 말할 만하다.

二十三日. 淑陵參奉韓性淳, 李碩士若洙·韓碩士若霖, 同爲來見, 而性淳則已登司馬, 其餘二人則皆參今秋初試云. 聽言觀貌, 可謂北方之傑士矣.

1797년 11월 24일. 승지 이익운(李益運)이 독서당(讀書堂)과 치마대(馳馬臺)의 어제비문(御製碑文)30)을 받들고 들어오기 때문에 식전에 흑단령을 입고 문밖 오리정(五里程)에 달려가서 지영(祗迎)을 하였다. 그런 뒤에 순사가 나에게 말하길, "선원전(璿源殿) 향축(香祝)이 방금 내려왔으니 모름지기 먼저 나아가서 봉안해야 하오."라고 하기 때문에 나는 먼저 들어와서 객사 대문 밖에서 기다렸다가 봉향관이 향축을 모시고 문에 들어올 때 국궁하여 지영했다. 그리고 나아가 위판(位版)에 절하고 사배례를 행한 후에 객사에 올라가 손을 씨고 봉함을 열어서 향축을 봉심한 후 향장(香欌)에 봉안하였다. 징청헌(澄淸軒)에 들어가 잠시 순사와 그 아우 익운을 보고 나올 때는 이미 정오가 되었지만 아직 밥을 먹지 못했다.

二十四日. 承旨李益運, 陪奉讀書堂馳馬臺御製碑文入來, 故食前着黑團領, 馳往門外五里程祗迎後, 巡使語余曰, "璿源殿香祝方爲下來, 幸須先詣奉安云." 故余先入來, 候于客舍大門之外, 而奉香官陪香祝入門時, 鞠躬祗迎, 進詣拜位版, 行四拜禮後, 升于客舍, 盥手開緘, 而奉審香祝後, 奉安于香欌. 入去澄淸軒, 暫見巡使及其弟益運而出來, 時已日午, 猶未飯矣.

1797년 11월 26일. 영흥의 배지리(陪持吏, 배전 차원)가 와서 좌랑인 재종제의 답장과 여러 곳의 답장편지를 바치기 때문에 열어보니 모두 무고하다고 하였다. 그리고 그중 정언 심반(沈鎜)은 이달 초에 내간(內艱, 모친상)을 만났다고 한다. 그의 가세를 생각하면 더욱 참담하다.

---

30) 어제비문(御製碑文) : 『정조실록』의 정조 21년 정사(1797) 11월 17일(임오)조를 보면 "함흥(咸興) 독서당(讀書堂)과 치마대(馳馬臺) 옛터에 세울 사적비(事績碑)의 비문을 친히 전하였다. 독서당과 치마대는 곧 태조가 왕위에 오르기 전에 거했던 옛터이다. 상이 돌에 새겨 공적을 기록하려 하면서 친히 짓고 친히 써서 승지 이익운(李益運)에게 전하여 그로 하여금 받들고 가서 새겨넣게 하였다."라는 내용이 나온다.

二十六日. 永興陪持吏來納佐郎再從答狀, 與數處答翰, 故披閱則俱無故云, 而其中沈正言鑒, 今月初奄遭內艱云, 言念其家勢, 尤爲慘然.

1797년 11월 27일. 눈이 몇 촌 남짓 내렸는데 날은 별로 춥지 않다. 우두커니 앉아서 책을 보는데, 그것에 마음을 붙이면 객중의 근심을 모두 잊게 되다가도 때때로 책장을 덮으면 심신이 날아올라 몇 겹의 산천을 뚫고 천여리의 고향 산천에 걸려있게 되니, 맹자가 말한 '마음을 잡으면 보존되고 놓으면 없어진다.[操存舍亡]'는 것이 바로 이것이로다!

二十七日. 雪來數寸餘, 日不甚寒. 塊坐看書, 着心那裡, 渾忘客中之愁懷, 而時或掩卷, 心神飛越, 穿破幾重山川, 而掛在千餘里之故山, 鄒聖所謂'操存舍亡', 其以是歟!

1797년 11월 28일. 순사께서 임금의 엄교(嚴敎)로 인해 황송하고 마음 놓기 어려워서 어제저녁에 집사청(執事廳)으로 옮겼다고 하기 때문에 식후에 잠시 들어가서 뵙고, 이어서 그 아우 익운과 잠깐 대면하고 왔다. 올 때는 중군 민백길에게 들러서 한참동안 정답게 얘기를 나누고, 중군과 함께 독서당의 비문각자청(碑文刻字廳)에 가서 어제(御製)를 봉심한 후에 손을 모으고 서서 오랫동안 글자를 새기는 일을 잘하는가를 살피고, 석공에게 착실하게 정성을 다할 것을 분부하고 왔다.

二十七(八)日. 巡使以嚴敎惶悚難安, 昨夕離次于執事廳云, 故食後暫爲入見, 仍與其弟益運霎面而來. 來時歷訪閔中軍百吉, 有頃穩話, 與中軍偕往讀書堂碑文刻字廳, 奉審御製後, 拱手而立, 久看刻役之善否, 分付石工着實致精云而來.

1797년 11월 29일. 아침에 사인(士人) 최경원(崔景遠)이 또 찾아왔다.

二十九日. 朝, 士人崔景遠又來見.

1797년 11월 30일. 중군 민백길이 와서 반나절 동안 얘기를 나누다가 갔다. 70세의 노인으로서 추위와 눈발을 무릅쓰고 분주하게 공무에 임하면서 조금도 피로하거나 감당하지 못하는 태도가 없고, 또 틈을 타서 내방하여 서로 친한 정의를 다하고 있으니, 그 근력과 응접함에 있어서 과연 씩씩하고 근면하다고 말할 수 있겠다.

三十日. 中軍閔百吉來到, 半日相語而去. 以七十老人, 凌寒觸雪奔走公務, 少無疲勞不堪之態, 又乘隙來訪以盡相親之誼, 想其筋力與應接, 可謂壯且勤矣.

1797년 12월 1일. 새벽에 객사에 나아가 망궐례(望闕禮)31)를 행하였는데, 한결같이 전일의 의례처럼 했다. 그리고 순사는 사정이 있어서 참석하지 않고 그 아우 익운이 승지로서 임금의 명을 받들고 이곳에 왔기 때문에 참석했다. 판관과 중군도 또 그렇게 했다.

十二月初一日. 曉詣客舍, 行望闕禮, 一如前日之儀節, 而巡使則以有情勢不參, 其弟益運以奉命承旨來此, 故參焉. 判官中軍亦然.

1797년 12월 2일. 선비 주흠회(朱欽晦)가 또 찾아왔는데, 그의 말에, "이번 가을 공도회(公都會)32)에서 시(詩)로 우등하여 입격을 기약하게 되었습니다. 아버지께서는 지난봄의 공령과(功令科) 초시 때 이번의 과방(科榜)에 첨부(添付)되었으니, 이것은 은사(恩賜)입니

---

31) 망궐례(望闕禮) : 외지에 가 있는 관리가 삭망이나 명절 때 전패(殿牌)에 절하던 의식이다.
32) 공도회(公都會) : 각 도의 관찰사가 도내의 유생들을 선발하여 매달 한 번씩 일정한 장소에서 보이던 시험으로, 입격자에게는 곧바로 진사시나 생원시의 복시(覆試)에 응시할 자격이 주어졌다.

다. 그러나 시관의 말에, '춘추의 시험이 같지 않고 과목도 비록 또 다르다고 할지라도 부자의 이름이 함께 방중(榜中)에 들어가는 것은 한가지이므로, 어쩔 수 없이 합격취소하게 되었다'고 하기 때문에 참여하지 못했습니다."라고 했다. 내가 말하길, "한 도에서 시 한 장의 과거시험으로 괴참(魁參)할 수 있었는데 부자가 함께 합격한 연고 때문에 일이 마침내 이루어질 수 없었으니, 이것 또한 운수이네. 탄식한들 어쩌겠는가? 사람의 인품과 재화(才華)를 보면 조만간에 합격할 것이오."라고 했다.

初二日. 士人朱欽晦又來見, 而言內, "今秋公都會, 以詩優等, 期於入格矣. 其大人以去春功令科初試, 添付於今科榜, 而此則恩賜也. 而試官曰, '春秋之試不同, 科雖亦異, 而父子之名同入榜中, 則一也. 不得已拔去云', 故未參云." 余曰, "一道用詩一張之科, 能爲魁參, 而以父子同榜之故, 事未竟成, 是亦數也, 歎如之何? 看其人品與才華, 早晚登科云."

1797년 12월 3일. 데리고 온 주인이 긴급한 일로 올라갈 것을 여러 차례 간청하기 때문에 내가 비록 외롭고 적적할지라도 그의 정세를 생각하면 혹 그럴 수 있겠다 싶었다. 그래서 어쩔 수 없이 허락하여 보내기로 하고, 세마(貰馬)를 얻어서 정평에 보내고, 또 편지를 써서 노변 고을의 수령에게 부탁하길 말을 빌려주어서 다리를 쉬게 해주라는 뜻을 부지런히 부탁을 했는데, 과연 그렇게 할지는 모르겠다. 서로 헤어질 무렵에는 마음이 매우 서운했으며, 이 벼슬자리의 힘으로는 절대 말을 사서 보내줄 방도가 없으니, 벼슬자리의 담박함을 미루어서 알 수 있을 것이다. 이날 진상품을 가져가는 색리도 함께 출발하기 때문에 가서(家書)와 각처에 보내는 서간 및 약간의 짐을 부쳐 보냈고, 또 정언 심반(沈鎜)에게 보내는 조장(弔狀)을 쓴 것과 부의로 종이 1묶음과 초 1쌍을 함께 보냈다. 생각건대 이 관황(官況)이 비록 마음에는 부끄럼이 없을지라도 손으로 주무를 물건에 있어서는 물건과 마음이 서로 위배되니, 겸연

쩍은 생각이 마음속에서 싹터 올랐다. 다만 스스로 돌아보고 스스로 웃을 따름이다. 사람을 보낸 뒤에 마음이 더욱 근심스럽고 적적하여 억제할 길이 없기에 홀로 앉아 책을 보았다. 승지 이익운이 내방하여 잠깐 수작을 하고 갔다.

初三日. 率來主人以緊急事, 累懇上去, 故余雖孤寂, 念其情勢, 似或然矣. 不得已許送, 而得貰馬治送于定平, 且作書囑于路邊邑倅, 以借騎歇脚之意, 縱爲勤托, 果未知施行否. 臨分之際, 心甚悵然, 而以此官力萬無買鬐治送之道, 宦味之淡薄, 可推而知矣. 是日進上領去色吏同發, 故付送家書及各處書簡如干卜物, 又修送弔狀于沈正言鑑, 兼贈紙一束燭一雙. 想此官況雖無愧於心, 而以手撫物, 物與心違, 靦然之思, 自萌于中矣. 但自顧自笑而已. 送人之後, 心愈愁寂, 無以寬抑, 獨坐看書矣. 李承旨益運來訪, 少頃酬酢而去.

1797년 12월 4일. 본관 박시영(朴始榮)이 찾아와서 말하길, "공무가 번거로움이 많아서 조금도 틈이 없기 때문에 자주 올 수가 없었습니다."라고 하기에 내가 답하길, "나는 한가한 사람이니 때때로 가서 얘기를 나누고 싶지만, 집사께서 나를 상관으로 대하고, 내가 가면 여러 가지 공적인 일을 일체 물리칠 것이니, 나의 마음에 편안하겠소? 또 사적인 일로 공무를 폐할 수 없기 때문에 결국 뜻을 이루지 못하오."라고 했다. 본부의 조양사(朝陽社)에 사는 선비 박재섭(朴在燮)이 재차 찾아왔다.

初四日. 本官朴始榮來見言曰, "公務多煩, 少無暇隙, 未得頻到云." 余答曰, "余是閑人, 卽欲時往相晤, 而執事以上官待余, 余往則凡干公事一切廢却, 於余之心, 其可便乎? 且不可以私廢公, 故果未遂意云." 本府朝陽社居士人朴在燮, 再次來見.

1797년 12월 5일. 이승지에게 찾아가서 찾아와준 답례를 하고, 지나는 길에 순사를 뵙고 잠시 수작을 하고 왔다. 본부의 북쪽 주동사(州東社)에 사는 장령 한계옥(韓啓玉)이 찾아왔는데, 이 사람은 서울에 있을 때 이미 알고 지낸 사람이다. 한참동안 얘기를 나누다가 말하길, "이 관직은 곧 한 도의 아사(亞使)인데, 품직은 비록 높을지라도 봉급은 매우 박합니다."라고 하기에 내가 웃으면서 "봉급이 박하다는 말은 오히려 옳지만, 관직이 높다는 말은 나를 추켜세우는 말이 아닌가요?"라고 하면서 서로 웃고 파하였다. 오늘 본부의 선비 윤송(尹淞)의 「충효가전(忠孝家傳)」을 보니, 그 탁이한 행위가 대대로 이어져서 정려와 복호의 법전을 주기에 이르렀고, 또 서울에 사는 사대부들이 문장을 엮어서 찬미한 것이 많으니, 나 또한 충효의 일에 대해서 일찍부터 흠모해오던 사람인 데다 윤생이 여러 차례 문장을 요구하기 때문에 문장이 비록 졸렬하지만 어찌 감히 사양하겠는가? 대략 그 대요를 얽고 겸하여 책자 속에 들어있는 사람들의 시운에 차운하여서 주었다.

初五日. 往見李承旨, 修回謝之禮, 而歷見巡使, 暫爲酬酢而來. 本府北州東社居韓掌令啓玉來見, 此人則在京時已有面分者也. 有頃相晤而乃言曰, "此官卽一道之亞使也, 職雖高而俸則甚薄云." 余笑曰, "俸薄之說, 猶之可也. 官高之言, 無乃推我乎?" 相笑而罷. 卽見本府士人尹淞之忠孝家傳, 則其卓異之行, 世世相襲, 至於旌閭給復之典, 且洛中士夫多有綴文以贊美之, 余亦於忠孝之事, 所嘗欽慕者也. 而尹生累到索文, 文雖拙陋, 豈敢辭乎? 略構其槪兼次篇中諸公之韻, 聊以贈之.

나는 젊었을 때부터 일찍이 경적(經籍)을 상고하다가 '아들로서 부모에게 효도하고 신하로서 임금에게 충성한다'는 말에 이르면, 그편을 반복해 읽으면서 흠앙하고 찬미하지 않은 적이 없었다. 옛말에 '효를 옮겨서 충이 되니, 충신을 구하려면 반드시 효자의 가문에서 해야 한다'고 했으니, 충과 효는 본래 두 가지가 아니다. 그러나 한편으론 그 가운데 또 그렇지 않은 것이 있다. 대개 아들이 비록 그 부모에게 효도하고자 할지라도 '나무가 고요하고자 하지만 바람이 쉬지 않는다'는 탄식이 있으니, 그 효를 다할 수 없는 것이다. 신하가 비록 그 임금에게 충성을 하고자 하여도 사변(事變)에 임하거나 조정에 서는 일이 없다면, 그 충성을 다하기 어려운 것은 그 처지가 같지 않기 때문이니, 이 때문에 본디 뜻한 것을 이루지 못한 자가 그 사이에 많이 있다. 내가 이번에 함주(咸州)에 와서 「윤씨가승(尹氏家乘)」을 얻어서 보니, 충효가 대대로 전해지고 있을 뿐만 아니다. 공과 같은 사람은 먼 지방의 선비로서 수신하고 삼가 행하며, 오랫동안 이정(鯉庭)[33] 지나다니며 그 효를 다할 수 있었고, 완반(鵷班)에 참여치 않고도 그 충을 펼칠 수 있었으니, 그 효와 충 두 가지를 남김없이 다한 것이다. 아! 공의 충과 효는 만약 하늘이 낸 것이 아니라면, 가정에서는 비록 부모에게 효도하는 도리를 다할지라도 그런 처지에 있지 않은 데도 어찌 임금에게 충성하는 마음을 이룰 수 있는 것인가? 북방의 학자가 혹시라도 공보다 앞설 수 없다는 것을 믿겠다. 이에 고 판부사(判府事) 유척기(俞拓基)는 공의 탁이한 행동을 아름답게 여겨서 문장을 엮어 찬양하며 폐하지 말고 계속 이어가라고 그 후손들에게 권면함에 이르렀고, 또 전후로 진신 장보들이 전기(傳記)와 송축한 것이 이처럼 반반하다. 나 또한 충효의 일에 대해서는 문득 한 번 듣게 되면 다만 그 충효의 마음을 아름답다고 여길 뿐만 아니라, 매양 사람의 도리를 다한 자를 우러르게 된다. 문장은 비록 졸렬하여 편말에 붙이기에 부족하지만, 충효 두 글자는 평소에 일찍부터 흠모한 것이다. 지금 이러한 행적을 보고 다만 입이 마르도록 칭찬하기만 하고 만약 문장으로 기록한 것이 없다면, 장차 어떻게 내 마음이 숭상하는 바를 드러낼 것이며, 또한 어떻게 공의 아름다움을 밝힐 것인가? 이에 감히 글이 짧다는 것으로 사양하지 않고, 대

---

33) 이정(鯉庭) : 가정에서 학문을 익히는 것을 가리키는 말이다. 공자 (孔子)가 일찍이 뜰에 지나가는 그의 아들 이(鯉)를 불러 세우고 시 (詩)와 예(禮)를 배워야 한다고 훈계한 고사(故事)에서 나온 것이다. 『論語 季氏』

략 몇 줄을 얽고 겸하여 칠절시를 지어 삼가 왼쪽에 기록한다.

承承忠孝是傳神　대대로 이어온 충과 효는 바로 정신을 전한 것,
最愛斯人盡角巾　이 사람의 최애는 각건[34]으로 마친 것이네.
實地若非眞率性　실지에서 타고난 본성을 따른 것이 아니라면,
家風世世烏能新　가풍이 세세토록 어찌 새로울 수 있으랴.

余自少時嘗考經籍, 至於以子而孝於親, 以臣而忠於君之語, 未嘗不三復其篇, 而欽仰歎美之也. 古語曰‘移孝爲忠, 求忠臣必於孝子之門’, 忠孝本無二致, 而抑其中, 又有不然者存焉. 蓋子雖欲孝其親, 而有樹欲靜風不休之歎, 則不得盡其孝矣. 臣雖欲忠其君, 而無臨事變立朝廷之事, 則難可竭其忠者, 以其處地之不同, 故莫遂其素志者, 間多有之. 而余之今來咸州, 得見尹氏家乘, 則不啻忠孝之世傳, 若公者以遐土之章甫, 修身謹行, 久趨於鯉庭而能盡其孝, 不參於鵷班而能展其忠, 其孝其忠兩盡無餘. 嗚呼! 公之忠孝, 若非出於天, 則在於家而雖盡孝親之道, 未處其地, 而安得遂忠君之心乎? 信乎北方之學者, 未有能或先於公者矣. 茲以故判府事兪拓基, 嘉公之卓異, 綴文贊揚, 至以勿替引之勉其後昆, 且前後縉紳章甫之傳記頌美, 若是其斑斑. 余亦於忠孝之事, 輒一聞之, 則非但美其忠孝之心, 而每仰其盡人之道者也. 文雖拙陋, 不足以附於篇末, 然而忠孝二字, 平日之所嘗歆慕者, 而今見此行蹟, 但爲稱不容口, 而若無文以記之, 則將何以著吾心之所尙, 而亦何以彰公之美也? 茲不敢辭以文短, 略構數行, 兼以七絶謹錄于左.

承承忠孝是傳神, 最愛斯人盡角巾. 實地若非眞率性, 家風世世烏能新.

1797년 12월 8일. 전최(殿最)[35]를 봉진(封進)하는 일로 지락정(知樂亭)에서 자리를 열기 때문에 아침 일찍 달려가서 잠시 약고방

---

34) 각건(角巾) : 옛날 은사(隱士)나 관직에서 은퇴한 이들이 쓰던 방건(方巾)이다.
35) 전최(殿最) : 관원들의 근무성적을 심사하여 우열(優劣)을 매기던 일로서, 일명 포폄(褒貶)이라고도 한다. 상(上)을 최(最), 하(下)를 전(殿)이라 한다.

(藥庫房)에서 쉬었다. 그러다가 문득 큰 새가 방 곁의 덮개있는 망 속에 갇혀있는 것을 보게 되었는데, 양 날개의 깃털이 다 빠지고 남은 것이 없기 때문에 그 새의 이름을 물어보니 곤(鵾)이라고 했고, 그 이유를 물어보니 날아가지 못하게 했다고 한다. 사물이 비록 미물이지라도 둥지나 깃을 잃었으니, 보기에 매우 가련하였다. 이에 사물에 의탁하여 오절시를 읊다.

嗟爾北溟鵾	아, 북명의 곤이여,
胡爲落世烟	어찌하여 속세에 떨어지게 되었나.
莫嘆今垂翅	지금 깃 늘어뜨린 것을 한탄하지 말라,
奮翼會飛天	날개를 떨쳐 마침내 하늘을 날게 되리.

날이 저물 때 포폄(褒貶)36)에 진참(進參)하여 정리한 것을 단단히 봉하고 발송하여 상경하게 한 후 본부에서 다담상을 내오기에 면탕을 조금 먹고 하속들에게 내주고 곧이어 나왔다. 생각해보니 당초에 법을 설치하는 뜻은 비록 매우 엄중했을지라도 법이 오래되어 해이해지면 존양(存羊)37)의 뜻과 다름이 없어지니, 이것이 한탄할 일이다. 이날 밤에는 밤 초경에 달빛이 흰 명주처럼 밝았는데, 중군 민백길이 어린 통인을 거느리고 오면서, 배와 검은 엿을 싸가

---

36) 포폄(褒貶) : 매년 6월과 12월에 벼슬아치들의 근무 성적을 매기는 일이다. 경관(京官)은 해당 관아의 제조(提調)와 당상관(堂上官)이, 지방관은 관찰사와 절도사가 상·중·하의 세 단계로 고과(考課)하여 임금에게 보고하면 이를 도목 정사(都目政事) 때 반영하였다. 『經國大典 吏典 褒貶』

37) 존양(存羊) : 구례(舊例)를 버리지 않고 그대로 두는 일을 말한다. 노문공(魯文公)이 종묘에 삭일(朔日)을 고유(告由)하는 제사에 참석하지 않으므로, 자공(子貢)이 그 제사에 소용되는 양(羊)마저 없애려 하니, 공자가 "사(賜)야, 너는 그 양을 아끼느냐? 나는 그 예를 아끼노라"라고 하였다. 제물에 양이라도 있으면 그런 예가 있었다는 것을 알지만, 양마저 없애면 그 예는 드디어 없어지게 되는 까닭이다. 『論語 八佾篇』

지고 와서 꿇어앉아서 앞에 바쳤다. 내가 중군에게 이르길, "깊은 밤에 내방해준 것만도 그 은근한 뜻에 감사함이 많은데, 게다가 음식물까지 가져오니, 이것은 비록 사소한 것일지라도 그 정은 두텁구려."라고 하고 촛불 심지를 잘라가며 정답게 얘기를 나누다가 거의 경루(更漏, 물시계)가 세 번을 울리고서야 갔다. 통인을 불러서 이불을 펴게 하고 곧이어 곧바로 취침했으나 누워서 잠을 이루지 못해 다시 일어나 촛불을 켜고 담배 2~3죽을 빨고서 누웠는데 얼마 안 있어 문지기가 문을 여는 북을 치고, 촌닭은 날이 밝아온다고 울어대니, 옛사람의 시에 '여관 찬 등불 아래 홀로 잠 못 이루니'38)라는 것이 바로 이것을 말한 것이리라.

初八日. 封進殿最, 而開坐于知樂亭, 故早朝馳到暫憩于藥庫房矣. 忽見有大鳥鎖在于房側蔀網之中, 而兩翮之羽凋落無餘, 故問其鳥之名則曰鷗, 而問其由則曰使之不飛云. 物雖微矣, 失巢失羽, 見之甚憐. 寓物因吟五絶.

嗟爾北溟鷗, 胡爲落世烟. 莫嘆今垂翅, 奮翼會飛天.

日晩, 進參褒貶, 修整牢封, 發送上京後, 自本府進茶啖, 少喫麵湯, 出給下屬, 仍爲出來. 思之則當初設法之意, 雖極嚴重, 而法久懈弛, 無異於存羊之義, 是可歎也. 其夜夜初更, 月明如練, 閔中軍百吉, 率小通引, 裹來生梨黑糖飴, 跪進於前. 余謂中軍曰, "深夜來訪, 多感其殷勤之意, 而加以物餽, 此雖些薄, 其情則厚矣." 剪燭穩話, 幾至更漏三下而去. 呼來通引, 使之排衾褥, 仍卽就寢, 臥不成寐, 而更起張燭, 吸草二三竹而臥, 未幾閽者, 奏開門之敲, 村鷄唱啓明之報, 古人之詩曰, '旅館寒燈獨不眠' 者, 正謂此也.

---

38) 여관……이루니 : 당나라 시인 고적(高適)의 시이다. <제야(除夜)>에 "여관 찬 등불 아래 홀로 잠 못 이루니, 나그네 마음 무슨 일로 더 처연한가. 천리의 고향을 오늘 밤 그리노니, 흰머리로 내일이면 또 한 해를 맞이하네.[旅館寒燈獨不眠, 客心何事轉悽然. 故鄕今夜思千里, 秋鬢明朝又一年.]"라고 하였다.

1797년 12월 10일. 눈이 1촌 남짓 내렸다. 영흥부사 김희조(金熙朝)가 북청(北靑)을 조사하는 일로 와서 먼저 전갈하여 말하길, "마땅히 곧바로 찾아뵈어야 하지만 포폄을 개탁(開坼)하기 전이라 일의 체모에 구애되기 때문에 뜻을 이룰 수 없습니다."라고 했다. 나는 농담조로 답하여 이르길, "일의 면모에 있어서는 혹여 그럴듯하지만, 전최(殿最)를 봉진한 지가 이미 수일이 지났소. 지금 간청을 한들 얻을 수 있을 것이오?"라고 했다. 이날 밤 꿈에 고향에 도착하여 선고(先考)를 배알하고 의연히 수작을 하였는데, 깨어나자 눈물이 양 볼에 흘러내리며 슬픔을 이기지 못하고 전전긍긍 잠을 이루지 못했다. 이로 인해 칠절시를 읊조렸다.

月明雪白夜如年   밝은 달에 흰 눈은 여느 해와 같은 밤이지만,
千里鄕園一夢懸   천리 먼 고향 동산이 한바탕 꿈속에 매달렸네.
莊蝶竟從蓬籟散   장주의 호접몽이 쑥대 우는소리에 흩어지자,
此身翻在咸山前   이 몸은 문득 함흥 산천 앞에 있네.
初十日. 雪來一寸餘. 永興府使金熙朝, 因北靑査事來到, 而先爲傳喝曰, "卽當往見, 而以襃貶開坼之前, 拘於事體之如何, 未得遂意云." 余戲而答曰, "其於事面, 雖或似然, 而殿最封進已過數日矣. 今欲干請, 其可得乎?" 是夜夢到故山, 拜謁先考, 酬酢依然, 覺來涕泗交頤, 不勝感愴, 轉輾不寐, 因吟七絶.

月明雪白夜如年, 千里鄕園一夢懸. 莊蝶竟從蓬籟散, 此身翻在咸山前.

1797년 12월 11일. 문천의 용산사(龍山社)에 사는 선비 박명벽(朴命璧)이 찾아왔기 때문에 그가 본래부터 문천에 살았는지를 물어보니, 그의 선조 계손(季孫)은 단종조에 병판을 지내셨는데, 단종 손위 후에 본군의 울림한 산중으로 은둔하여 절개를 지키셨고, 자손들이 그것으로 인해 북방 사람이 되었다고 한다. 또 그의 고조부 유경(有慶)은 우암의 문하에서 노닐었으며, 그의 아버지 사섭(師燮)

은 현재 순릉(純陵) 참봉을 맡고 있다고 한다. 그의 지벌(地閥)에 대해서 들어보니 그가 북방에 살고있는 것이 애석하다. 또 그가 하는 말을 들어보건대, "사람이 비록 보잘것없고 나이 또한 젊더라도 가볍게 다른 사람에게 나아가 보일 수 없습니다."라고 하니, 과연 그 선조의 유풍을 잃지 않았다고 말할 수 있겠다. 기특하고 기특하도다! 이날 밤에는 특이한 꿈을 꾸었기 때문에 잠시 기록해두고 훗날 살필 자취로 삼는다.

　十一日. 文川龍山社居士人朴命璧來見, 故問其本居文川, 則答曰'渠之先祖諱季孫, 以端廟朝兵判, 端廟遜位後, 遯節于本郡鬱林山, 而子孫因爲北方之人. 且其高祖有慶, 遊於尤庵之門, 其父師爕, 則時任純陵參奉云.' 聞其地閥, 可惜其居北. 而又聞其言則曰, "人雖無似年且少, 而不輕進見於人云." 可謂不失其先祖之遺風矣. 奇哉奇哉! 是夜有異夢, 故暫記之, 以爲後考之跡.

1797년 12월 12일. 아침에 박명벽이 와서 소매 속에서 그가 지은 부(賦)를 꺼내어 보여주었다. 그 문장과 글씨를 살펴보니 매우 아름다웠다. 그 형은 명학(命學)인데, 이번 추과(秋科, 향시)에서 합격했다고 한다.

　十二日. 朝, 朴命璧袖來所作賦, 出示之, 觀其文與筆, 極爲可嘉. 其兄命學, 今秋科拔解云.

1797년 12월 15일. 새벽에 객사에 나아가 망궐례를 행하길 전날의 의례처럼 했다. 이날은 지락정(知樂亭)에서 정조전문(正朝箋文)을 봉배(封拜)하는 의식을 행하기 때문에 밥을 먹은 후에 가서 참석했다. 차사원인 이성현감(利城縣監) 심상지(沈尙之)가 찾아왔다가 갔다. 물어보니 청동(淸洞) 대감의 삼종이 된다고 한다.

　十五日. 曉詣客舍, 行望闕禮, 一如前日之儀節. 是日, 封拜正朝箋文于知樂亭, 故飯後往參焉. 差使員利城縣監沈尙之, 來見而去, 問之則於清洞台爲三從云.

1797년 12월 17일. 오늘은 순사의 대인(大人) 생신날이다. 징청헌(澄淸軒)에 잔치 자리를 베풀고 근처 고을의 수령들을 많이 초청하여 일제히 모여들었는데, 나도 이곳에 있으면서 혼자 참석하지 않으면 규각(圭角, 모가 남)의 혐의가 있을 것 같아서 종일 동참하였다. 배반이 낭자하고 기생과 풍류가 어지럽게 섞였으니, 또한 성대한 놀이라고 말할 수 있겠다. 연회가 파한 후 달은 밝고 바람은 고요한데 승지 이익운이 나에게 말하길, "오늘 밤은 맑은 풍경이 정히 좋으니 함께 만세교에 나가서 달빛을 밟다가 돌아오는 것이 좋을 것 같습니다."라고 하기 때문에 나도 "좋소."라고 응답하였다. 기생과 풍악을 많이 거느리고 가마에 앉아서 다리로 나가 돌아다녔다. 달빛은 냇물에 가득하고 연하가 눈에 온통 들어오니 풍경이 뛰어났다. 오랫동안 다리 위에서 거닐다 보니 한기가 점차 생겨나기 때문에 낙민루로 돌아와서 입골(笠骨)[39]에 고기를 삶고 빙둘러 앉아서 마셨다. 순사가 여럿이 모여있는 사람에게 사율시를 지어서 보내왔다. 달과 은하가 기울어서 거의 경루가 4번을 울린 때 마시기를 파하고 달빛을 받고 돌아왔다.

〈謹次巡使韻〉 삼가 순사의 시에 차운하다
華堂高宴設　화당에서 고아한 연회를 베푸니,
仰賀盡斯生　축하드리길 모두가 다하네.
孝極甘旨供　효성은 지극하여 맛난 음식 공양하고,
友深和樂情　우애는 깊어서 화락한 정이로다.
上順喜恤意　위로는 순종하여 기쁘게 구휼한 뜻이고,
下究及人誠　아래로는 살펴서 다른 사람에게까지 정성스럽네.

---

39) 입골(笠骨) : 전립골(氈笠骨). 전골을 끓일 때 쓰는 그릇. 벙거지를 뒤집어 놓은 모양으로, 무쇠나 곱돌로 만든다.

子道孰過此　아들의 도리로 누가 이것보다 더하리,
操毫謝未輕　붓을 잡고 사례함이 가볍지 않네.

〈又吟〉　또 읊조리다
澄軒高宴罷　징청헌에서의 고상한 연회 파했는데,
明月喚心生　밝은 달이 마음을 불러일으키네.
淸景詩人趣　맑은 경치는 시인들의 아취이고,
歸鴻遠客情　돌아가는 큰기러기는 멀리 떠나온 객의 심정이네.
墻花成一隊　담장가 꽃들은 무더기를 이루고,
城角報三更　성문의 고각소리는 삼경을 알리네.
剩得良宵味　게다가 좋은 밤의 참맛까지 얻으니,
遲遲步不輕　더딘 발걸음이 가볍지 않네.

〈李承旨四律詩〉　이승지의 사율시
橋頭泛春酌　다리 끝에서 봄의 술잔 띄우니,
灔灔波微生　잔잔한 물결이 가늘게 생겨나네.
句引上元事　싯구는 상원의 일을 끌어오니,
頗能出塞情　자못 답답한 마음을 벗어날 수 있네.
申勤候明月　정성스레 명월을 기다리느라,
往復到深更　오고 가며 깊은 밤에 이르네.
若有凌雲氣　만약 구름을 넘어설 기운이 있다면,
摠摠妓步輕　총총해도 기생의 걸음처럼 가벼우리.

十七日. 卽巡使之大人生辰也. 設宴于澄淸軒, 多請近邑守宰, 一齊來會, 而余亦在此若獨不參, 則似有圭角之嫌, 終日同參, 而其盃盤之狼藉, 妓樂之雜錯, 亦可謂勝遊矣. 宴罷之後, 月明風靜, 李承旨益運語余曰, "今夜之淸景正好, 借出萬歲橋, 踏月而歸似好云." 故余應之曰, "諾." 多率妓樂, 坐輿出橋, 踏踏回回. 滿川月色, 極目煙霞, 風景可奇. 久步橋上, 寒氣漸生, 故來坐于樂民樓, 笠骨煮肉, 環坐而飮. 巡使製送四律于齊會中. 時夜則月斜河傾, 幾乎更漏四下之時也. 飮罷, 乘月而歸.

謹次巡使韻. 華堂高宴設, 仰賀盡斯生. 孝極甘旨供, 友深和樂情. 上順喜恤意, 下究及人誠. 子道孰過此, 操毫謝未輕.

又吟. 澄軒高宴罷, 明月喚心生. 淸景詩人趣, 歸鴻遠客情. 墻花成一隊, 城角報三更. 剩得良宵味, 遲遲步不輕.

李承旨四律詩. 橋頭泛春酌, 灔灔波微生. 句引上元事, 頗能出塞情. 申勤候明月, 往復到深更. 若有凌雲氣, 摠摠妓步輕.

1797년 12월 18일. 진사 문산규(文山奎)가 찾아와서 소매 속에서 그 선조 동호공(東湖公) 덕교(德敎)의 문집 1권을 꺼내주기에 열어보니, 그의 충절이 탁이할 뿐만 아니라 무릇 그 문학과 몸가짐을 단속한 일이 사법(師法)으로 삼기에 족하였다. 그처럼 반반한 사람은 과연 북방의 군자라고 말할만하겠다. 이날은 곧 입춘날로, 시는 술시이다. 촛불을 대하여 글자를 보다보니, 안화가 몽롱하기 때문에 책을 덮고 취침을 하였다. 얼마 안 있어 하리가 와서 춘경품(春耕稟)을 바쳤는데, 밝은 횃불이 마당에 가득하고, 떠드는 소리가 귀에 가득하였다. 때문에 이불을 둘러쓰고 앉아서 창을 열고 보니, 목우를 만들고 여기에 쟁기를 씌우고서 마당을 빙글빙글 돌면서 밭갈이 하는 형상을 하고, 일꾼들은 지팡이를 가지고서 곡식 씨앗을 묻는 형상을 하며, 치곤(緇髡, 승려)은 바라를 가지고 치면서 새를 쫓는 소리를 내었다. 이처럼 봄이 된 후 동작(東作, 봄농사)할 때마다 관례대로 이러한 모양을 하는 것은 놀이에 가까운 것 같지만, 그 근본을 살펴보면 매우 귀한 것이다. 한참만에 파하였기 때문에 다시 잠자리에 누웠지만 잠이 오지 않아서 칠절시를 읊조렸다.

起看寒梅早覺春　　일어나 한매를 보고서 이른 봄을 깨달으니,
千門萬戶一和新　　천집 만집이 일제히 새봄에 화응하네.

行年五十卽今夜　　나의 나이 50살인 오늘 밤은,

自度知非愧古人　　스스로 지비40)를 헤아리니 고인에게 부끄럽네.

十八日. 文進士山奎來見, 而袖來其先祖東湖公諱德敎文集一卷, 故披
閱則不惟其忠節之卓異, 凡其文學謹勅之事, 足以爲師法者, 如彼其班班,
可謂北方之君子人也. 是日卽立春, 而時則戌月. 對燭看字, 昏花曚矓,
故掩卷就寢矣. 俄而下吏來獻春耕槖, 而明炬滿庭, 喧聲聒耳, 故擁衾而
坐, 開窓見之, 則造作木牛, 駕以耒耜, 周回于庭, 有若耕田之狀, 而傭
徒持杖爲埋穀之形, 緇髡持叭囉擊之, 作逐鳥之聲. 當此春後東作之時,
則例爲此樣者, 似近於戲, 而究其本則甚可貴也. 頃刻而罷, 故復臥無眠,
因吟七絶.

起看寒梅早覺春, 千門萬戶一和新. 行年五十卽今夜, 自度知非愧古人.

1797년 12월 19일. 고산 찰방 이지형(李之珩)이 찾아왔다가 갔
다.

十九日. 高山察訪李之珩來見而去.

1797년 12월 20일. 평명에 독서당으로 달려가서 이승지와 함께
말채찍을 나란히 하고 비석과 비각을 세우는 곳에 가서 어필을 봉
심하였다. 전면에는 '독서당구기(讀書堂舊基)'라고 쓰여있고, 후면에
는 사적을 기록했으며, 전후면의 글씨를 붉은색으로 채웠다. 날이
저문 뒤에 또 반룡산 아래에 도착해보니, 이미 비석과 비각이 세워
져 있었다. 두 곳의 비석과 비각이 같은 날에 세워지고 하루가 안
되어서 완성된 것은 대개 경영한 지가 이미 오래된 데다 재목이나
기와가 미리 갖추어져 있었기 때문이다. 비석의 전면에는 '치마대
구기(馳馬臺舊基)'라고 쓰여있고, 후면에는 고적을 기록하고 붉은색

---

40) 지비(知非) : 나이 50살을 말한다. 춘추시대 위(衛)나라 대부(大夫)
인 거백옥(蘧伯玉)이 나이 50세 때에 49년 동안의 잘못을 깨달았다
[年五十而知四十九年非]는 고사에서 나온 말이다.

으로 채웠으니, 또한 어필이다. 수백여 년 뒤에 성조(聖祖)의 일을 추모하여 이처럼 영건하는 일을 하였으니, 우리 임금의 성효가 과연 지극하다고 할 수 있다. 봉우리 위의 치마(馳馬)한 곳에도 또 작은 비석을 세우고 '치마대(馳馬臺)'란 세 글자를 썼으니, 또한 어필이다. 가마에 앉아서 산에 오르는데 봉우리 밑의 가파른 언덕이 험한 곳에 이르러서는 가마꾼들이 땀을 훔치기 때문에 가마에서 내려 걸었다. 벼랑길을 부여잡으며 절벽을 따라 산마루에 오르니, 평탄하게 길이 나서 완연하게 말을 달린 흔적이 있는 것 같았다. 비면을 봉심하고 조금 쉰 후에 내려왔다. 이승지도 그리했다. 산의 해가 이미 기울자 어두운 빛이 수풀에 가득했는데, 순사가 출발하기 때문에 나도 뒤를 따라서 갔다. 그때 동행한 사람은 중군 민백길과 판관 박시영, 그리고 기타 비장과 추솔들이었는데, 십 리에 걸쳐 밝은 횃불이 환하게 빛났다. 말안장에 의지하여 생각해보니, 인신(人臣)들이 이르는 곳마다 임금의 은혜가 아님이 없다. 벼슬살이로 녹봉을 먹으면서도 고생을 싫어하고 편함만을 도모하는 자가 간간이 많이 있는데, 이와 같은 자는 과연 어떤 사람이란 말인가? 객관에 도착한 뒤 성상의 추원하는 효성에 감동하여 우연히 사율시를 읊었다.

崇蕩我聖祖	높고도 큰 우리 성조께서는,
神武又敦文	신무한 자질에다 또 문에 힘쓰셨네.
馳馬盤龍峀	말을 달린 반룡산 멧부리,
讀書雪岳雲	독서하신 설악의 구름이라.
崇儒與禮俗	숭유와 예속에 힘써서,
策驪掃塵氛	말을 채찍하며 세상 티끌을 쓸어버렸네.
不日成碑閣	하루가 안되어 비각을 완성하니,
咸稱至孝君	모두가 임금의 지극한 효성을 칭탄하네.

二十日. 平明, 馳詣讀書堂, 而與李承旨聯鞭而往竪碑建閣, 奉審御筆,

則前面書以讀書堂舊基, 後面記事蹟, 前後填紅. 日晚後, 又到盤龍山下, 則已竪碑建閣矣. 兩處碑與閣, 同日立之, 而不日成之者, 蓋經營已久, 材瓦豫備故也. 碑之前面, 書以馳馬臺舊基, 後面記古蹟而填紅, 亦御筆也. 累百餘年之後, 追慕聖祖之事, 有此營建之役, 吾王之聖孝, 可謂至矣盡矣. 峰上馳馬之處, 又立小碑, 而以馳馬臺三字書之, 亦御筆也. 坐于籃輿上山, 而至于峰底峻坂崎嶇, 轎軍揮汗, 故下輿而步. 攀崖緣壁, 登于峰脊, 則平坦有道, 宛然如有馳馬之痕矣. 奉審碑面, 少憩而後下來. 李承旨亦然. 山日已暮, 暝色滿樹, 巡使離發, 故余亦隨後而行. 其時同行之人, 則中軍閔百吉·判官朴始榮, 其他幕裨與驕率, 連亘十里, 明炬照耀. 據鞍思之, 則人臣之所到處, 莫非君恩也. 居官食祿而厭苦圖便者, 間多有之, 若此者果何如人哉! 歸到客館, 因感聖上追遠之孝, 偶吟四律.

兒蕩我聖祖, 神武又敦文. 馳馬盤龍峀, 讀書雪岳雲. 崇儒與禮俗, 策鬌掃塵氛. 不日成碑閣, 咸稱至孝君.

1797년 12월 21일. 석사 윤송이 또 찾아왔는데, 그 사람이 살고있는 곳이 비록 멀지 않을지라도 자주 찾아와서 나의 고적한 회포를 위로해주니, 이것이 다행스러운 일이다. 또 그의 인품을 살펴보니 순실하고 단아한 데다 문재(文才)까지 갖추었으니, 과연 북방의 아름다운 선비라고 말할 수 있겠다.

二十一日. 尹碩士淞又來見, 而其人之所居, 雖不遠, 頻頻來到, 慰此孤寂之懷, 是所可幸. 且觀其人品, 純實端雅, 兼以文才, 可謂北方之佳士矣.

1797년 12월 22일. 의릉참봉 임희언(任希彦)이 찾아왔다가 갔다.

二十二日. 義陵參奉任希彦, 來見而去.

1797년 12월 24일. 눈은 내렸지만 날씨는 오히려 온화하여 창을 열고 눈이 녹는 것을 보면서 칠절시를 읊조렸다.

一年南北再逢春　일년동안에 남북에서 다시 봄을 만나게 되니,
歲暮旅牕百感新　세모에 객지 창가에선 모든 감회가 새롭네.
梨花落地還無跡　이화가 떨어진 곳에 도리어 흔적이 없으니,
始識東君昨夜臻　비로소 동군(봄)이 작야에 이르렀음을 알겠네.
二十四日. 雪來日氣猶溫和, 開牕見雪消, 因吟七絶.
一年南北再逢春, 歲暮旅牕百感新. 梨花落地還無跡, 始識東君昨夜臻.

　민중군이 촛불을 잡고 밤에 찾아왔기에 함께 대화를 나누며 피차 객지에서 벼슬살이하는 고생스러운 상황을 모두 토로했다. 그리고 이어서 관직에 있으면서 백성을 다스리는 일에 대해서 논하였는데, 내가 "관원 된 자는 대저 마음가짐을 공평하게 하고 위를 받들어 백성을 사랑하는 일에 뜻을 둘 것이며, 백성을 깎아서 자기를 살찌우려는 마음을 내지 않을 것이니, 그밖의 일정일사(一政一事)가 모두 이런 마음속으로부터 나와야 하오. 이러한 도도한 세상에서는 그런 사람을 양리(良吏)라 하고, 염리(廉吏)라 해야 옳소. 그러나 만약 사무에 대해 잘 몰라서 어긋나거나 실수하는 것이 있다면 이것은 곧 알지도 못하고 망작(妄作)한 것일뿐, 그 본심이 불선한 소치가 아니니, 이것을 이른바 고재(眚災)라고 하는 것이오."라고 했다. 그러자 중군이 이르길, "집사께서 만약 백 리의 고을을 맡게 된다면 백성들이 편안할 수 있을 것입니다."라고 했다. 내가 웃으면서 말하길, "이처럼 무능한 사람이 어찌 백성을 편안케 할 수 있겠소? 그러나 성품이 본래 악하지 않아서 생각은 매양 빈궁한 사람을 불쌍히 여기며 애초부터 백성의 고혈을 뽑아낼 뜻이 없으니, 이것으로써 백성을 다스리면 백성들은 거의 원망하는 말이 없을 것이오."라고 했다. 이어서 말이 고 판서 이문원(李文源)이 이 도를 안찰할 때 선정한 일에 미쳤는데, 영황(營況)을 많이 감하여 소민들에게

혜택을 입힌 것이 많으며, 또 소금 수백여 석을 사다가 땅속에 묻어두고서 장래의 근심에 대비책으로 삼았고, 또 본부에서 화재가 자주 발생하는 일이 있는 것으로 인해 돈 800냥을 내어서 본자는 보존하고 이자를 취하여 화재민을 돕는 자본으로 삼았는데, 기타 소소하게 백성들에게 혜택을 준 일은 붓으로 다 기록하기 어렵다. 함흥의 백성들은 지금까지 칭송하고 있으니, 이것은 실로 금세에 보기 드문 사람이다. 민중군은 거의 삼경이 되어서야 갔다. 이날 저물녘에는 덕원부사 원의진(元毅鎭)이 찾아왔다가 갔다.

閔中軍秉燭乘夜而來, 共對相話, 吐盡彼此旅宦辛艱之狀, 而因論居官治民之事, 余曰, "爲官者大率持心公平, 留意於奉上愛民之事, 而無出剝民肥己之心, 則其他一政一事, 皆從此心中出來. 當此滔滔之世, 謂之良吏可也, 謂之廉吏可也, 而如或不識事務, 而有所差失, 則是乃不知而妄作, 非其本心不善之致, 此所謂眚災也云." 則中軍曰, "執事若當百里之任, 則民可安矣云." 余笑曰, "以此疎庸, 豈可安民乎? 然而性本無惡, 念每憐貧窮之人, 而初無浚民膏澤之意, 則以此莅民, 民庶幾無怨言矣." 因爲語及故判書李文源, 按此道時善政之事, 而多減營況蒙惠小民, 又貿鹽數百餘石, 埋置於土中, 以爲慮遠之備, 且以本府頻有回祿之災, 出錢八百兩, 存本取利, 以爲火民補用之資, 其他小小惠民之事, 筆難盡記. 咸州之民, 至今稱之, 此實今世之所罕人也. 閔中軍幾至夜三更而去. 是日日晚, 德源府使元毅鎭來見而去.

1797년 12월 25일. 의릉(義陵) 봉사 한성중(韓性重)과 숙릉(淑陵) 참봉 한성순(韓性淳) 형제가 찾아왔기에 그들이 어느 해에 합격하고 어느 해에 벼슬살이를 시작했는지를 물어보니, '형제가 동방(同榜)으로 연벽(聯璧, 형제가 모두 과거에 급제함)하였으며, 재랑(齋郞)은 1~2년 사이에 우연하게 차례대로 되었다'고 답하였다. 비록 서울에 사는 사대부일지라도 이와 같은 사람 있기는 또한 쉽지 않은 일인데, 먼 지방에 사는 사람으로서 함께 사마시에 합격하고 동시에 음사(蔭仕)를 하게 된 것은 어찌 희귀한 일이 아니겠는가? 선비 최학원(崔學源)도 함께 찾아왔기에 물어보니, 나이는 거의 60살인데 아울러 금년 공령과(功令科)에서 다섯 번째 합격하였지만 운수가 기구하고 문장이 졸렬하여 아직 사마에 오르지 못했는데, 서울에 올라다니는 일로 가세가 탕진했다고 한다. 듣고보니 불쌍하다. 이날 듣자하니 본관 박시영이 담양부사로 옮겨가게 되었다고 하기 때문에 먼저 전갈을 하고 황혼을 틈타 촛불을 잡고 가서 만나보았다. 민중군도 와서 밤이 깊도록 정답게 얘기를 나누다가 갔다.

二十五日. 義陵奉事韓性重, 淑陵參奉韓性淳兄弟來見, 故問其何年登科何年筮仕, 則答云, '兄弟同榜聯璧, 而齋郎則一二年間偶然次第爲之云', 雖洛中士夫有如此者, 亦不易也, 而以遐土之人, 一榜司馬同時蔭仕者, 豈不稀且貴哉? 士人崔學源同來見之, 故問之, 則年近六十, 而幷今年功令科五次拔解, 而以數奇文劣, 尙未司馬, 以京洛之行, 家勢蕩敗云. 聞之可悶. 是日聞本官朴始榮, 移遷于潭陽府使云, 故先爲傳喝, 而乘昏秉燭往見而來. 閔中軍又到, 穩話至夜深而去.

1797년 12월 26일. 석사 한약림(韓若霖)이 또 찾아왔기에 그의 말을 자세히 들어보니, 지벌은 이 지방에서 갑족에 속하며, 그의 조부 석기(錫耆)는 학행과 근칙(謹飭)으로 8번이나 북릉의 재랑에 제수되었지만 모두 나아가지 않았고, 끝내는 특교(特敎)로 또 공릉 참봉과 경기전 참봉에 제수되었지만 또 취임하지 않았다고 한다. 진실로 북방의 망중고사(望重高士)이니, 그 사람의 말뿐만이 아니라 이처럼 향유(鄕儒)들이 와서 칭찬하는 것은 그 손자의 말보다 더 뜬 것이 있다. 대개 이 지방의 사람들은 뛰어난 재주를 가진 자가 많으니, 이것이 어찌 성조(聖祖)의 교화가 미친 바가 아니겠는가? 이날 영흥부사 김희조(金熙朝)가 북청을 조사하는 일로 또 올라왔다가 황혼무렵에 나를 찾아와서 잠깐동안 얘기를 나누다가 갔다.

내일 새벽에 출발한다고 한다.

二十六日. 韓碩士若霖又來見, 而細聞其語, 則地閥爲此土之甲族, 而其祖父諱錫耆, 以學行謹飭, 八除北陵齋郞, 皆不就, 終以特敎又除恭陵慶基殿參奉, 而亦不仕云. 眞北方之望重高士也, 不惟其人之言, 如此鄕儒之來稱者, 有浮於其孫之言矣. 蓋此土之人間多卓犖之才, 是豈非聖祖敎化之攸曁耶? 是日永興府使金熙朝, 以北靑査事, 又爲上來, 黃昏來見, 暫爲相晤而去. 明曉發行云.

1797년 12월 27일. 오늘 도목정사를 보니 20일에 과연 행하였는데, 예상한 것이 모두 허투루 돌아가서 한탄스럽다. 종제도 다른 곳으로 옮겨가지 못했으니, 이것을 운수로 돌릴 수 있는 것인가? 때를 못 만난 것으로 돌릴 것인가? 다만 몸을 어루만지며 한숨만 쉴 따름이다. 이곳에 사는 진사 문산규가 의릉참봉의 수망에 들어 문득 은점을 받았으니 매우 다행스런 일이다. 하유원(河有源)이 재차 찾아왔기에 물어보니, 현재 충위(忠衛)를 맡고 있으며, 하륜(河崙)의 후예라고 한다. 저녁때 좌랑의 답장과 각처에서 보낸 답장편지가 도착하였기 때문에 손을 바삐하여 열어보니 모두 무고하다고 하여 다행이다. 그렇지만 오랫동안 고향소식을 듣지 못하고 있어서 그 사이에 울적한 근심을 형용하기 어렵다. 재종의 편지 속에 넣어 보내온 답시와 사율시가 있어서 편지를 보고 또 시를 읊으니, 황홀하게 모습을 직접 접한 것 같아서 잠깐동안 마음에 조금은 위로가 되었다.

星氣先從洛石花	별의 기운은 먼저 낙석(담쟁이) 꽃을 따르고,
高山天作浩無涯	하늘이 만든 높은 산은 넓어서 끝이 없네.
祖宗緖業皆由此	조종의 서업은 모두 이것으로부터 말미암으니,
磐泰鞏基永世多	반석과 같은 큰 기틀 영원하리라.

凍天霜雪更精神　　추운 겨울 눈서리에 정신을 고치고,
旅舍呼寒計末因　　여관에서 추위에 떨며 임기를 헤아리네.
十載風塵多白髮　　십년동안 풍진 속에서 백발만 늘어나고
一場詩酒少高人　　한 바탕의 시주에서는 고상한 사람 적네.
靜居非不存心界　　고요히 사는 것은 존심의 경계 아님 없지만,
苦處那堪率性眞　　고생스런 곳에선 어떻게 참 본성을 따르리.
湖海前盟空自負　　전에 맹세한 호해의 삶을 스스로 저버렸으니,
渚花沙鳥與誰親　　물가의 꽃과 갈매기는 누구와 친하고 있을까.

二十七日. 卽見都政, 則念日果爲之, 而所料歸虛可歎, 而從弟亦未遷他, 是可歸於數乎? 歸於時乎? 只自撫躬太息而已. 此處文進士山奎, 以義陵參奉首望, 忽蒙恩点, 奇幸奇幸. 河有源再次來見, 故問之, 則時任忠衞, 而爲河崙後裔云. 夕時佐郎答狀及各處謝書來到, 故忙手開緘, 則俱無故云, 可幸, 而久未聞鄕音, 這間愁鬱, 難可形喩. 再從書中齎送答聯及四律, 故見書又吟律, 怳接儀容, 稍慰霎時之懷.

星氣先從洛石花, 高山天作浩無涯. 祖宗緖業皆由此, 磐泰鞏基永世多.
凍天霜雪更精神, 旅舍呼寒計末因. 十載風塵多白髮, 一場詩酒少高人.
靜居非不存心界, 苦處那堪率性眞. 湖海前盟空自負, 渚花沙鳥與誰親.

1797년 12월 28일. 순사가 오랫동안 상견하지 못했다는 뜻으로 통인을 시켜 전갈을 해오기 때문에 억지로 일어나 도포를 착용하고 상영에 가서 잠시동안 안부인사를 한 후에 겸해서 그의 아우인 승지를 방문하고 왔다. 올 때 중군 민백길에게 들러서 한참동안 얘기를 나누고 왔다. 그날 밤에 중군이 또 와서 야심할 때까지 얘기를 하다가 갔다.

二十八日. 巡使以久未相見之意, 使通引傳喝, 故强起着袍往于上營, 暫爲寒暄後, 兼訪其弟承旨而來. 來時歷訪閔中軍百吉, 有頃相晤而來. 其夜中軍又到, 語至夜深而去.

1797년 12월 29일. 본부의 신판관인 김이유(金履裕)가 내려와서 연명(延命)을 한 후에 공복차림으로 찾아왔기 때문에 내가 말하길, "평소 서로 친한 사이에 어찌 이처럼 공체(公體)를 행하는가?"라고 하자, 그가 웃으며 답하길, "공은 공이고 사는 사이니, 어찌 평소의 사사로운 사귐 때문에 그 공체를 폐기할 것이오?"라고 했다. 날이 저문 것으로 인해서 정다운 말을 다 하지도 못하고서 비로소 본아로 돌아갔다. 이날 본부의 토관(土官)들이 와서 이름을 나열한 단자를 바치고 겸하여 산 꿩 2마리를 바치기 때문에 그 이유를 물어보니, 이미 전부터 행해온 것으로 저절로 관례가 되었다고 했다.

二十九日. 本府新判官金履裕下來, 延命後, 以公服來見, 故余曰, "平日相親之間, 豈行此公體乎?" 笑而答曰, "公自公私自私, 何以平昔之私交, 廢閣其公禮乎?" 緣於日暮, 語未穩吐而始歸本衙. 是日本府土官等來, 呈列名單子, 而兼獻生雉二首, 故問其由, 則已行前例自有其禮云.

1797년 12월 30일. 본관이 하예를 시켜 전갈을 하고 겸하여 쇠고기 3근과 산 꿩 2마리를 보내왔다. 그의 정에 매우 감사하다. 이때 마침 서문밖에 사는 선비 최경원(崔景遠)이 찾아왔기에 일찍이 노친이 있다는 말을 들었기 때문에 하예에게 분부하여 쇠고기 약간을 그 집에 보내게 했다. 이날 밤 야심할 때 예리가 와서 매귀품(埋鬼禀)41)을 바치고, 얼마 안 있어 물고기 머리와 귀신 얼굴을 한 병졸들이 마당에 빽빽이 섰는데, 횃불을 환히 밝히고 포를 3번 쏘았다. 그러자 산승 2명이 각자 바라와 작은 징을 잡고서 몸을 뒤집으며 쳤다. 속한(俗漢)이 귀신 쫓는 말을 외우니 어린아이들이 한 소리로 답을 하였다. 덩실덩실 어지럽게 춤을 추는 천태만

---

41) 매귀품 : 매귀굿 한다고 아룀. 매귀(埋鬼)는 잡귀를 쫓아내고 복을 불러들이는 벽사 축원의 굿을 말한다. 음력 정월 2일부터 15일 사이에 풍물패가 풍물을 하면서 부락을 한 바퀴 돈 다음 집집마다 들어가 지신을 달래고 복을 빈다. 마당밟기. 걸립.

상의 형상은 울적한 가운데 한바탕 웃기에 족하였다. 각양의 풍속이 가는 곳마다 다른 것은 과연 처음 만든 사람이 있어서 그런지 모르겠다. 괴이하고 괴이하도다!

그믐날은 곧 일년이 다되어가는 밤이다. 객중에서 근심스런 회포가 평상시보다 배나 더해서 우두커니 앉은 채 잠을 이루지 못했다.

〈次佐郎從弟韻〉	좌랑 종제의 시에 차운하다
南北迢迢各惱神	남북이 아득하여 각자 정신이 괴로운데,
旅遊辛味果誰因	객지에서의 매운맛은 과연 누구로 말미암았나.
鄕天有月隔千里	고향 하늘에 달이 있어도 천 리가 막혔고,
客館看雲少一人	객관에서 구름 봄에 한 사람이 빠졌네.
湖海久違鷗鷺約	호해에서 갈매기와의 약속 오랫동안 위반하니,
風塵罕見性情眞	풍진세상에 성정이 진솔한 사람 보기 힘드네.
幾年霜露添頭雪	몇 년의 상로[42]에 머리는 백설만 더해지고,
獨對寒燈耿耿親	홀로 찬 등불 대하자니 경경함만 친하네.

제석날 울적함을 이길 수 없어서 본관에게 가서 얘기를 나누었는데, 본관이 말하길, "오늘밤은 객이 된 자에게는 정히 참기 어려운 밤이리니, 집을 떠나있는 사람의 회포는 피차에 무엇이 다르리오? 대략 세찬을 갖추라는 뜻으로 분부한 일이 있으니, 바라건대 함께 술잔을 기울이며 근심과 적막함을 깨뜨리다가 야심한 후에 헤어지는 것이 좋을 것 같습니다."라고 하기 때문에 내가 "그 말이 과연 사람의 마음을 곡진하게 살폈다고 말할 수 있겠소."라고 말하고, 마침내 함께 정답게 얘기를 나누다가 사경이 다되어서는 배불

---

42) 상로(霜露) : 『예기(禮記)』제의(祭義)편에, "서리와 이슬이 이미 내리면 군자는 이것을 밟고 반드시 슬픈 마음이 있다.[霜露旣降, 君子履之, 必有悽愴之心]"라고 하였으니, 봄에 이슬이 내려 초목에 싹이 날 때와 가을에 서리가 내려 초목이 마를 때에 효자가 죽은 부모를 사모하는 마음이 간절하다는 뜻이다.

리 떡국도 먹었다. 또 술잔에 취하여 장차 일어날 즈음에 내가 말하길, "한 자리에서 얘기를 나눈 것과 석 잔의 술은 뱃속 가득한 근심을 모두 잊게 하였으니, 이처럼 좋은 밤에는 한 구절의 시가 없을 수 없소."라고 하고, 마침내 칠절시와 오절시를 지었다. 그러자 본관이 말하길, "담소하길 그치지 않았는데 어느 겨를에 시율에 뜻을 두셨습니까?"라고 했다.

新舊年分此夜中	신년과 구년이 이 밤중에 나뉘니,
遽然翻作五旬翁	어느덧 갑자기 5순의 늙은이가 되었네.
南來北客愁難抑	남에서 온 북객은 근심을 억제하기 어려운데,
幸賴新倅語不窮	다행히 신쉬에 힘입어 말이 끝이 없네.

千里不期會	천리 먼 곳에서 기약하지 않고 모이니,
舊情年共新	옛정이 해와 함께 새로워지네.
孤燈照我意	외로운 등불도 나의 뜻을 비추어,
相對話心人	서로 대하고 인심을 얘기하네.

사처로 돌아와서 잠깐동안 얼핏 잠을 자다보니 촌닭이 새벽을 알리는데, 별빛은 스러져가고 은하수도 기울고 있었다. 문득 일어나서 사모관대를 착용하고 객사에 나아가 하례에 참여하여 세 번 천세를 부르고 12번 절을 한 후 예를 마치고 나왔다. 이날은 곧 무오년 1월 1일이다.

三十日. 本官使下隷傳喝, 而兼送黃肉三斤生雉二首, 多感其情眷. 時適西門外居士人崔景遠來到, 而曾聞有老親, 故分付下隷, 送黃肉少許于其家. 是夜夜深, 禮史來獻埋鬼槖, 俄爾魚頭鬼面之卒, 林立于庭中, 明炬照耀, 放炮三聲, 山僧兩漢, 各持叺囉小錚, 翻身擊之. 俗漢誦逐鬼之言, 則群童齊聲答之, 亂舞傚傚, 千態萬狀之形, 足以爲愁盃中一笑之資. 各樣風俗到處不同者, 抑未知果有始設之人而然歟! 怪哉怪哉! 晦日卽一年將盡之夜也. 客中愁懷倍於平時, 塊坐無眠.

　次佐郎從弟韻. 南北迢迢各惱神, 旅遊辛味果誰因. 鄉天有月隔千里,
客館看雲少一人. 湖海久違鷗鷺約, 風塵罕見性情眞. 幾年霜露添頭雪,
獨對寒燈耿耿親.

　除夕不勝愁鬱, 往與本官相語, 而本官曰, "今夜則爲客者正是難耐之
夕, 離家之懷, 彼此何殊乎? 以略具歲饌之意 有所分付事, 幸須同盃共
喫, 消憂破寂, 至夜深後, 相分似好云." 故余曰, "其言可謂曲察人情也."
遂與穩話, 幾至四更, 飽喫餅湯. 又醉盃酌, 將起之際, 余曰, "一席之晤,
三盃之酒, 渾忘滿腔之愁緒, 如此良夜不可無一句吟咏." 遂作七絶五絶.
本官曰, "談笑不已, 奚暇運意於詩律乎?"

　新舊年分此夜中, 遽然翻作五旬翁. 南來北客愁難抑, 幸賴新倅語不窮.
千里不期會, 舊情年共新. 孤燈照我意, 相對話心人.

　歸到下處, 少焉假寐, 村鷄唱曉, 星闌河傾. 忽起着帽帶, 進詣客舍,
參於賀禮, 三呼千歲, 十二拜, 而禮畢出來. 是日卽戊午元月初吉也.

2. 1798년 일기(상)

1798년 1월 1일. 식전에 잠시 상영에 가서 관례대로 과세(過歲)의 예를 닦고 왔다. 구관(舊官)이 서문 밖의 여염집으로 옮겼는데, 오늘 출발한다고 하기 때문에 잠시 가서 작별을 하였다. 헤어질 무렵에는 서운한 마음이 없을 수 없었다. 식전에 영 본부의 하속들과 기생들이 모두 와서 문안인사를 하였고, 선비 최학원(崔學源)·이약수(李若洙)·한덕주(韓德冑)가 찾아왔다. 이날 밤에는 민중군이 또 와서 객중에 새해를 맞이하는 회포를 위로해주었는데, 촛불 심지를 잘라가며 얘기를 나누다가 밤이 깊어서야 갔다.

戊午元月初吉. 食前暫到上營, 例修過歲之禮而來. 舊官移次于西門外閭家, 而今日發行云, 故暫往作別, 臨分不無悵然之心. 食前營本府下屬諸妓等, 皆來問安, 士人崔學源李若洙韓德冑來見. 是夜閔中軍又來, 慰此客中餞迓之懷, 剪燭相話, 至夜深而去.

1798년 1월 3일. 순사(巡使)가 선화당(宣化堂)에 자리를 열면, 관례로 예배(禮拜)를 한다고 하기 때문에 가서 참여하고 왔다. 나는 오늘같은 날은 더욱 도정절(陶靖節)의 높은 아취를 우러르게 되는데, 옛사람의 시에 '벼슬 높은 관원을 맞이하자니 속이 문드러지려 하네'라고 한 것이 바로 이것을 말한 것이리라. 곧바로 내려와서 처량하게 앉아있으니, 얼마 안 있어 본부 향소(鄕所)의 하속들과 영예(營隸) 및 기생들이 모두 예알(禮謁)의 단자를 올리고 차례로 절을 하고 나갔다. 이 또한 외롭고 적막한 가운데 한 번의 웃음을 주는 자료이다.

初三日. 巡使開坐于宣化堂, 則例爲禮拜云, 故進參而來. 余乃今日尤仰陶靖節之高致, 而古人之詩曰, '拜迎官長心欲碎'者, 正謂此也. 卽爲下來, 悄然而坐矣. 俄爾本府鄕所下屬及營隸諸妓等, 皆呈禮謁單子, 而次第納拜而出, 是亦孤寂之中一笑之資也.

　　1798년 1월 4일. 승지 이익운(李益運)이 상경하는 행차를 출발하게 되어 그의 형인 순사가 낙민루에서 전별을 하고 판관과 중군도 그렇게 한다고 하기 때문에 나도 어쩔 수 없이 억지로 가서 작별을 하고 왔다. 올 때 본아에 들러서 주관(主官)과 한참동안 얘기를 나누었는데, 그의 동생 이도(履道)의 서간을 보여주기 때문에 재삼 읽어보니, 종이 가득한 말의 뜻이 권계(勸戒)의 말 아닌 것이 없어서 사람으로 하여금 흠탄하게 하였다. 내가 말하길, "그 형의 마음은 애초부터 그 아우의 마음과 다름이 없지만, 아우는 형에 대해서 혹 관직에 차질이 있을까봐 염려하여 이처럼 편지를 써서 경계를 하고 있으니, 과연 난형난제입니다."라고 했다. 말을 아직 다 하지도 못했는데 날이 저물고 있어서 사처로 돌아오니, 봉사 한성중과 참봉 한성순 형제 및 참봉 문산규가 찾아와서 잠시 얘기를 하다가 갔다. 이날은 종일토록 눈이 내렸다. 낙민루에서 본부에 도착했을 때 말 위에서 시를 지었다.

　　家家銀作屋　　집집마다 지붕이 은색으로 변하였고,
　　樹樹玉成花　　나무마다 옥처럼 꽃이 피었네.
　　無限江山景　　끝 없는 강산의 경치에,
　　化翁添雪華　　조화옹이 흰 눈을 더한 것이지.

初四日. 李承旨益運發行上京, 其伯氏巡使出餞于樂民樓, 而判官中軍亦然云, 故余亦不得已强往, 作別而來. 來時歷到本衙, 與主官有頃相晤, 而出示其季氏履道書簡, 故再三圭復, 則滿紙辭意無非勸戒之語, 令人欽歎處也. 余曰, "其兄之心, 初非不如其弟之心, 而弟之於兄, 或慮莅官之有差, 如是裁書而告戒, 可謂難弟難兄也." 語猶未盡, 緣於日暮, 還到下處, 則韓奉事性重參奉性淳兄弟, 及文參奉山奎來見, 暫晤而去. 是日終日雪來. 來自樂民樓到本府時馬上口占.

家家銀作屋, 樹樹玉成花. 無限江山景, 化翁添雪華.

1798년 1월 5일. 아침부터 저녁까지 육화(六花, 눈)가 분분히 날려 거의 반 자나 쌓였으니, 이 무슨 동월(冬月)에도 하루종일 내린 적이 없던 눈이 입춘이 지난 지 이미 오래되었고 해도 또 바뀌었는데, 이처럼 연일 대설이 내린단 말인가? 조화의 이치를 참으로 헤아리기 어렵도다.

相思一夜六花來 그리워 하던 중 하룻동안 육화가 내리니,
平昔心肝紙上開 평소에 품은 마음을 종이 위에 펼쳐보네.
官是龔黃何待教 관직은 공황[43]이니 어찌 교지를 기다리리,
宣尼猶歎得人才 선니[44]도 오히려 인재 얻기를 노래하였지.

연일 눈에 막혀서 만날 수 없기 때문에 이 칠절시를 읊어서 본관에게 주었다.

初五日. 自朝至暮, 六花紛紛, 積幾半尺, 是何冬月曾無竟日之雪, 而立春已久, 歲色且改, 有此連日之大雪耶? 造化之理, 難可測也.

相思一夜六花來, 平昔心肝紙上開. 官是龔黃何待教, 宣尼猶歎得人才.

連日阻雪未得面晤, 故吟此七絶, 聊贈本官.

1798년 1월 6일. 석사 민동혁(閔東赫)이 찾아와서 한참동안 얘기를 나누다가 말이 그의 가세가 빈루하다는 것에 미쳤는데, 곧 중군의 둘째 아들로 청주에 살고 있으며, 연전의 10월에 이곳에 왔다가 다음 달 초에 올라간다고 한다. 저녁때 갑자기 전신에 한기가 들고 가슴이 막히고 답답해져서 조금 밥을 먹은 후에 곧바로 자리

---

43) 공황(龔黃) : 한(漢)나라의 대표적인 순리(循吏)인 공수(龔遂)와 황패(黃霸)의 병칭이다.
44) 선니(宣尼) : 공자의 별칭으로, 한 평제(漢平帝) 원시(元始) 원년에 공자를 추시(追諡)하여 포성선니공(褒成宣尼公)이라고 하였다.

에 들었는데, 사지에 한기 들길 그치지 않고 심장 기운이 위로 치받는 증세가 점점 심해졌다. 때문에 깊이 잠든 통인을 불러 깨워서 백불탕(白沸湯)을 끓이게 해서 먹고 땀을 낸 후에야 한기가 조금 덜해지고 치받는 기운도 점차 내려갔다. 앉아있기도 하고 누워있기도 하며 밤새 촛불을 켜고 있었다. 이것은 바로 심장 기운이 평안치 못하고 혈맥이 유통되지 못한 소치가 아님이 없다. 어쩔 것인가?

初六日. 閔碩士東赫來見, 而相唔有頃, 語及其家勢之貧窶, 卽中軍之仲子而居於淸州也. 年前十月來到于此, 來月初當上去云. 夕時猝然全身寒戰, 胸臆鬱滯, 少焉喫飯後, 仍卽就寢矣. 四肢寒氣猶不止, 心氣上冲之症漸劇, 故呼覺沈睡之通引, 煎服白沸湯, 取汗後, 寒氣少歇, 冲氣漸下. 或坐或臥, 張燭達夜, 此莫非心氣不平血脈未得流通之致也. 奈何奈何?

1798년 1월 7일. 억지로 일어나 관과 망건을 쓰고 정신을 차리고자 하였으나 신기(神氣)가 암담해져서 지탱하기가 힘들다. 하룻밤 사이에 갑자기 객기(客氣)가 침탈한 것이 많다. 서문 밖의 하서리에 사는 선비 윤송(尹淞)이 찾아왔다가 내가 병에 걸렸다는 것을 듣고 말하길, "대저 천지의 기운은 순환하길 끝 없어서 한순간도 쉼이 없습니다. 사람이 그 사이에서 참여하여 삼재(三才)가 되는데, 혈기가 사지에 유행하는 것 또한 천지가 운행하길 쉬지 않은 것과 같으니, 동작과 절선을 잠깐이라도 폐할 수 없는 것입니다. 그런데 요사이 아영(亞營)께서는 매일 책을 보시고, 비록 정양을 한다고 하시지만 한 번도 몸을 움직이고 기를 운행하는 일이 없으십니다. 정신을 쏟아서 글자를 보는 것도 식체(食滯)의 병증이 없을 수 없는 것이라서, 날로 쌓이고 달로 쌓여서 점점 병을 이룬 것입니다."라고 했다. 내가 말하길, "나의 마음 또한 그대가 말한 것과 같소. 그리고 그 말 또한 이치가 있는 말이오."라고 했다. 그는 가난한 집에 구애되는 바가 많아서 오랫동안 얘기를 나누지 못하고 갔다. 종일토록 홀로 앉아있었는데 가슴이 막힌 것이 끝내 좋아지지 않아서 탕제를 달여 먹으니, 조금 효과가 있었다. 본관이 또 황차(黃茶)를 보내왔기 때문에 연일 달여 먹으니 현저하게 막힌 것이 뚫리는 효과가 있었다. 이치로 추정해보니, 비유하자면 고산에 뒹구는 돌과 같아서 돌은 반드시 사람의 힘이 더해지길 기다렸다가 뒹굴지는 않지만, 갑자기 어떤 사람이 그 뒹구는 돌을 만나 또 손으로 민다면, 돌은 더욱 굴러서 깊이 함몰된 곳까지 가서야 그칠 것이다. 그러나 기가 체한 것은 그쳤다가도 다시 일어나니, 도리어 뒹구는 돌이 아래로 굴러갔다가 다시는 위로 올라가지 못하는 것과는 같지 않다. 만약 편작(扁鵲)이 치료를 하게 한다면, 이 객기가 위로 치받는 것을 곧바로 아래로 사그라들게 할 것이니, 구르는 돌이 한 번 내려가면 끝내는 다시 올라갈 수 없는 것과 같게 될 것이다. 그러나 세상에 양의가 없으니, 매우 한탄스럽다.

初七日. 强起冠巾欲勵精神, 神氣蕭索, 難可支吾. 一夜之間, 忽爲客氣之所奪者, 多矣. 西門外荷西里居士人尹淞來見, 而聞余病崇言曰, "夫天地之氣, 循環不已, 無一息之間斷. 人於其間, 參爲三才, 而血氣之流行於四肢, 亦如天地之運行不息, 則動作節旋, 不可須臾廢也, 而今來亞營, 每日看書, 雖爲靜養, 一無動身行氣之事, 而注精看字, 亦不無食滯之症, 而日累月積漸漸成病矣." 余曰, "余之心亦如君之所言, 而其言亦當有理也." 以貧家多有所碍, 不久相晤而去. 終日獨坐, 胸膈滯鬱, 竟不快歇, 故煎服湯劑, 則少有微效. 本官又送黃茶, 故連日煎服, 則顯有通滯之效. 以理推之, 譬如高山轉石, 石必不待人力之更加推轉, 而忽有人遇其轉石, 又以手推之, 則石愈轉而至於深陷之處而止矣. 然而氣滯, 則止而復作, 反不如轉石之下而不復上. 若使扁鵲治之, 則使此客氣之上冲者, 卽爲消下, 當如轉石之一下而終不得更上矣. 世無良醫, 可歎可歎.

1798년 1월 8일. 정평부사(定平府使) 최명건(崔命健)과 갑산부사

(甲山府使) 이억(李檍), 그리고 단천부사(端川府使) 이익(李檜)이 왔다가 갔다. 본관은 자주 통인을 시켜 병의 차도에 대해 물었고, 겸하여 체한 것을 내려가게 하는 약을 주면서 어린아이의 소변과 섞어서 따뜻하게 복용하라고 했다. 그러므로 그 말대로 복용해보니 현저하게 차도가 있기 때문에 그가 약을 보내준 것에 감사하여 우연히 칠절시를 읊었다. 그 병의 뿌리를 찾아보면 수삼일 전에 가서 (家書)를 보았는데 비록 평보여서 다행이긴 하지만 편지지 가득한 말의 뜻이 수란한 소식 아님이 없다. 이에 심기가 불편하여 점차 체울증이 된 것이다. 또 사율시를 읊었다.

寸劑能令九曲通	한 첩의 약이 구곡을 통하게 할 수 있으니,
方塘雲霧始從風	방당의 운무가 비로소 바람을 따르게 되네.
扁鵲神丹豈勝此	편작의 신단이라고 해서 어찌 이보다 나으랴,
仰瞻鈴閣謝無窮	영각45)을 우러러보며 감사하기 끝이 없네.

客氣常乘主氣虛	객기는 항상 주기가 허한 틈을 타니,
方知己枉費工夫	바야흐로 굽은 몸으로 공부했음을 알겠네.
神丹感感交情密	신단에 감사하며 사귄 정 더욱 친밀해지고,
鄕札娓娓生計疎	집안 편지는 끊임없이 생계가 어렵다네.
凶歲啼飢稚子語	흉년이라 배고프다 보채는 어린 아들의 말,
悲辭告訣老妻書	슬픈 말로 영결을 고하는 늙은 처의 편지.
浮雲富貴求何益	뜬구름 같은 부귀를 구한들 무슨 이익이리오,
早決春風歸弊廬	일찍 춘풍을 받아 폐려로 돌아감을 결정하리.

중군 민백길 또한 신병 때문에 친히 문병을 하지 않고 자주 하예를 시켜서 소식을 물었다.

初八日. 定平府使崔命健, 甲山府使李檍, 端川府使李檜, 來見而去.

---

45) 영각(鈴閣) : 수령의 집무실을 말한다.

本官頻頻使通引問病之差否, 兼惠消滯之藥, 磨和於童便溫服云, 故依其言而服之, 則顯差, 故因感其餽藥, 而偶吟七絶. 原其病根, 則數三日前, 得見家書, 雖平報可幸, 而滿紙辭意, 無非愁亂之報, 玆以心氣不寧, 漸成滯盉之症. 又吟四律.

寸劑能令九曲通, 方塘雲霧始從風. 扁鵲神丹豈勝此, 仰瞻鈴閣謝無窮.
客氣常乘主氣虛, 方知已枉費工夫. 神丹感感交情密, 鄕札娓娓生計疎.
凶歲啼飢稚子語, 悲辭告訣老妻書. 浮雲富貴求何益, 早決春風歸弊廬.
閔中軍百吉, 亦以身病未得親問, 頻使下隷口訊之.

1798년 1월 9일. 본관이 와서 나의 체병(滯病)이 어떤지를 물으면서 말하길, "병이 이미 깊어졌으니, 비록 야심한 때일지라도 그때 어찌하여 급급하게 통기하고 체기가 내려가는 약을 구해가지 않았던 것인가요? 병을 다스리는 것은 불을 다스리는 것과 같으니, 만약 불이 막 났을 때 곧바로 박멸하지 못한다면 화염이 점점 치성해져서 힘을 쓴 것이 비록 많아도 끄기 어려운 것과 같습니다. 이 병으로 말하자면 그날 밤에 곧바로 치료하지 못했기 때문에 증세가 남아있다가 여러 날에 이르게 된 것입니다."라고 했다. 내가 말하길, "그때는 밤이 깊어서 깊이 잠들어 있을 때라 관문(官門)을 두드린다면 경동(驚動)하게 하는 염려가 있을 것 같았기 때문에 병을 참은 채 밤을 보낸 것이오."라고 했다. 얼마동안 얘기를 나누다가 갔다. 이날 밤에 민중군이 병든 몸을 붙들고 와서 병문안을 하였는데, 야심할 때까지 말을 하다보니 답답한 가슴에 조금 위로가 되었다. 그를 보낼 때 마루 위로 나가서 하늘을 올려다보니, 달이 한 가운데 있고 은하수가 기울어져 있어서 거의 사경쯤 되었을 때였다.

初九日. 本官來問滯病之如何, 而言曰, "病旣甚篤, 則雖爲夜深, 其時何不急急通奇而求去消下之藥耶? 治病如治火, 若不於始燃之時趂爲撲滅, 則火焰漸熾, 用力雖多而難可卽滅矣. 以此病論之, 其夜不卽攻治, 故症

勢彌留, 至於累日云." 余曰, "時夜方深, 沈睡之際, 叩其官門, 則似有驚
動之慮, 故忍病達夜云." 少頃相晤而去. 是夜, 閔中軍扶病來問, 語至夜
深, 稍慰盃懷, 而送去之時, 出于軒上, 仰看靑天, 則月午河傾, 幾於四
更矣.

1798년 1월 10일. 덕릉(德陵)의 직장(直長) 임희언(任希彦)이 찾
아왔는데, 청주 한 병과 삶은 닭 한 마리를 마낭(馬囊)에 담아와서
내 앞에 내어놓기에 마셔보니, 잠깐동안 근심을 잊을 수 있었다.
내가 "이번에 직장으로서 간 곳인 기곡사(岐谷社)까지의 거리가 40
리가 된다고 하는데, 술과 안주를 싣고 와서 이처럼 고적한 객을
위로해주니, 물건이 비록 사소한 것일지라도 그 정은 두터운 것이
오. 때가 이미 석양이 되었으니 생각건대 돌아갈 수는 없을 것이라
성중의 머무는 곳에서 유숙할 것인데, 만약 혹 멀지 않다면 밤에
다시 와서 긴 밤에 홀로 우두커니 앉아있는 사람을 위로해주는 것
이 좋을 것 같소."라고 말하자 답하길 "감히 말씀을 받들지 않을
것입니까?"라고 하였는데, 임직장이 과연 달빛을 타고 왔다. 얘기
를 나누다가 조금 오래되어 돌아갈 때 내가 일전에 지어놓은 시에
차운을 하였다.

款接無煩刺紙通　　다정한 만남에 번거롭게 명함 내밀 필요 없어,
今公下士古人風　　지금 공은 자신을 굽히는 고인의 풍도이시네.
情纔熟處離何速　　정이 겨우 익는 곳에서 이별 어찌 빠른고.
嶺北湖南路不窮　　영북과 호남은 길이 끝없네.
初十日. 德陵直長任希彦來見, 而以淸酒一壺烹鷄一首, 盛於馬囊之中,
進之於前, 飮之足以爲霎時忘憂之資. 余曰, "此去直長之所居岐谷社, 爲
四十里云, 而載來酒肴, 慰此孤寂之客, 物雖些薄, 其情則厚矣. 時已夕
陽, 想必未得復路, 而留宿於城中所留之處, 若或不遠, 則乘夜更來, 以
慰長夜塊坐之人, 似好云." 則答曰, "敢不受敎矣?" 任直長, 果夜乘月而

來. 相晤稍久而歸時, 次余日前所製之韻.

款接無煩刺紙通, 今公下士古人風. 情纏熟處離何速, 嶺北湖南路不窮.

1798년 1월 11일. 지평 박재덕(朴在德)이 경원에서 안변으로 이배되어 가면서 본부에 도착했기 때문에 가서 만나보니, 형용이 초췌하고 병색이 완연했다. 그 몸의 어떤 곳이 아픈가를 물어보니 답하길, "쇠병의 자질로 이처럼 추운 계절에 수천여 리의 길을 왕복하게 되었는데, 다행히 죽지 않은 것도 임금의 은혜가 아님이 없습니다."라고 했다. 내가 말하길, "그 말씀이 과연 마음속에서 나온 것입니다. 대저 조정에 들어가 임금을 섬기는 자는 포상의 은혜를 입거나 견책을 받는 것이 모두 은혜이니, 어디를 간들 임금의 은혜가 아니겠습니까?"라고 했다. 헤어질 때 칠절시를 지어 주었다.

吟蘭行色等飛鴻　귀양가는 행색이 날아가는 기러기와 같으니,
北去南來聖德崇　북으로 가고 남으로 오는 것 임금의 덕이로다.
早晚金鷄應有放　조만간에 금계 울면 응당 방면될 테니,
幸君善保不微躬　바라건대 그대 몸 잘 보전하게나.

올 때 본관에게 찾아가서 잠깐동안 얘기를 나누고 왔다.

十一日. 朴持平在德, 自慶源移配于安邊而來到本府, 故往見之, 則形容憔悴, 多有病色, 問其身有何所痛乎, 則答曰, "衰病之質, 當此寒節, 往還於數千餘里之道路, 而幸得不死者, 此亦莫非君恩云." 余曰, "其言可謂出於心肝矣. 大凡立朝事君者, 蒙褒遭譴, 都是恩也. 何往而非君之恩耶?" 臨分時, 聊贈七絶.

吟蘭行色等飛鴻, 北去南來聖德崇. 早晚金鷄應有放, 幸君善保不微躬. 來時歷訪本官, 暫爲相晤而來.

1798년 1월 13일. 아침식사 전에 부사 민치신(閔致愼)이 삭주의

일로 인해 무산으로 정배(定配)되어 가면서 본부에 도착했기 때문에 잠시 가서 만나보고 왔다. 천원에 사는 석사 한약림(韓若霖)이 찾아와서 보름 뒤에는 회행(會行)을 출발한다고 했다. 문철규(文喆奎)는 참봉 문산규의 중형으로. 수차례 찾아왔었는데, 체증으로 잊고 기록하지 않았기 때문에 여기에 추록해둔다. 그는 공령과(功令科) 초시에 합격해서 20일 사이에는 회행을 떠날 것이라고 하였다. 말을 듣고 얼굴을 살펴보니, 과연 북방의 단아한 선비라고 말할 수 있겠다. 초저녁달이 밝기에 마루 위를 걷다가 우연히 오절시를 읊었다.

風休樹亦睡　바람도 잠잠하고 나무도 잠들었는데,
雪白月愈明　흰 눈 위의 달빛은 더욱 밝구나.
獨夜與誰伴　밤에 홀로 있자니 누구와 짝할꼬,
孤燈最有情　외로운 등만 가장 정이 있어라.

十三日. 朝前, 府使閔致愼, 以朔州事, 定配于茂山, 而來到本府, 故暫往見之而來. 川原居韓碩士若霖來見, 而望後當發會行云. 文喆奎卽參奉山奎之仲兄, 而數次來見, 忘滯未記, 故追錄于此. 以功令科初試, 念間將啓會行云. 聽言觀貌, 可謂北方之端士矣. 初昏月明, 步于軒上.

偶吟五絶. 風休樹亦睡, 雪白月愈明. 獨夜與誰伴, 孤燈最有情.

1798년 1월 14일. 천서에 사는 선비 주억상(朱億相)이 찾아와서 하는 말에 "고조부 택정(宅正)은 우암선생의 문하에서 노니셨습니다."라고 했다. 이날 밤 초저녁에 달이 동쪽 하늘에 떠올라 달빛이 흰명주와 같으니, 객회가 더욱 간절했다. 본관이 거처하는 곳이 지척이기 때문에 가마를 사양하고 걸어서 달빛을 밟으며 갔다가 한참동안 얘기를 나누다가 왔다. 서울에 사는 석사 조용석(趙龍錫)이 일찍이 친분이 없는데도 찾아왔기에 무슨 일로 이곳에 왔는지를 물어보니, 답하길, "실패하고 남은 인생이 떠돌다가 이곳에 오게 되었습니다."라고 했다.

十四日. 朝, 川西居士人朱億相, 來見而言曰, "其高祖宅正, 遊於尤庵先生之門云." 是夜初昏, 月上東天, 明色如練, 客懷愈切. 本官所居在咫尺, 故舍輿踏月而去, 有頃相晤而來. 京居趙碩士龍錫, 曾無雅分而來見, 問其緣何事來此, 則答云, "以喪敗餘生, 漂泊到此云."

1798년 1월 15일. 오늘은 보름날이다. 새벽에 객사에 나아가 망궐례를 행하길 전에 행했던 것처럼 했다. 아침식사를 하기 전에 잠시 상영에 가서 순사를 보고 왔다. 올 때는 민중군을 찾아가서 잠깐동안 얘기를 나누고 왔다. 황혼에 달이 동쪽 하늘에 떠오르자 사람들이 모두 보름달을 보고 금년의 농사가 풍년일지 흉년일지를 점치고자 하기에 물어보니 '남쪽과도 어긋나지 않고 북쪽과도 가깝지 않으며 바로 가운데에 있는 데다 달빛도 좋다'고 하였다. 국가와 집을 근심하며 한마음으로 풍년을 기원함에 어찌 그 끝이 있겠는가? 이날 밤에 바람은 고요하고 달빛은 밝으니, 이처럼 맑은 경치를 어찌 헛되이 보내겠는가? 막 나가려고 할 때 본관이 도착하기에 함께 남여를 타고 만세교에 가니, 다리 위에는 달을 감상하는 사람들이 많이 있었다. 달빛이 영롱하고 강물 또한 얼음이 얼어 있어서 이 몸이 마치 유리 속에 서 있는 것 같았다. 얼마 안 있어 순사가 기생들을 거느리고 군복을 입은 악공들이 생황과 북을 울리면서 와서 다리 위의 군막에 앉았다. 그때 영흥부사 김희조(金熙朝)와 문천군수 이상준(李尙儁), 그리고 초원찰방 이지형(李之珩)도 와서 함께 참석했다. 오랫동안 긴 다리를 걷다보니 한기가 엄습하기 때문에 곧바로 낙민루에 도착했는데, 본관이 미리 술자리를 준비하고 겸하여 입골(笠骨)까지 갖추고 있었다. 누각에 빙 둘러앉아 있으니, 촛불과 달빛도 서로 밝게 비추고 있는지라, 이 밤의 모임은 과연 훌륭한 놀이라고 말할 수 있겠다. 마시길 마치자 순사가 말하길, "문사들이 자리한 이러한 밤에는 시가 없을 수 없소."라고 하며 사운을 내기 때문에 모두 응하여 "좋습니다."라고 말했다. 이 때는 달이 한가운데에 있고 은하수 기울기가 거의 4경이 되었는 데, 천천히 달빛을 밟고 걸어서 돌아왔다.

十五日. 卽上元也. 曉詣客舍, 行望闕禮, 一如前日之儀節. 飯前暫到上營, 見巡使而來. 來時歷訪閔中軍, 乍晤而來. 黃昏月上東天, 而人皆望月欲占今年之歉熟, 問之則'不差於南不近於北, 正當其中而月光又好云.' 憂國憂家一心願豊, 曷有其極乎? 是夜風靜月明, 如此淸景, 豈可虛度! 將出之際, 本官來到, 共乘籃輿, 偕往萬歲橋, 橋上多有翫月之人, 而明色玲瓏, 江又成氷, 此身如立琉璃之中矣. 俄爾巡使率諸妓, 着軍服樂工鳴笙敲而來, 坐于橋上之軍幕. 其時永興府使金熙朝, 文川郡守李尙雋, 草原察訪李之珩, 適來同參. 久步長橋, 寒氣逼人, 故旋到樂民樓, 則本官豫備盃盤, 兼以笠骨. 環坐樓軒, 燭光月影, 互相照耀. 此夜之會, 可謂勝遊矣. 飮罷, 巡使曰, "文士在坐如此之夕, 不可無咏題." 出四韻, 故皆應曰, "諾." 時夜則月午河傾幾至四更, 緩步踏月而歸.

1798년 1월 16일. 아침에 본관이 일찌감치 통인을 시켜서 전갈을 하기에 사율시 지은 것을 본관에게 주고 또 순사에게도 보여주었다.

月滿晴川夜色闌	달빛 가득한 냇물에 밤빛이 난만하니,
先天至理箇中看	선천의 지극한 이치를 그 속에서 보겠네.
長橋亘水人行鏡	긴 다리 뻗친 물은 거울같이 사람들이 다니고,
斗酒盈樽友取端	말술이건 술동이건 벗들은 끝을 취하네.
踏踏回回相執袂	왔다갔다 서로 소매를 잡고 돌아다니며,
三三五五共成歡	삼삼오오가 함께 기쁨을 이루네.
淸光可占今秋熟	청광은 금년농사의 풍년을 점칠만 하니,
散步逍遙不畏寒.	산보하고 소요하며 추위를 두려워 않네.

관사에 돌아와서도 달이 사랑스러워 잠을 이루지 못하고 또 사율시를 읊조렸다.

山含好月到窓前　　산을 머금은 좋은 달이 창앞에 이르니,
明色多情喜且憐　　밝은 빛 다정하여 기쁘고도 사랑스럽네.
萬象昭森融大化　　삼라만상 밝게 비추니 크게 융화하고,
一輪圓滿占豊年　　둥근달 원만하니 풍년을 점치겠네.
南湖故里隔雲外　　남쪽의 고향은 구름 밖에 멀리 있고,
北館微忱夢日邊　　북관에서 작은 정성은 임금 곁을 꿈꾸네.
今夜淸遊皆聖德　　오늘 밤에 좋은 놀이도 모두가 성덕이니,
回頭遙望洛陽天　　머리 돌려 멀리 낙양 하늘 바라보네.

一嶺相間楚越成　　고개 하나 사이가 초와 월을 이루니,
只將魚鴈報裏情　　다만 편지로 품은 정을 알리고자 하네.
南客畏寒衣且薄　　남쪽 객은 추위 무서운데 옷 또한 얇아,
縮頭不忍出氷程　　고개 움츠리고 차마 빙판길 못 나가네.

외롭고 적막한 가운데 때때로 홍원 태수를 생각했지만 날이 추운관계로 만나볼 수가 없기 때문에 우연히 칠절시를 읊다.
十六日. 朝, 本官早使通引傳喝, 構成四律, 聊贈本官, 又以示巡使.
月滿晴川夜色闌, 先天至理箇中看. 長橋亘水人行鏡, 斗酒盈樽友取端.
踏踏回回相執袂, 三三五五共成歡. 淸光可占今秋熟, 散步逍遙不畏寒.
歸到本館, 愛月無眠, 又吟四律.
山含好月到窓前, 明色多情喜且憐. 萬象昭森融大化, 一輪圓滿占豊年.
南湖故里隔雲外, 北館微忱夢日邊. 今夜淸遊皆聖德, 回頭遙望洛陽天.
一嶺相間楚越成, 只將魚鴈報裏情. 南客畏寒衣且薄, 縮頭不忍出氷程.
孤寂之中, 時思洪原太守, 而緣於日寒, 未得相面, 故偶吟七絶耳.

1798년 1월 17일. 이성현감 심상지(沈尙之)가 차사원으로써 연전에 상경했다가 돌아오면서 본부에 도착하여, 나를 찾아왔다가 갔다.

十七日. 利城縣監沈尙之, 以差使員, 年前上京, 而還到本府, 來見而去.

1798년 1월 18일. 새로 임명된 삼수부사 권숙(權璹)과 장진부사 이원식(李元植), 그리고 거산찰방 강국신(康國愼)이 왔다가 갔다. 이날 밤 초경에 민중군이 달빛을 타고 와서 한참동안 얘기를 나누다가 달이 이미 중천에 떠 있을 때에야 중영으로 돌아갔다. 대저 그 사람이 밤으로 자주 나를 찾아오는 것은 내가 매일 밤마다 홀로 우두커니 앉아서 찬 등불만 짝하고 있는 모습이 가련해서 이 외로운 심회를 위로하고자 한 것이다. 그의 마음은 원래 정의(情誼)가 친밀해서 그런 것만이 아니니, 온화한 선의 단서가 항상 마음속에 있어서 그런 것이다. 매우 아름다운 일이다. 선비 주억상(朱億相)이 소매 속에 그의 고조부 주택정의 『덕곡집(德谷集)』 1권을 가져왔기 때문에 열어보고 재삼 읽어보니, 우암 문정공이 '학여불급대월상제(學如不及對越上帝)' 8자를 써서 주었고, 도곡(陶谷) 이의현(李宜顯)이 그의 묘표를 찬술하였으며, 도암(陶菴) 이재(李縡)가 묘지명을 찬술하였고, 장암(丈巖) 정호(鄭澔)가 선생의 수필을 가지고 단병으로 만들어서 부쳤고, 연안인 이량신(李亮臣)은 행장을 찬술했으며, 판서 이민보(李敏輔)는 추발(追跋)을 스스로 써주었으니, 그 사람이 칭찬할 만한 사람이 아니라면 선현들이 어찌 이처럼 글을 지어서 칭허했겠는가? 이 한 가지 일만 보더라도 과연 북방의 군자라고 말할 수 있겠다. 본부 천원에 사는 선비 이제응(李躋膺)이 찾아왔기 때문에 물어보니, "지금 적성현감을 맡고 있는 이언희(李彦熙)의 조카입니다."라고 했다. 선비 이환규(李煥奎)가 찾아왔는데, 안변지사(安邊知事) 이관지(李觀之)의 족인이라고 했다. 덕원부사 원의진

(元毅鎭)이 왔다가 갔다.

十八日. 新除三水府使權璹, 長津府使李元植, 居山察訪康國愼, 來見
而去. 是夜夜初更, 閔中軍乘月而來, 相晤稍久, 月已中天, 還歸中營. 大
抵其人頻頻來以夜者, 憐余之每夜塊坐獨伴寒燈之狀, 慰此孤盃之懷. 原
其心, 則非但情誼之親密, 藹然之善端恒存于中者也. 可嘉可嘉. 士人朱
億相, 袖來其高祖宅正德谷集一卷, 故披覽再三, 則尤庵文正公, 以'學如
不及對越上帝'八字書贈之, 陶谷李宜顯撰墓表, 陶菴李縡撰墓誌銘, 丈巖
鄭澔以先生手筆作短屛以寄之, 延安李亮臣撰行狀, 判書李敏輔追跋自書
之. 若非其人之可稱, 先賢烏能如是作文稱許之乎? 觀此一款, 可謂北方
之君子矣. 本府川原居士人李躋膺來見, 故問之, 則答曰, "時任積城縣監
李彦熙之侄云." 士人李煥奎來見, 而爲安邊知事李觀之族云. 德源府使元
毅鎭來見而去.

1798년 1월 20일. 오늘은 곧 순사의 생일이어서 하예를 시켜
전갈하며 올라오라고 하기 때문에 식사 후에 가서 참석하였다. 음
악을 연주하고 기생이 춤추길 반나절 동안 하고 끝냈다. 내가 이곳
에 온 지 오래지 않았는데 교묘하게 그 부자의 생일잔치를 만나게
되었으니, 매우 괴이한 일이다.

二十日. 卽巡使生辰, 而使隷傳喝上來云, 故飯後往參焉. 張樂舞妓,
半日而罷. 余之來此, 未久而巧當其父子生日之宴, 甚可怪也.

1798년 1월 21일. 길을 출발하여 홍원에 이르렀는데, 이미 본
현의 산천이 탁 트인 것이 함흥에 버금간다는 말을 들었고, 또 일
출의 광경이 장관이라고 하며, 또 그 태수와 일찍부터 아분이 있기
때문이다. 행차가 20여 리에 이르렀을 때 대설이 분분하였는데, 이
미 어젯밤부터 내린 눈이라 눈이 긴 노정에 가득하였다. 길이 희미
하여 장차 돌아가고자 하였으나 본부에서 지공하려고 대기하는 하
속들이 이미 역참에 나와 있고, 또 홍원의 하리가 영하(嶺下)에서

반드시 기다리고 있을 것이기 때문에 그만 되돌아가는 헛비용이 걱정되어서 어쩔 수 없이 전진하였다. 덕산참까지 30리를 가서 점심을 하고, 다시 출발하여 함관(咸關)을 넘을 즈음에는 눈이 몇 자나 쌓인 데다 길 또한 위험해서 남여에 앉아있자니 마음이 매우 두려웠다. 영상(嶺上)에 도착해보니 본현의 하리가 와서 그 수령의 구신(口訊)을 전하였다. 어렵사리 고개를 넘어가 함원참까지 40리를 가서 잠시 쉬었다. 율무죽으로 한기를 쫓아낸 후에 출발하여 본현까지 20리를 가자 날이 이미 저물었다. 곧바로 동헌으로 들어가 잠깐 수작을 하고 사처로 나오니 전신이 욱신거렸다. 저녁밥을조금 먹은 후에 본관이 촛불을 켜들고 와서 한참동안 얘기를 나누고 갔다.

二十一日. 發行至洪原, 而已聞本縣山川之開朗, 亞於咸興, 且有壯觀日出之景云, 而又與其太守曾有雅分故耳. 行至二十餘里, 大雪紛紛, 已有昨夜之雪, 雪滿長程, 程途俙微, 將欲回還, 而本府支供等待之下屬業已出站, 且洪原下吏, 想必來待于嶺下, 故慮其撤還之浮費, 不得已前進, 而中火于德山站三十里, 離發踰咸關之際, 雪積數尺, 路且危險, 坐于籃輿, 心甚悚懷. 至于嶺上, 則本縣下吏來傳其官之口訊, 艱關下嶺, 暫憩于咸原站四十里. 以薏苡粥禦寒而後, 發至本縣二十里, 則日已暮矣. 直入東軒, 乍爲酬酢, 出來下處, 則全身儵痛. 少喫夕飯後, 本官張燭出來, 有頃相晤而去.

1798년 1월 22일. 피곤함 때문에 출발하지 못하고, 식후에 주관(主官)과 함께 동헌 뒤의 봉우리에 올라가 반석 위에 앉아서 술을 마시고 소요하며 멀리 대해를 바라보았다. 물결이 하늘에 접해 있고 넓기가 끝이 없었다. 바다 가운데에는 또 통혈도(通穴島)가 있는데, 들이 넓고 바다가 트였으며 물색과 산빛이 매우 기이하였다. 바위 위에 악공과 기생들이 와서 기다리고 있다가 음악을 연주하고 춤을 추는데 모양을 이루지 못했다. 그중에서 추함을 조금 면한

기생은 언옥과 화라 두 여자뿐이었다. 조금 놀며 감상한 뒤에 곧바로 내려왔다. 이날 밤 초저녁 무렵에 주관이 기생과 악공을 데리고 사처로 나와서 대략 술자리를 마련하고, 춤을 추기도 하고 노래를 부르기도 하며 거의 밤이 깊어서야 파했다.

二十二日. 以困憊未發, 食後與主官, 暫登于東軒之後峰, 坐于磐石上, 飮酒逍遙, 遙望大海, 波浪接天, 浩無涯岸. 水中又有通穴之島, 野廣海闊, 水色山光, 極目可奇. 巖上來待樂工妓生等, 奏音列舞, 不成貌樣, 而其中差可免醜之妓, 言玉花邏二女而已. 少焉遊賞, 卽爲下來. 是夜夜初昏, 主官率妓樂出來下處, 略具盃盤, 或舞或歌, 幾至夜深而罷.

1798년 1월 23일. 평명에 출발하여 함흥 본영에 돌아오니, 순사가 남병영(南兵營)의 일로 인해 대언(臺言, 대간의 논의)이 이미 나왔고, 대신들이 임금 앞에 아뢰어서 파직을 면치 못하게 되었다고 한다.

二十三日. 平明離發, 還到于咸興本營, 則巡使以南兵營事, 臺言已發, 大臣筵奏, 未免罷職云.

1798년 1월 24일. 이른 아침에 상영에 가서 순사를 만나보고 물어보니, 비록 공문은 없을지라도 서울 기별이 가서(家書) 속에 들어서 왔다고 하였다.

〈踰嶺時口占七絶〉　고개를 넘을 때 입으로 지은 칠절시
雪裏迷茫北路斜　눈속에 희미하게 북쪽 길이 비껴있는데,
吾行不是訪梅花　나의 행차는 매화를 찾아가는 것이 아니네.
乍聞果叶平生識　얼핏 들은 것 과연 평생 앎과 딱 맞으니,
遙謝便民補國多　멀리에서 편민 보국함 많음에 감사하네.

〈到本衙又吟七絶五絶〉　본아에 도착해 또 칠절과 오절시를 읊다

萍逢千里是君恩	객지 천리에서 만남도 임금의 은혜이니,
月滿梅軒酒滿樽	달빛 가득한 매헌에 술동이 술도 가득하네.
最喜治聲遍一道	최고 기쁨은 치적의 명성 한 도에 두루한 것,
論心直欲到忘言	속마음 말하고자 하지만 말하길 잊네.

我南君在北	나는 남쪽에 그대는 북쪽에 있으니,
脈脈去留情	끊임없는 떠나고 남는 사람의 정이라.
臨別丁寧語	작별에 임하여 정녕하게 말하지만,
夢中月四更	꿈속에서는 달도 사경쯤 되었네.

이날 본부의 천서(川西) 사은곡(社隱谷)에 사는 사인 하유원(河有源)이 누차 찾아왔는데, 그 사람의 말을 들어보고 용모를 살펴보니, 아름답다. 그의 말을 들어보니 곤궁하여 살아갈 길이 없음에 대신의 후예이자 적장자로서 충위(忠衛)에 부록(付祿)하여 서울에 머물고 있다가 어버이가 병든 것으로 인해 휴가를 받아 내려왔는데, 지금은 관직 기한이 지나서 녹을 잃게 되었으니, 전혀 살아갈 방도가 없다고 한다. 매우 가련한 일이다. 또 그의 부친 이름을 물어보니, "기홍(箕洪)이신데, 과거에 실패하였습니다. 집안에는 노친이 있지만 봉양할 길이 없어서 어쩔 수 없이 향임에 몸을 담그게 되었으니, 이것은 어버이를 위해 굽힌 것입니다."라고 했다. 내가 말하길, "어버이를 봉양하는 일에 대해서는 옛사람도 대부분 비천한 일을 헤아리지 않고 행한 사람이 많이 있소. 또 자로와 같은 현인도 백리 길을 가서 쌀을 짊어지고 온 일이 있소. 오늘 듣기에 이곳의 향임은 유향(儒鄕)이 통합해서 한다고 하니, 무슨 상관이겠소?"라고 하였다. 덕곡 주택정(朱宅正)46)의 문집 가운데 우암 문정

---

46) 주택정(朱宅正, 1651~1727) : 자는 정이(靜而), 본관은 전주(全州)이다. 함흥 출신으로, 우암이 덕원(德源)에 유배되었을 때 제자가 되었다.

공의 〈화양동운(華陽洞韻)〉이 있기 때문에 여기에 기록해둔다.

洛陽蒼壁千尋立　　낙양의 푸른 절벽 천 길 우뚝 서 있으니,
要與書生壯志爭　　서생과 함께 웅지를 다투고자 하노라.
醉後長吟垂拱奏　　취한 후 수공주(垂拱奏)47) 길게 읊으니,
不堪肝膽起崢嶸　　용기가 불끈 솟아오름을 견딜 수 없도다.

〈追次尤翁韻〉　　우옹의 시에 차운하다
斯文千古有尤老　　사문 중 천고에 우노가 있었으니,
忠義堂堂日月爭　　충의는 당당하게 일월과 다투었네.
奉讀瓊詞志益壯　　좋은 싯구 읽자니 뜻 더욱 씩씩해지고,
北樓倚劍氣崢嶸　　북루에서 검에 기대니 기운 더욱 치솟네.

홍원에 갔다가 돌아온 후로 몸의 기운이 더욱 좋지 못하였지만, 특별히 찌르는 통증은 없다.

二十四日. 早朝, 往上營, 見巡使而問之, 則雖未有公文, 而京奇來到於家書中云.

踰嶺時口占七絶. 雪裏迷茫北路斜, 吾行不是訪梅花. 乍聞果叶平生識, 遙謝便民補國多.

到本衙又吟七絶五絶.

萍逢千里是君恩, 月滿梅軒酒滿樽. 最喜治聲遍一道, 論心直欲到忘言.

我南君在北, 脈脈去留情. 臨別丁寧語, 夢中月四更.

是日本府川西社隱谷居士人河有源, 累次來見, 而聽言觀貌其人, 可嘉. 聞其言, 則窮不能資生, 以大臣後裔嫡長, 忠衛付祿留京矣. 以病親受由下來, 而今則過限失祿, 萬無生道云. 極可悶憐. 又問其親之名, 則曰,

---

47) 수공주(垂拱奏) : 정식 명칭은 「계미수공주차(癸未垂拱奏箚)」이다.
이 글은 주희가 34세 때인 1163년 11월 6일 수공전(垂拱殿)에 입대
하여 올린 것이다. 총 세 통의 주차를 올렸다.『晦庵集 卷13』

"箕洪, 而以科業蹉跎. 家有老親, 奉養無路, 不得已沾鄉任, 而此則爲親屈云." 余曰, "至於奉親之事, 古之人多有不計鄙賤而行之者. 且以子路之賢, 有百里負米之事. 卽聞此土鄉任, 則儒鄉通爲之云, 庸何傷乎?" 朱德谷宅正文集中, 有尤菴文正公華陽洞韻, 故記于此. 洛陽蒼壁千尋立, 要與書生壯志爭. 醉後長吟垂拱奏, 不堪肝膽起崢嶸.

追次尤翁韻. 斯文千古有尤老, 忠義堂堂日月爭. 奉讀瓊詞志益壯, 北樓倚劍氣崢嶸.

自往洪原還後, 身氣甚不平和, 而別無刺痛之症矣.

1798년 1월 25일. 밤 초경쯤에 한기가 온몸에 퍼져 사지를 구속하기 때문에 백불탕을 끓여먹고 땀을 빼니, 한기로 떨림이 조금 누그러졌다. 그러나 여전히 낫지를 않기 때문에 의원 박가를 오게 했는데, 박가는 박천으로부터 본부로 이사 와서 살고있는 사람이다. 가감소시호탕(加減小柴胡湯) 3첩을 종이에 적어주기 때문에 내가 말하길, "이 약제는 합당한 듯하지만 이틀동안 오고가면서 한기를 쏘인 것이 매우 많았으니, 반드시 추위로 인해 상한 소치일 것이오."라고 했다. 연달아 3첩을 복용하니 작은 효과가 있는 것 같지만 아직 완쾌되지는 않기 때문에 또 3첩을 복용하고 자주 땀을 내자 원기가 쇠잔해져서 수습할 수 없게 되었다. 천리 먼 객관에서 숨은 염려가 배나 더했다. 삶은 고기와 닭곰국을 명하여 조금 마시자 약간 보충이 되는 듯하였다.

二十五日. 夜初更, 寒氣遍身四肢拘束, 故煎服白沸湯取汗, 則寒戰少止. 然猶未快歇, 故請來醫生朴哥, 朴哥則自博川來居本府者也. 以加減小柴胡湯三貼記出于紙, 故余曰, "此劑似爲合當, 而往還兩日, 觸寒甚多, 必然爲所傷於寒之致也." 連服三貼, 則似有微效, 而尙未快, 故又服三貼, 頻頻發汗, 神氣蕭索, 莫可收拾, 千里客館, 隱慮益倍. 命煮肉鷄膏, 少焉喫之, 似有小補矣.

1798년 1월 27일. 중군 민백길이 병문안을 와서 다소 이야기를 하며 병을 앓고 있는 사람을 위로해주니, 다행함이 말할 수 없을 지경이었다. 밤이 깊어서야 돌아갔다.

二十七日. 閔中軍百吉來問, 以多少說話, 慰此吟病之人, 幸不可言. 至夜深而去.

1798년 1월 28일. 조금 차도가 있기 때문에 이부자리를 개고 앉아있으니, 한기가 때때로 다시 일어났다. 비록 대단한 것은 아니지만 병의 뿌리가 완전히 뽑히지 않은 것이니, 걱정이 어찌 느슨해질 것인가? 본관은 때때로 구신(口訊)을 보내며, 공무의 어수선함에 빠져서 직접 병문안을 할 수 없다고 했다. 이날 본관이 와서 병세가 어떤가를 묻고 잠깐동안 얘기를 나누다가 갔다.

二十八日. 少有差勢, 故捲衾褥而坐, 寒氣有時發作. 雖不大端, 病根則似不快却, 慮豈可弛乎? 本官則時時口訊, 而汨於公務之煩擾, 未得躬問云. 是日本官來問病勢之如何, 少頃相晤而去.

1798년 1월 29일. 밤중에 민중군이 와서 병중에 외롭고 울적한 심회를 위로해 주었다. 석사 조용석(趙龍錫)도 와서 얘기를 나누며, 나의 근심 가득한 마음을 조금 누그러지게 하고 밤이 깊어서야 돌아갔다.

二十九日. 夜, 閔中軍來慰病中孤盃之懷. 趙碩士龍錫, 亦來相晤, 稍可寬余愁切之心耳. 至夜深而去.

1798년 2월 1일. 병 때문에 하례(賀禮)에 참여하지 못했는데, 상영(上營)도 참석하지 못한 채 예를 행했다고 한다. 오늘 본도의 신사망(新使望)을 보니 참판 이집두(李集斗)가 수망으로써 순사가 되었고, 부망은 참판 민태혁(閔台赫)이며, 말망은 참판 윤필병(尹弼

秉)이었다.

二月初一日. 以病未得進參賀禮, 而聞上營亦權停云. 卽見本道新使望, 則李參判集斗, 以首望爲之, 副則閔參判台赫, 而末乃尹參判弼秉也.

1798년 2월 2일. 선비 하유원과 하계원이 찾아왔다. 윤송도 내가 신음하고 있다는 소식을 듣고 찾아왔다가 갔다. 순릉참봉 박사섭(朴師燮)이 왔는데 문천에 산다고 했다. 이날 밤에 민중군이 또 와서 얘기를 나누다가 그 말에 "병을 기르면 모든 객기가 더욱 멋대로 일어나게 됩니다. 기운을 강하게 하려면 정신을 가다듬고 원기를 기르는 것이 좋을 것 같습니다."라고 했다. 생각해보니 그의 말 또한 이치가 있는 것 같다.

初二日. 士人河有源·啓源來見. 尹淞聞余之呻吟來見而去. 純陵參奉朴師燮來見居文川云. 是夜閔中軍又來, 相唔而言曰, "養病則凡諸客氣愈肆發矣. 可强作氣, 則勵精養神似好云." 思之則其言亦當有理故.

1798년 2월 3일. 이른 아침에 머리 빗고 세수를 하여 억지로 정신을 차린 후 옷을 입고 앉아 있었다. 혹 실섭할까 염려도 있었지만, 심흉은 조금 열린 것 같았다. 참봉 문산규와 선비 하유원이 또 와서 병의 차도를 물었다. 매우 기특한 일이다. 정평부사 최명건(崔命健)이 찾아와서 병문안을 하고, 체증 삭히는 약으로 백산차 1봉과 남초 2근을 편지와 함께 보내왔다. 감사한 일이다.

初三日. 早朝, 梳頭洗手, 强勵神精, 着衣裳而坐. 或恐有失攝之慮, 而心胸則似少開豁矣. 文參奉山奎, 士人河有源又來問病之差否, 可奇可奇. 定平府使崔命健來問, 而以消滯之藥, 白山茶一封, 南草二斤, 修簡送之. 可感.

1798년 2월 4일. 석사 민상혁(閔相赫)이 찾아와서 스스로 말하길, "배우자를 잃은 지 8년인데 가난 때문에 재취를 못하고 있다가 가친께서 이곳에 오신 뒤에야 비로소 구혼할 사람이 있게 되었기 때문에 연전에야 실을 두게 되었습니다. 세상의 담량(淡凉)이 이와 같습니다."라고 했다. 이 사람은 중군의 작은 아들이다. 순실함이 기특하다. 이날 밤에 중군이 또 찾아와서 얘기를 나누다가 밤이 깊어서야 돌아갔다.

初四日. 閔碩士相赫來見, 而自言, "其喪配八年, 以貧之故未得再娶矣. 家親來此後, 始有求婚之人, 故年前乃得有室, 而世之淡凉如此云." 此人則中軍之季子也. 純實可奇. 是夜, 中軍又來, 相晤, 至夜深而去.

1798년 2월 6일. 병이 비록 현저한 차도는 있을지라도 몸은 아직 가볍지 않고 기운도 평안치 못하여 우울한 가운데 지탱하기가 어려웠다. 어린 기생과 통인들을 시켜서 날마다 저포놀이를 하게 하고 누워서 그 놀음을 지켜보며 소일거리와 근심을 잊을 거리로 삼았다. 그러나 이것은 곧 저노(楮奴)가 놀이로 하는 일을 거둔 것이니, 어찌 나의 심회를 누그러뜨릴 수 있을 것인가? 병이 난후로 체기가 전보다 배나 더해졌기 때문에 비록 책상 위에 책이 있을지라도 마음을 붙이고 글자를 볼 여유가 없었고, 항상 소상처럼 있으니 이 또한 한층 병을 더하는 단서이다. 탄식한들 어쩌랴?

初六日. 病雖顯差, 身猶不輕, 氣又未平, 愁鬱之中, 難可支吾. 使童妓通引輩, 日着樗蒲, 臥觀其戲, 以爲消日忘憂之資. 然而此乃收楮奴所戲之事, 何足以寬余之懷乎? 病後滯氣愈倍於前, 故雖有丌上之書, 未由着心看字, 而常如泥塑之像, 是亦一層添病之端也. 歎如之何?

1798년 2월 7일. 답답한 마음을 이길 수 없어서 억지로 생각을 일으켜 내 몸의 기운이 어떠한가를 보려고 남여에 올라 상영에 가서 구사(舊使)와 잠시 얘기를 나누고 왔다. 올 때는 중군과 본관을 방문하여 잠깐 얘기를 나눈 후, 또 본관의 아들 형제와도 잠깐 얘기를 하고 본영에 돌아왔는데, 정신이 조금은 열린 것 같지만 기운은 평안치 못했다. 조금 미음을 마시고 누워서 병세를 헤아려보니, 매우 보통이 아니어서 때때로 객기가 아랫배에서 위로 치받고, 체기가 가슴에 응어리져서 상하의 기운이 가운데를 서로 공격하니, 원기가 몽롱해져서 앉아있으면 우둔한 사람 같고 서 있으면 어지럼증이 일어난다. 그러나 조리할 방도가 없으니, 어쩌겠는가? 대저 이곳은 원체 쓸만한 의원이 없고 약물은 모두가 오래된 재료이다. 그러니 비록 날마다 복용할지라도 어찌 효과가 있을 것인가? 구제할 방책이 없고, 다만 백산차와 어린애 오줌으로 순간의 급함을 구제할 자료로 삼을 따름이다.

初七日. 不勝滯鬱, 思欲强作, 以觀吾身氣之如何, 乘籃輿往上營, 與舊使暫晤而來. 來時歷訪中軍與本官, 霎語而後, 又與本官之子兄弟, 乍晤而還到本營, 則精神似少開暢, 而氣則不平矣. 少飮糜粥而臥, 思量病勢, 太不尋常, 有時客氣自下腹上沖, 而滯氣凝結于胸臆, 上下之氣交攻于中, 則神氣昏昏, 坐則如愚, 立則發眩, 而無調治之道, 奈何奈何? 大抵此處元無可用之醫, 而藥餌則皆是陳材也. 雖日服之, 何效之有? 無策可救, 只以白山茶童便, 以爲霎時救急之資而已.

1798년 2월 10일. 편지를 써서 서학동의 좌랑 종제에게 보내고 겸하여 가서를 부치면서 본제에 전송해주라고 했다. 주인 안인집(安仁集)에게도 약간의 짐을 보냈는데, 그편은 본부의 하리이다.

初十日. 送書于西學洞佐郎從弟, 而兼付家書, 使之傳送于本第云. 主人安仁集處, 又送如干卜物, 其便則本府下吏也.

1798년 2월 11일. 석사 김지순(金芝淳)이 대신의 양자로써 오랫동안 혼정신성하는 일을 비우기 어려워하고, 또 청명이 이달 20일로 닥쳐오기 때문에 이곳에 와서 근친(覲親)을 하고 겨우 반달을 지내고 가절의 기한에 맞추어 상경하고자 하여 갑자기 돌아갈 것을 고하였다. 헤어질 즈음에 마음이 매우 서글펐는데, 사람의 근실

한 행동을 보니, 더욱 감시(感時)의 회포가 간절했다. 헤어질 때 시를 지어 주었다.

得朋旋作別	벗을 얻자 곧바로 작별을 하게 되니,
無語愁空生	말없는 가운데 근심만 공연히 생겨나네.
歸說咸山景	돌아갈 때 함산의 경치를 말했는데,
復言此客情	다시 이 사람 객의 정을 말하네.

김석사가 즉시 답시를 했다.

離合天雲起	헤어지고 만남은 하늘에 구름 일어나는 것과 같고,
盈虛嶺月生	차고 빔은 고개마루의 달이 생겨나는 것과 같네.
東溟深淺水	동해 바다의 물 깊기도 하고 얕기도 하지만,
北塞去留情	북쪽 변경의 정은 떠나거나 남은 사람이 같네.

두세 번 열어봄에 글의 화려함이 눈에 넘쳐나니, 과연 묘년의 재사라고 할 수 있겠다. 기특하고 기특하구나! 체기가 뱃속에 응결되어있으면서 항상 평안치 못하기 때문에 10일부터는 미음을 끓여서 마시는데, 체울증이 조금은 덜해진 것 같다. 그러나 별로 현저한 효과가 없으니, 기운만 허비하는 근심이 없을 수 없다.

十一日. 金碩士芝淳, 以大臣之養子, 難其久曠定省, 而且淸明迫近今月念日, 故來此覲親, 纔過半月, 欲趁其佳節之期而上京, 忽然告歸. 去留之際, 心甚悵然, 而觀人之勤行, 尤切感時之懷. 臨分聊贈短律.

得朋旋作別, 無語愁空生. 歸說咸山景, 復言此客情.

金碩士卽答之. 離合天雲起, 盈虛嶺月生. 東溟深淺水, 北塞去留情

披閱再三, 文華溢目, 可謂妙年才士也. 奇哉奇哉! 滯氣凝結腹中, 常不平, 故自初十日煮粥飲之, 滯鬱之症似少歇矣, 而別無顯效, 不無氣憊之慮.

1798년 2월 12일. 아침에는 곧 구공(舊供)의 모양으로 복구하고, 또 화해소도음(和解疏導飮) 3첩을 복용하였는데, 이는 박의원이 명해준 약이다. 이날 아침에 선비 민상혁과 하유원이 찾아왔다가 갔다. 본부의 선비 주중술(朱重述)이 찾아와서 말하길, "고조부 남노(南老)께서 우암선생의 문하에서 노니셨는데, 선생의 편지가 있습니다."라고 했다. 또 노봉(老峰)의 간첩(簡牒)도 있다고 하기 때문에 내가 말하길, "소매 속에 넣어오시는 것이 좋을 것 같소."라고 했었다. 그랬더니 과연 찾아서 보내왔기 때문에 두 선생의 편지를 받들어 열람해봄에 이미 기쁘고 또 사모함으로 나도 몰래 흠탄하게 되었다. 또 선비 윤송의 말에 그의 집에 미호선생(渼湖先生)의 간독 6장이 있다고 하기 때문에 가져오게 하여 재삼 읽어봄에, 사람으로 하여금 놀라고 기쁘게 하였다. 대개 선현의 필적은 가는 곳마다 없는 곳이 없지만, 북방의 한사(寒士) 집안의 묵은 상자 속에 감추어져 있으니, 이것이 더욱 귀한 것이다. 통인을 시켜 본관에게 전갈을 하였는데, 그 완장(阮丈)의 수택(手澤)을 열람하고서 그 선비를 불러보겠다고 하였다. 나의 집에도 미호선생이 지은 문장이 있다. 김사수(金士秀)가 상경하는 편에 진사 민치복에게 편지를 써서 부치고 겸하여 황간(黃簡) 2축을 부쳤는데, 냉관(冷官)이라 뜻은 있어도 보낼 것이 없는 것에 저절로 웃음이 나왔다. 그러나 오히려 약간의 삭봉으로 받은 백지가 있기 때문에 책장(冊匠)에게 분부하여 통감 전질을 인출하게 하고 자손들이 독서하는 바탕으로 삼게 하니, 이것이 다행스런 일이다. 그러나 다만 책판이 닳아져서 간간이 자획이 불분명한 장도 있으니, 이것이 흠이로다!

十二日. 朝乃復舊供之樣, 又服和解疏導飮三貼, 是則朴醫之命藥也. 是日朝, 士人閔相赫河有源, 來見而去. 本府士人朱重述來見而言曰, "其高祖南老, 遊於尤菴先生之門, 而有先生手札云." 且有老峰簡牒云, 故余曰, "袖來似好云矣." 果爲賚送, 故奉閔兩先生手翰, 旣喜且慕, 不覺欽歎. 而又有士人尹淞言曰, 渠之家有渼湖先生簡牘六張云, 故使之袖來,奉覽再三, 令人驚喜. 蓋先賢筆跡, 無往不在, 而藏於北方寒士塵篋之中, 是尤所可貴也. 使通引傳喝于本官, 覽其阮丈之手澤, 而招見其士人云. 余之家亦有渼湖先生所製文字耳. 金士秀上京便, 修書于閔進士致福, 而兼付黃簡二軸, 自笑冷官之有志莫遂也, 而猶有若干朔捧白紙, 故分付冊匠, 印出通鑑全帙, 以爲子孫披讀之資, 是所可幸也, 而但冊板或刊, 間有字劃不分明之張, 欠哉欠哉!

1798년 2월 14일. 본도의 남병사(南兵使)인 승지 서유병(徐有秉)은 곧 내가 동릉에 있을 때 동료이던 사람이다. 선공감봉사에 올랐다가 상으로부터 특별히 발탁되어 권무(勸武)함을 입고 등제를 해서 지금 본직에 제수되었으며, 내려올 때 함흥에서 유숙했다. 그리고 나는 우연히 신병이 몇 달 동안 계속되어서 상경을 하지 못했다. 마침 다행으로 천리 타향에서 홀연히 친구를 만났으니, 이는 진실로 4가지 즐거움 중의 하나이다. 병이 비록 이러할지라도 한 번 만나서 이별하지 않을 수 없기 때문에 병든 몸을 부여잡고 가마에 떠메여서 벗 서이백(徐彝伯)을 찾아갔다. 서이백도 신병 때문에 지난달 27일에 서울로 출발하여 날마다 일참(一站)씩 달려 오늘에야 비로소 이곳에 도착했다고 한다. 그가 데리고 간 이의원을 시켜서 나의 좌우 손의 맥을 짚어보게 하고 착실하게 잘 살펴보라고 하니, 이의원이 말하길, "병의 독기는 거의 사라졌으니, 지금은 잡약의 복용을 삼가고, 밤마다 취침을 할 때 어린애 소변을 한 차례 마시십시오."라고 했다. 사처가 서문 밖에 있고 나도 어둠을 타고 나가야 하기 때문에 혹 성문이 잠길 것을 염려하여 회포를 모두 풀지 못하고 곧바로 작별을 하니, 마음이 매우 서글펐다. 이에 사율시를 읊어서 주었다.

昔春東寢托交情　옛 봄에 동릉에서 서로 마음을 의탁할 때,
豈料今逢千里程　어찌 오늘 천리 길에서 만날 줄 생각했으랴.

愧我無才守北館	내 재주 없어 북관 지키는 것 부끄럽고,
羨君仗鉞鎭南營	그대 부월잡고 남영 진압하는 것 부럽네.
桓桓壯氣靜邊意	용맹스런 장한 기운은 변방을 지키는 뜻이고,
蹇蹇丹忠報國誠	강직스런 참된 충성은 보국하는 정성이네.
脈脈離筵何所語	묵묵히 자리 떠남에 무슨 말을 할 것인가,
一天孤月照心明	하늘의 외로운 달만이 마음을 밝게 비추네.

본영에 돌아오니 병세가 더해져서 밤새 내내 크게 아팠다.

十四日. 本道南兵使徐承旨有秉, 卽余之在東陵時同僚者也. 陞拜繕工監奉事, 而自上特爲拔擢勸武登第, 今除本職, 下來時留宿于咸興, 而余偶以身病沈綿數朔, 未得上京矣. 適幸千里他鄕, 忽逢故人, 此誠四樂之一也. 病雖如此, 不可不一面闊別, 故扶病肩輿而往見徐友彝伯. 彝伯亦以身病, 去月念七離發于京, 日馳一站, 今始到此云. 使其率去李醫, 執余左右手之脈, 着實審察云, 則李醫曰, "病毒幾消, 今則愼勿服雜藥, 而夜夜就寢時, 一飮童便云." 下處在于西門外, 而余乘昏出去, 故或慮城門之下鑰, 紋懷未穩而旋爲作別, 心甚悵缺. 聊吟四律以贈之.

昔春東寢托交情, 豈料今逢千里程. 愧我無才守北館, 羨君仗鉞鎭南營. 桓桓壯氣靜邊意, 蹇蹇丹忠報國誠. 脈脈離筵何所語, 一天孤月照心明. 還到本營, 病勢添劇, 終夜大痛.

1798년 2월 15일. 망궐례에 참석하지도 못한 채 침상에 엎어져 신음하자니, 다만 스스로 반성하며 송건(訟愆)을 할 따름이다. 민중군이 이른 아침에 와서 병문안을 하고 갔고, 이날 밤 초저녁에도 또 달빛을 타고 와서 병중에 울적해진 나를 위로해주었다.

十五日. 望闕禮未得進參, 伏枕叫呻, 只自撫躬訟愆而已. 閔中軍早朝來問而去. 是夜初昏, 又乘月而來, 以慰余病中之盃懷,

1798년 2월 16일. 서방(書房) 박종심(朴宗心)이 찾아왔다가 병세가 아직까지 나아지지 않은 것을 듣고 또 화해소도음(和解疏導飮) 약방문을 종이에 적어서 주니, 전후로 복용한 12첩이 모두 이 의원이 명한 약이다. 3첩을 닳여먹으니, 별로 현저한 효과가 없지만 조금은 움직임이 있는 것 같다.

十六日. 朴書房宗心來見, 而聞病勢之尙爾不解, 又以和解疏導飮題出于紙, 前後所服十二貼, 皆此醫所命之藥也. 煎服三貼, 則別無顯效, 而似有微動耳.

1798년 2월 17일. 억지로 기운을 차리고자 남여에 올라 상영에 가서 구사(舊使)와 잠깐동안 얘기를 나누고 왔다. 올 때는 민중군에게 들러 그가 현기증으로 신음하는 것을 병문안하고, 또 본부의 이아(貳衙)에 도착하여 본관과 비록 서로 얼굴을 보았지만, 백성들의 소송이 연속되어 조금도 틈이 없기 때문에 얘기를 제대로 나누지 못하고 왔다. 와서 침석에 누워있자니 기운이 약간 불편하였다. 이날 이른 아침에 본관이 황어 2마리를 보내주었기 때문에 그의 정에 감동하여 단율시를 지어서 주었다.

客氣常侵客　　객기가 평상시에 객을 침범하더니,
支離一病深　　지루하게도 한 번의 병이 깊어라.
黃鱗多感惠　　누런 물고기 보내줌에 매우 감사하니,
白直已知心　　백직이 이미 마음을 안 것이네.

十七日. 强欲作氣, 乘籃輿往上營, 與舊使暫語而來. 來時歷問閔中軍以眩症呻吟, 又到本府貳衙, 與本官雖相接面, 民訴連續, 少無暇隙, 故未得穩話而來. 來臥枕席, 氣少不平矣. 是日早朝, 本官送黃魚二尾, 故感其情眷, 聊吟短律以贈之.

客氣常侵客, 支離一病深. 黃鱗多感惠, 白直已知心.

1798년 2월 18일. 민백경(閔百慶)과 박해안(朴海安)이 찾아왔는데, 한 사람은 중군의 동생이고, 한 사람은 중군의 생질이다. 일전에 중영에 갔을 때 서로 만나본 일이 있고, 지금 곧 나의 병이 어떤가를 묻기 위해 와주니, 과연 한 번 만나본 것이 오래된 사람의 정과 같다고 말할 수 있어서 감사하기 그지없다. 한참동안 얘기를 하다가 날이 저물기 때문에 갔다.

十八日. 閔百慶朴海安來見, 而一則中軍之仲氏, 一則中軍之甥姪也. 日前往中營時, 有相接晤之事, 而今乃委到問余所患之如何, 可謂一面如舊之情, 多謝無已. 有頃相話, 緣於日暮而去.

1798년 2월 19일. 병으로 신음하면서 침상에 기대어 누워있자니 더욱 시절을 느끼는 심회가 간절하였다. 그러나 하속들은 대부분 내일이 가절이라고 해서 그들 분묘에 제사 지내러 간다는 뜻으로 와서 고하기 때문에 한꺼번에 휴가를 내주고 돌이켜 생각해보니 나는 미관에 있으면서 성묘 가는 정성도 이루지 못했으니, 또한 저들에 비해 부끄러움이 있다.

十九日. 吟病欹枕而臥, 愈切感時之懷, 而下屬多以來明佳節, 往祭其墳墓之意來告, 故一竝給由, 反躬思之, 則余以微官未遂楸行之忱, 亦有愧於彼漢矣.

1798년 2월 20일. 오늘이 곧 한식날이다. 비감을 이길 수 없어서 칠절시와 오절시를 읊조려서 나의 심회를 펼쳤다.

經冬此地又淸明	이곳에서 겨울을 지내고 또 청명일인데,
二豎胡爲留我行	병마는 어찌하여 나에게 머물고 있나.
香火一盃歸未獻	향 사르고 술 한잔 올리는 것도 못하니,
那堪佳節倍思情	가절을 당해 그리운 마음 배나 더하네.

| 一夢鄕千里 | 한 차례 꿈에 고향은 천 리이고, |

百愁月五更　백 번 근심에 달빛은 오경이네.
幾年霜露感　몇 년이나 상로에 느꺼워했나,
殘宦誤平生　잔 벼슬살이로 평생을 그르쳤네.

한식이 만약 2월에 들면, 때의 이름과 늦음이 3월의 청명과 더불어 간격이 있어서 꽃이 피는 일이 없을 것 같다. 이것으로써 징험해보면 2월에 꽃을 쓰고 3월에 꽃을 쓰지 않은 것은 봄의 절기가 새해 전후에 들어서 더디거나 빠른 일이 있어서 그런 것이니, 달이 3월이거나 2월이란 것을 가지고 그 꽃이 폈다거나 안 폈다는 것을 헤아릴 수는 없는 것 같다. 그러나 이곳은 북쪽 추위가 반드시 남쪽보다 많을 것이기 때문에 통인에게 물어보니, "이곳 산의 꽃나무가 비록 많지는 않지만, 아직 꽃을 피우지는 않았습니다."라고 했다. 곧 이 한 가지 일로 남북의 추위와 따뜻함에 대해 미루어 알 수 있다. 고원군수 윤범철(尹範喆)이 배알하기 위해 먼저 공장(公狀)을 들고 문밖에서 기다리고 있는데, 내가 신병 때문에 세수도 못하기 때문에 밖에서 보냈다. 이날 저물녘에 본관이 와서 병이 어떤가를 묻고 한참동안 얘기를 나누고 갔다. 나는 "지난밤에 제관에 차정되어 밤새 일을 한 나머지인데 지금 또 찾아주셨으니, 근력만 강건한 것만이 아니라 정 또한 두터운 것입니다."라고 말했다.

二十日. 卽寒食也. 不勝悲感, 因吟七絶五絶之句, 以述余懷.

經冬此地又淸明, 二豎胡爲留我行. 香火一盃歸未獻, 那堪佳節倍思情.

一夢鄕千里, 百愁月五更. 幾年霜露感, 殘宦誤平生.

寒食若入於二月, 則時月之早晚, 與三月之淸明, 有間, 似未有花開之事. 而前此驗之, 則二月用花三月不用花者, 春節之入於歲前後, 而有遲速之致, 不可以月之三與二計其花之開未開. 然此處則北寒必多於南, 故問于通引, 則答曰, "此山花樹雖未多, 而尙不吐華云." 卽此一事, 南北之寒暖可推而知矣. 高原郡守尹範喆, 以現謁次, 先進公狀, 來候于門外,而余以身病未得梳洗, 故自外而送之. 是日日晚, 本官來問病之如何, 有頃相晤而去. 余曰, "往夜差祭終宵將事之餘, 今又來訪, 非但筋力之剛健, 而情且厚矣."

1798년 2월 22일. 생원 민백경과 석사 박해안이 내방하였다가 내가 병중에 외롭고 적막한 것을 민망히 여겨서 오랫동안 얘기를 나누며 거의 종일 있다가 갔다. 그래서 조금은 울적한 심회가 위로 되었으니, 매우 다행스런 일이다. 이날 밤 취침하여 잠을 자고자 해도 잠을 못 이루고 있을 즈음에 체기가 더욱 일어나고 객기가 위로 치받아 가슴이 막힌 채 정신이 혼몽해졌다. 때문에 이불을 뒤집어쓰고 일어나 앉아서 통인을 불러 깨우고 다시 촛불을 밝히게 하였다. 소합환을 갈아서 마신 후 치받는 기운은 비록 조금 내려갔을지라도 체기는 원래 사그라지는 것이 없었다. 방안을 서성이다 보니 마음이 발광하려고 하여 앉았다가 일어섰다가 하며 어쩔 줄을 몰랐다. 밤이 깊어가자 시동에게 견디기 힘든 모양이 있기 때문에 분부하여 가서 자게 하고, 나는 홀로 앉아서 촛불을 대하다가 새벽닭 우는 소리를 듣고 하늘빛이 밝아지려고 한 후에야 비로소 자리에 들어 잠깐 눈을 붙였다.

二十二日. 閔生員百慶朴碩士海安來訪, 而悶余病中之孤寂, 姑久相晤, 幾於終日而去. 少可慰寂㝩之懷, 可幸可幸. 是夜就寢欲眠不眠之際, 滯氣愈作, 客氣上冲, 胸臆壅鬱, 精神昏昧, 故擁衾起坐, 呼覺通引, 更爲張燭, 磨飮蘇合丸而後, 冲氣雖少下, 而滯氣則元無消散之漸, 彷徨房內, 心欲發狂, 或坐或立, 莫可支吾. 時夜方深, 侍童有難耐之狀, 故分付使之着睡, 余獨坐對燭, 聞曉鷄之聲, 而天色欲明之後, 始就席交睫矣.

1798년 2월 23일. 아침에 춘천에 사는 석사 성효주(成孝柱)가 우연히 이곳을 지나게 되었는데, 하루 전날에 그 사람이 작괘(作卦)하는 재주가 있다는 것을 알았기 때문에 이날 아침으로 기약을 했었다. 그런데 과연 믿음을 저버리지 않고 온 것이다. 동전을 던져서 작괘를 하니 이지려(离之旅)를 얻게 되었는데, 해석하여 말하길, "병은 금방 차도가 있을 것이고, 또 앞으로는 신수와 환로가 편안하고 길할 것이며, 7월에 대직에 통할 것이고 삼동의 계절에 반드시 외임을 얻을 것입니다."라고 했다. 과연 그 말대로 될지는 모르겠다.

二十三日. 朝, 春川居成碩士孝柱, 偶過此地, 而前此一日知其人有作卦之才, 故期以是日之朝矣, 果不失信而來. 擲錢作卦, 得离之旅, 而解之曰, "病則今方漸差, 且來頭身數與宦路平吉, 而七月當通臺職, 三冬之節必得外任云." 未知其言果合否.

1798년 2월 24일. 서방(書房) 박종심(朴宗心)이 소매 속에 사탕 2조각과 황차 4봉을 가져와서 앞에 내놓았다. 대개 이 두 가지 물건은 쓴 입을 달게 하고 식체를 풀어지게 하니, 병객의 마음에 마땅히 어떻겠는가? 매우 감사할 따름이다. 생원 조용석(趙龍錫)이 자주 밤으로 와서 병중의 이 울적한 마음을 위로해주었는데, 이전에 비록 아분(雅分)은 없었을지라도 이곳에 도착한 뒤로 우연히 객지에서 만나게 되었다. 그의 말을 자세히 들어보니 신세가 곤궁한지라 매우 가련하다. 그러나 그 사람이 나를 불쌍히 여기는 것 또한 내가 그 사람을 가련히 여기는 것과 같다. 그 마음을 보면 또한 선하다고 말할 수 있겠다.

二十四日. 朴書房宗心, 袖來沙糖二片黃茶四封, 進之於前. 蓋此二物, 苦口可甘, 食滯可消, 其於病客之心, 當復如何? 可感可感. 趙生員龍錫, 頻頻乘夜而來, 慰此病中孤盃之懷, 前此雖無雅分, 而到此之後, 偶然萍逢, 細聞其言, 則身世之艱窮, 誠極可悶, 而其人之憐余, 亦如余之憐其人矣. 原其心則亦可謂善哉!

1798년 2월 25일. 순사의 대인께서 상경 길을 출발하였는데 그날 아침은 바람이 없기 때문에 병든 몸을 부여잡고 가마에 떠메어 가서 보고 왔다. 올 때는 중군 민백길과 그의 아우 민백경, 그리고 석사 박해안을 방문하고 왔다. 이날 선비 윤송과 하유원이 와서 병의 차도를 물어주었으니, 매우 기특한 일이다.

二十五日. 巡使之大人離發上京, 而其朝無風, 故扶病肩輿往見而來. 來時歷訪閔中軍百吉·其弟百慶·朴碩士海安而來.　是日士人尹淞河有源, 來問病之差否, 可奇可奇.

1798년 2월 26일. 선비 주중술이 우암선생의 수필을 찾아서 가져왔기 때문에 손을 씻고 받들어 읽어보니, '군자의 도는 위중(威重, 위엄과 중후)으로 바탕을 삼고 배움으로써 이루어야 한다. 학문의 도는 반드시 충신(忠信)으로 중심을 삼아야 하고, 자기보다 나은 사람으로 돕게 해야 한다.'라는 30자를 대서로 써 준 것이고, 판서 이정보(李鼎輔)가 본도의 방백이 되었을 때 그 유묵을 보고 문장을 지어서 종이 끝에 발문을 한 것이다. 또 한 책이 있었는데, '창주회옹정사춘주연랑 추야운월차외유유(滄洲晦翁精舍春晝烟浪, 秋夜雲月此外悠悠)'라는 18자를 큰글씨로 쓴 것으로, 이 또한 우암선생의 수필이다. 글자마다 획마다 모두 정기가 맺힌 것이라, 여러 번 받들어 읽어봄에 흥감과 사모하는 마음이 어찌 끝이 있을 것인가?

二十六日. 士人朱重述賚來尤菴先生手筆, 故盥手奉玩, 則以'君子之道, 以威重爲質, 而學以成之. 學之道, 必以忠信爲主, 而以勝己者輔之', 三十字大書贈之, 而李判書鼎輔爲本道方伯時, 覽其遺筆, 而作文跋于紙尾. 又有一冊焉, 以'滄洲晦翁精舍春晝烟浪, 秋夜雲月此外悠悠', 十八字大書之, 此亦尤菴先生手筆也. 字字劃劃, 都是精氣, 而奉閱再三, 興感仰慕之心, 曷有其已哉!

1798년 2월 27일. 순사가 상경 행차를 출발하기 때문에 밥을 먹은 후에 병든 몸을 부여잡고 가서 보고 왔다. 스스로 몸의 기운을 헤아려보면 병세가 전에 비해 비록 감해지긴 했어도 체증은 혹 더해진 것 같으니, 위로 치받는 기운이 아랫배에 더욱 일어남에 상체(上滯)와 하충(下沖)이 속에서 서로 싸운다. 때문에 급하게 단방약으로 조리할 겨를이 없으니, 이 무슨 올봄의 신수가 좋지 못함이 이와 같단 말인가? 스스로 답답할 따름이다.

二十七日. 巡使離發上京, 故飯後扶病往見而來. 自量身氣, 則病勢比前雖減而滯症若或添, 則上沖之氣, 益發于下腹, 上滯下沖交戰于中, 故急以單方調治之不暇, 是何今春身數之不平若此耶? 自悶而已.

1798년 2월 28일. 전 주인 안의집(安義集)이 흰 저포 1필을 사서 보내왔는데, 함께 쓴 편지 속에 '좌랑인 재종이 막 회시 시소에 들어갔기 때문에 답장을 할 수 없다'는 뜻을 아뢴다고 했다. 때문에 비록 답장을 보지는 못했을지라도 그가 무고한 것을 알게 되었으니, 매우 다행이다.

二十八日. 前主人安義集, 貿送白苧布一疋, 而修上書字之中, 以佐郎再從方入會試試所, 未得修答之意仰告, 故雖未見答而知其無故, 可幸可幸.

1798년 2월 29일. 봄비가 보슬보슬 내려서 거의 반리(半犁) 가량에 이르니, 과연 때맞추어 내린 단비라고 할 수 있겠다. 대개 이곳의 땅은 원래 추모(秋牟)는 없고 모두가 춘모(春牟)인지라, 이처럼 봄갈이를 진행할 때 백성들이 모두 무지개만을 기다리는데, 이처럼 단비를 얻으니 풍년일 것을 점칠 수 있다. 우국의 마음에 어찌 기쁘지 않을 것인가? 오늘 금춘의 회시에서 먼저 나온 방(榜)을 보니, 본부에서 신방(新榜)으로 진사가 많게 7인이나 되고, 그중에 이약수(李若洙)와 최경원(崔景遠) 두 사람은 내가 이곳에 온 이후에 그 얼굴을 보고 그 이름을 듣게 된 자이다. 과연 연방(蓮榜)에 참여케 되었으니, 이것은 이른바 '이름난 것치고 헛된 선비 없다'는 것이다. 기특하도다!

二十九日. 春雨霏霏, 幾至半犁, 可謂及時之甘雨也. 蓋此土元無秋牟, 而皆是春牟, 當此春耕方作之時, 民皆望霓之際, 得此甘澍, 可占其有年也. 憂國之心, 豈不喜哉! 卽見今春會試先來片榜, 則本府新榜, 進士多至七人, 而其中李若洙崔景遠二人, 則來此之後見其面而聞其名者也. 果參蓮榜, 此所謂名下無虛士也. 奇哉!

1798년 2월 30일. 회방(會榜)을 보니, 생원 박주원(朴周源)과 생원 권중륜(權中倫)은 모두 나와는 동년인 사람으로, 시와 부에 능하지만 아직 사마시에 합격하지 못했기 때문에 항상 애석한 마음이 있었는데, 과연 금춘에 두 벗이 모두 연방에 올랐으니, 기쁜 마음 무어라 다 말할 수가 없다. 그러나 어찌하여 나만 홀로 신병 때문에 여러 달 동안 신음하면서 북방의 객관에서 침굴(沈屈)해 있는 것이며, 동년의 사이에는 대운이 서로 비슷하다고 속어에 전하지만, 지금에 이처럼 현격하게 다를 수 있는 것인가? 알 수 없는 일이다. 이날 신사(新使) 이집두(李集斗)가 감영에 도착하면서 교유서(教諭書)가 오니, 임시의 관례에 오리정(五里程)에 나가서 지영하는 예가 있다고 하기 때문에 억지로 병든 몸을 일으켜 나가서 지영을 한 후 먼저 들어와서 객사 문밖의 막차(幕次)에서 기다렸다. 교유서를 객사에 봉안한 후에 이어서 연명(延命)을 하며 사배례를 행하였는데, 다른 관원들도 그렇게 했다. 예를 마친 후에 곧바로 본영으로 나오니, 하리가 와서 고하길, "순사가 감영에 도착하는 날에는 관례에 선화당에서 자리를 여는 것이니, 아사또(亞使道) 이하도 모두 공례에 참여해야 합니다."라고 하기 때문에 생각해보니, 이미 교유서를 지영하는 예에 참석했는데, 만약 홀로 여기에는 불참한다면 반박(斑駁, 차별이 있는 것)한다는 혐의가 있을 것 같기 때문에 어쩔 수 없이 억지로 참석하고 와서 본영에 돌아와 누웠다. 그러자니 더욱 도팽택(陶彭澤)의 고치(高致)가 감탄스럽다. 그러나 내가 지금 허리를 굽힌 것은 오두미 때문에 굽힌 것이 아니고, 병이 깊은 것 때문에 그런 것이다. 실로 나의 뜻이 아니라 일의 형세가 스스로 그런 것이니, 어찌할 것인가?

三十日. 得見會榜, 則朴生員周源權生員中倫, 皆與余同年, 而能詩能賦尙未司馬, 故常有嗟惜之心矣, 果然今春二友俱登蓮榜, 欣幸之心, 難可盡說. 而奈之何, 余獨以身病累朔呻吟, 沈屈於北方之客官, 同年之間, 大運之相似, 俗語所傳, 而今乃懸殊之若此耶? 是未可知也. 是日, 新使李集斗到營, 而敎諭書來, 臨時例有出五里程, 祗迎之禮云, 故强病出往祗迎後, 先爲入來, 候于客舍門外之幕次. 奉安敎諭書于客舍之後, 仍爲延命行四拜禮, 他官亦然. 禮畢後直欲出來于本營, 則下吏來告曰, "巡使到營之日, 例爲開坐于宣化堂, 則亞使道以下, 皆參公禮云." 故思之, 則旣已參於諭書祗迎之禮, 而若獨不參於此, 則似有斑駁之嫌, 故不得已强參而來, 歸臥本營, 益歎陶彭澤之高致, 而余之今次折腰, 非爲屈於五斗米而然也, 緣於沈病而然也. 實非吾志而事勢之自然, 奈何奈何?

1798년 3월 1일. 새벽에 객사에 나아가 망궐례를 행하였는데 한결같이 이전에 거행한 것처럼 했다. 아침밥을 먹은 후에 좌랑 재종의 답장편지를 보게 되었는데, 지난달 23일 정사에서 창릉령(昌陵令)으로 이배(移拜)되었다고 한다. 그리고 겸하여 본제의 서간을 보내왔기 때문에 손을 바삐하여 뜯어보니, 노처가 본병이 다시 재발하여서 지금 막 신음하고 있다고 한다. 작년 12월 27일에 보낸 편지가 올 3월 1일에 도착했으니, 이것은 다만 길이 멀어서인 것만이 아니고 실로 돌아돌아서 온 소치이다. 비록 고향소식을 들었다고 하지만 별로 긴절하거나 기쁜 마음이 없다. 그러나 오히려 또 편지를 보지 못한 것보다는 조금 낫다. 그리고 그중에 또 차마 볼 수 없는 말은 부모도 없는 조카 아이가 알 수 없는 증상으로 인해

지난해 12월 18일에 요절했다고 한다. 슬픈 마음이 더 깊어지고 병든 가슴이 더욱 막혀왔다. 아우의 착함이 응답받지 못하여 이처럼 혹독한 화가 있었는데, 그가 죽은 지 몇 년 되지 않아서 아들이 또 죽게 되니, 이치를 헤아리기 어렵다.

三月初一日. 曉詣客舍, 行望闕禮, 一如前日之儀節. 飯後得見佐郎再從答書, 則去月念三政, 移拜昌陵令云, 而兼送本第書簡, 故忙手披閱, 則老妻以本病復發, 方在呻吟中云. 年前臘月念七書來到於今年三月初吉, 此非但道途之云遠, 實乃逶迤轉到之致也. 雖聞鄕信, 而別無緊切欣喜之心, 然而猶且少勝於不見書矣, 而其中又有慘不忍見之言, 無父母佟兒, 以無何之症年前臘月十八日夭逝云. 悲悼增深, 病臆愈塞. 以舍弟之良善不應, 有此酷禍, 而渠死不數年, 而子又長逝, 理固難測也.

1798년 3월 2일. 본관이 통인을 시켜 전갈해오길, "잠깐동안 왕림해서 얘기를 나누는 것이 좋을 것 같습니다."라고 하기 때문에 생각기에 음식이 있어서 그런 것이니 만약 가지 않는다면 음식을 대접하고자 하는 마음을 헛되게 할 것이기 때문에 가마에 앉아서 가보니, 과연 술상을 내오는데 성찬이라고 말할 수 있겠다. 비록 배불리 먹고 싶을지라도 체기가 여전해서 혹 병이 더해질까 두렵기 때문에 대략 젓가락을 대기만 하였다. 체증이 조금 더해지는 기미가 있는 것 같기 때문에 정답게 얘기를 다 나누지 못하고 왔다. 본관은 나의 병을 알고 곧바로 소합환과 제중단 3개를 보내면서 말하길, "어린애 소변에 타서 복용하십시오."라고 했다. 그의 말대로 복용하니 과연 조금 내려갔지만 본래의 체증은 아직 낫지 않는다.

初二日. 本官使通引傳喝曰, 暫往相晤似好云, 故意其有食飮而若不往, 則虛人欲饒之心, 故坐輿而往, 則果進盃盤, 可謂盛饌. 雖欲飽喫, 而滯氣如許, 或恐添病, 略有下箸之事矣. 滯症似有小添之幾, 故猶未穩敍而來. 本官知余之病, 卽送蘇合丸濟衆丹三箇曰, 和磨於童便而服之云. 如其言服之, 則果少下, 而本滯之症, 尙未快歇矣.

1798년 3월 3일. 교리 박길원(朴吉源)에게 편지를 쓰고 겸하여 북포 1필과 감곽 3동을 부쳤는데, 대개는 내가 일찍이 합동에서 우거할 때 처음 사귄 사람이다. 그 사람은 매양 내가 몸 붙여 살 곳이 없는 것을 가련하게 여겨서 때때로 음식을 차려주고 항상 신경 써 주었으니, 그의 간절한 정성을 어느 날인들 잊을 것인가? 참봉 서협수(徐協修) 어른은 곧 박교리의 친 사돈인데 나와 이웃에 살면서 정이 매우 친밀했고, 항상 내가 막힌 채 뜻을 얻지 못한 것을 민망히 여겼으니, 두 어른은 모두 나의 막역지교이다. 함께 편지와 미역을 부쳤다. 새해나 보름을 지낸 후에는 돌아가는 길에 올라 귀향하고자 하였지만, 한 번의 병이 오래 지속되다 보니 본래 뜻을 이루지 못했기 때문에 다만 별구를 읊어서 교리와 참봉 두 어른에게 함께 올렸다. 생원 박주원은 곧 교리 어른의 아우이고 나와는 동년인 사람이다. 다행히 금년 봄의 사마시에 합격하였으니 멀리에서 축하하기 그지없다. 그리고 생원 권중륜 또한 동년인 사람인데, 또한 연방(蓮榜)에 들었기 때문에 축하하는 편지를 두 벗에게 보내었다. 그러나 관직이 박하니 정도 따라 박해질 수밖에 없는 것인지라 다만 침상에 엎드려 길게 탄식할 따름이다.

晚年偶幸托交深　만년에 우연히 사귐이 깊어졌는데,

憐我栖栖梁甫吟　나의 쓸쓸함 불쌍히 여겨 양보음48) 읊조렸네.

---

48) 양보음(梁甫吟) : 초(楚)나라 지방의 악부곡(樂府曲) 이름으로, 이백은 강태공(姜太公) 여상(呂尙)과 역생(酈生)을 거론하며 지사(志士)가 포부를 실현하지 못하는 비분강개한 심정을 토로하였다. "나는 항상 양보음을 읊조리나니, 어느 때나 명군(明君)의 지우를 받는 봄날을 만날는지.[長嘯梁甫吟, 何時見陽春]"로 시작되는 이백의 「양보음」 중에, 여상이 나이 70에 위수(渭水) 가에서 낚시질을 시작해서 나이 80에야 문왕(文王)을 만난 사실을 적시하며, "무려 삼천 육백 번 낚시질을 한 끝에, 풍도가 암암리에 문왕과 들어맞았다오.[廣張三千六百

賜餼時時多感鏤　때때로 음식을 차려주니 매우 감사하고,
論心日日寫胸襟　날마다 마음을 논하니 흉금을 트이게 했네.
淸貧甘守顔公樂　청빈함을 달게 지키니 안연의 즐거움이요,
白首猶沈玉署簪　백수에도 잠겨있으니 옥당의 잠신(簪紳)이라.
別後相思惟夜月　이별 후 서로 그리워하니 밤중의 달이요,
春風將渡漢江潯　봄바람에 건너려하니 한강의 물가로다
　　右贈朴校理韻　위는 박교리에 준 시이다.

身世如萍幸得隣　부평초 같은 신세로 다행히 이웃이 되었으니,
何相見晚是高人　어찌 늦게 만난 것이 고인이었나.
白頭陋巷兼安樂　백두로 누항에서 편안하고 즐거우나,
可惜奇才未克伸　기이한 재주를 펼칠 수 없는 것 애석하구나.

塵世有高人　풍진 세상에 고아한 사람 있으니,
與吾老且少　나보다 늙기도 하고 젊기도 하네.
花朝同酒盃　꽃 피는 아침으로 함께 술잔을 기울이고,
月夕共談笑　달 뜨는 저녁으로 함께 얘기하고 웃었네.
文富數還奇　문장은 풍부하나 운수 도리어 기구하고,
年尊德益邵　나이가 많아지니 덕은 더욱 높아가네.
丁寧別後期　고구정녕하게 이별 후를 기약하니,
肝膽遠相照　간과 쓸개가 멀리에서 서로 비추네.
　　右贈徐參奉韻　위는 서참봉에게 주는 시이다.

찰방 박능원은 곧 교리의 종씨인데, 상을 마쳤을 것이기 때문에 편지를 쓰고 미역을 부쳤다. 이날 민중군 형제가 석사 박해안과 함께 병문안을 와서 반나절을 얘기를 나누다가 갔다. 체기가 응결되

釣, 風期暗與文王親]"라고 하는 내용이 들어 있다. 『李太白集 卷2 梁甫吟』

어서 마음이 안개 속에 있는 것 같기 때문에 연 4일동안 세 끼니 죽을 먹으니, 막힌 것이 조금은 나아진 것 같지만 기운은 피곤하였다. 이것은 병든 후에 원기가 아직 충실해지지 못한 소치이다. 증세에 대하여 투약을 하는 것이 이해가 상반되니, 어찌할 것인가? 병사 서유병이 감영에 도착한 뒤 또 신병으로 신음하고 있다고 하기 때문에 편지를 남병영에 보내어 병의 차도를 알고자 했다.

初三日. 修書于朴校理吉源, 兼付北布一疋甘藿三同, 蓋余嘗寓於蛤洞時, 始相托交, 其人每憐余之棲遑, 時時餽食, 常常悶念, 款曲之情, 何日忘之? 徐參奉協修丈, 卽朴校理之親査, 而與余作隣, 情好日密, 常悶余之鬱鬱不得志, 兩丈皆余莫逆之交也. 同付書與藿. 而意欲新元望後復路歸鄕矣, 一病沈綿, 未遂素志, 故聊吟別句兼呈于校理參奉兩丈. 朴生員周源, 卽校理丈之弟, 而與余同年者也. 幸參今春司馬榜, 遙賀不已, 而權生員中倫, 亦同年之人也, 亦參蓮榜, 故修送榮問之書于二友, 而官薄情隨薄, 只自伏枕長歎而已.

晚年偶幸托交深, 憐我栖栖梁甫吟. 賜餽時時多感鏤, 論心日日寫胸襟. 清貧甘守顔公樂, 白首猶沈玉署簪. 別後相思惟夜月, 春風將渡漢江潯. 右贈朴校理韻.

身世如萍幸得隣, 何相見晚是高人. 白頭陋巷兼安樂, 可惜奇才未克伸. 塵世有高人, 與吾老且少. 花朝同酒盃, 月夕共談笑. 文富數還奇, 年尊德益邵. 丁寧別後期, 肝膽遠相照. 右贈徐參奉韻.

朴察訪能源, 乃校理之從氏, 而想必終制, 故修書付藿. 是日閔中軍兄弟, 與朴碩士海安, 來問病之如何, 半日相晤而去. 滯氣凝結心如烟霧中, 故連四日三時飮粥, 則滯似少勝, 而氣則憊矣. 此則病後元氣尙未充實之致也. 對症投劑, 利害相反, 奈何奈何? 徐兵使有秉, 到營之後, 亦以身病呻吟云, 故折簡于南兵營, 欲知病之差否.

1798년 3월 4일. 가슴이 막혀있는 것을 이길 수 없어서 군기가솔(軍器假率)에게 분부하여 활과 화살을 가져오게 하고 때때로 활

쓰기를 하니, 체기가 조금 내려간 것 같았고, 병 때문에 활쏘기 연습을 하니, 이 또한 이익은 있고 해는 없는 일이며, 또한 혹 문무를 겸비하는 기술이기도 하다. 비록 견비통이 있지만 손가락의 수고로움은 무슨 해가 되겠는가?

初四日. 不勝胸臆之滯, 分付軍器假率, 取來弓矢, 時時放射, 則滯似少下, 而緣病習射, 此亦有利無害之事, 而抑或文武兼備之術也. 雖有肩臂之痛, 手指之勞, 庸何傷乎?

1798년 3월 6일. 본부의 선비 주진용(朱鎭容)과 진범(鎭範) 형제가 찾아와서 말하길, "고조부이신 교관 여규(汝奎)께서는 우암선생의 문하에서 노니셨고, 아버지 중현(重顯)은 미호선생의 문하에서 노니셨기에 선생의 편지가 많이 있기 때문에 소매 속에 가지고 왔습니다."라고 했다. 받들고 재삼 읽어보니 흠앙하는 마음 진실로 깊었다. 즉시 본관에게 전갈을 하여 그 완장의 수택을 보게 하였더니, 그 선비를 불러서 보겠다고 하였다. 회령부사 이인수(李仁秀)와 종성부사 이일운(李日運)이 현알례(現謁禮)를 하기 위해 공장(公狀)을 들고 문밖에서 기다리고 있는데, 나는 병 때문에 보지 못하고 밖에서 보냈다. 정평부사 최명건이 와서 문병을 하고 갔다.

初六日. 本府士人朱鎭容鎭範兄弟, 來見而言曰, "其高祖教官汝奎, 遊於尤菴先生之門, 其父重顯, 遊於渼湖老先生之門, 而多有先生手札, 故袖來云." 奉玩再三, 欽感良深. 卽爲傳喝于本官, 使之覽其阮丈之手澤, 而招見其士人云. 會寧府使李仁秀, 鍾城府使李日運, 以現謁禮, 進公狀來, 候于門外, 而余以病未見, 自外送之. 定平府使崔命健, 來問病之如何而去.

1798년 3월 7일. 석사 한약림(韓若霖)이 이번 봄의 춘시(會試)에서 도파(渡灞)49)의 행을 면치 못하고 집에 돌아온 지 며칠이 안

---

49) 도파(渡灞) : 파교를 건너다. 과거에 급제하지 못하거나 관직에 진출

되었는데 나를 찾아왔다. 대개 그 사람이나 문장은 진실로 유자에 합당한 데도 과연 모두 떨어졌다고 하니, 매우 한탄스럽다. 봉사 한성중과 참봉 한성순 형제가 찾아왔다가 갔다. 선비 주중술이 또 소매 속에 동춘선생의 수찰과 필적을 가지고 왔기 때문에 손을 씻고 완미해보니, 나도 몰래 감탄하게 되었다. 대개 그 사람의 집에는 두 선생의 필적이 많이 남아있는데, 북방에서 가장 귀한 것이다.

初七日. 韓碩士若霖, 今春會試, 未免渡灞之行, 而還家不多日, 趍爲來見. 蓋其人與文宣合儒者, 而果度見屈云, 可恨可恨. 韓奉事性重·參奉性淳兄弟, 來見而去. 士人朱重迹又袖來同春先生手札及筆跡, 故盥手奉玩, 不覺欽感. 蓋其人之家多有兩先生手澤, 北方之最可貴也.

1798년 3월 8일. 홍원현감 이명연(李明淵)이 연명(延命)하는 일로 본부에 도착했기 때문에 서로 정답게 얘기를 나누었고, 이튿날까지 남아서 북산루(北山樓)를 유상하였지만 나는 병이 깊어서 합석을 할 수가 없으니 서운했다.

初七(八)日. 洪原縣監李明淵, 以延命事來到本府, 故相與穩敍, 翌日淹留遊賞于北山樓, 而余以沈病未得合席同盃, 可恨.

1798년 3월 9일. 단천부사 이익(李檜)과 이성현감 심상지(沈尙之), 고원군수 윤범철(尹範喆), 거산찰방 강국신(康國愼) 등이 다녀갔다. 온성부사 조문언(趙文彦)은 폄하(貶下)를 받아 체귀(遞歸)하다가 우연히 본부 아사(衙舍)에서 만나 직접 얘기를 나누었는데, 그 사람은 힘이 있어 손톱으로도 사기그릇을 깨뜨리면 산산조각이 난다고 한다. 이 사람은 본래 교관권무(敎官勸武)로 등제한 사람이다.

初九日. 端川府使李檜, 利城縣監沈尙之, 高原郡守尹範喆, 居山察訪康國愼, 來見而去. 穩城府使趙文彦, 以貶下遞歸, 而偶逢於本府衙舍,

---

하지 못한 것을 표현한 말이다.

而相與接語, 其人有力以瓜碎破沙器, 則片片飛出云. 此人本以敎官勸武, 登第者也.

1798년 3월 10일. 새벽에 봄비가 주룩주룩 내리고 종일토록 그치지 않으니, 과연 때맞추어 내린 단비라고 할 수 있겠다. 대개 이곳은 누차 풍년인 나머지 금년의 시우도 또 이와 같으니, 크게 풍년들 징조임을 알 수 있다. 우국 우민의 마음에 있어서 어찌 기쁘고 다행이지 않겠는가?

初十日. 曉, 春雨滂沱, 終日不止, 可謂及時之甘霈也. 蓋此土累豊之餘, 今年時雨, 又如此, 可知其大熟之徵也. 其於憂國憂民之心, 豈不喜且幸哉?

1798년 3월 12일. 본부의 외촌에 사는 이씨 성을 가진 어떤 사람이 사람의 관상을 보는 기술을 가지고 있다고 하여 본관이 불러다가 상을 보게 한 후 통인을 시켜 전갈을 하고 그 사람을 보내왔기 때문에 물어보니 말하길, "대저 관상을 보니 명예스러운 곳이 많고 훼손될 만한 곳이 적은 상입니다. 또 수염이 가장 좋으니, 51세부터 대운이 점점 통하여 13년 동안에 8번이나 천은을 입을 것입니다."라고 하였다. 지난 일은 비록 맞출 수 있을지라도 앞으로의 일은 어찌 가필할 수 있겠는가? 선비 문규철(文喆奎)과 최학원(崔學源)이 모두 노유(老儒)로써 금년 봄 회시에서 또 굴욕을 당하고 왔는데, 내가 병이 깊다는 것을 듣고 곧바로 찾아와 문병을 하였다. 백수에 궁색한 선비의 사정을 생각하면 민망하고 또 기특하다.

十二日. 本府外村居李姓人有相人之術, 而本官招來論相後, 使通引傳喝, 而送其人, 故問之則言曰, "大凡狀貌, 多可譽之處, 而少可毀之像. 且鬚鬚最好, 自五十一歲大運漸通, 連十三年, 八被天恩云." 往事雖或有中, 來事何可必也? 士人文喆奎·崔學源, 俱以老儒, 今春會試又爲見屈而來, 聞余之沈病, 趁爲來問. 念其白首窮儒之情勢, 旣悶且奇.

1798년 3월 13일. 본부 성밖에 사는 새 합격자 진사 김재호(金在浩)가 내현하였기에 잠시 호신래(呼新來)를 하고, 그 나이를 물어보니 21세이며 공도회(公都會) 강시(講試) 초시로 우연히 연방(蓮榜)에 참여케 되었다고 한다. 이러한 사람은 다만 운수가 대통한 것뿐만이 아니니, 또한 어찌 결과(決科)의 어려움을 알 수 있겠는가? 기이하고 기특하도다!

　十三日. 本府城外居新榜進士金在浩來現, 故暫呼新來, 問其年則二十一歲, 而公都會講初試偶參蓮榜云. 若此之人, 非但運數之通, 亦安知決科之爲難乎? 奇哉奇哉!

1798년 3월 15일. 동쪽이 열리자 병든 몸을 부여잡고 흑단령을 착용한 후 하례에 진참하였으며, 전의 의절과 같이 행하였다. 이날은 흐리고 흙비가 조금 오락가락 내렸다. 가슴에 체한 것이 문득 더해져서 가감이 무상하니, 답답한들 어쩌겠는가?

　十五日. 開東, 扶病着黑團領, 進參賀禮, 一如前日之儀節. 是日, 陰霾雨少霏霏. 胸滯忽添, 加減無常, 切悶奈何?

1798년 3월 16일. 봄비가 부슬부슬 내렸다. 이날 함흥과 영흥 두 본궁에 의대(衣襨)와 향축(香祝)이 내려왔기 때문에 흑단령을 착용하고 비를 맞으며 문밖에 나가 지영을 하였는데, 순사도 그렇게 했다. 본관은 그보다 일찍 지경 30리까지 나가서 기다렸다가 받들어 모시고 왔다. 별대제의 제향은 매년 4월에 행한다고 한다.

　十六日. 春雨霏微. 是日, 咸興永興兩本宮, 衣襨香祝下來, 故着黑團領, 冒雨出門外祗迎, 而巡使亦然. 本官則前期出候于至境三十里, 陪奉入來. 別大祭享, 則行於每年四月云.

1798년 3월 17일. 새로 진사에 합격한 이약수(李若洙)와 이극항(李克恒)이 찾아왔기에 잠시 호신래(呼新來)를 하였고, 위윤철(魏尹喆)·위노철(魏魯喆)·위문철(魏文喆) 삼종형제가 모두 연방에 합격하여 찾아왔기 때문에 호신래와 진퇴보를 하고 그쳤다. 기특하고 장하도다! 대저 본부의 대소과에서 금춘에 합격한 자는 모두 12인이라고 하니, 이곳이 명승지의 소치가 아님이 없다.

十七日. 新榜進士李若洙李克恒來見, 故暫呼新來, 而魏尹喆魯喆文喆三從兄弟, 俱參蓮榜來見, 故呼新進退而止, 奇且壯哉! 大抵本府大小科, 今春唱榜者, 爲十二人云, 莫非此土名勝之致也.

1798년 3월 18일. 순사가 북쪽 순찰을 떠나기 때문에 아침식사 전에 잠시 가서 뵙고 왔다.

十八日. 巡使離發北巡, 故飯前暫爲往見而來.

1798년 3월 20일. 본관과 중군이 모두 찾아와서 한참동안 얘기를 나누는데 본관이 말하길, "아영(亞營)께서 오랫동안 체울병을 앓고 계시니 매우 민망합니다. 지금은 조금 차도가 있는 것 같으니, 함께 본아가 가서 적객(笛客)과 가기(歌妓)를 불러놓고 소요하는 방도로 삼읍시다."라고 했다. 그러기에 내가 말하길, "그 말이 진실로 나를 위한 것이구려."라고 하였고, 중군도 또 "좋습니다."라고 하여서 세 사람이 도보로 갔는데, 본아가 지척에 있기 때문이다. 대략 술자리를 만들어 놓고 피리 불고 노래 부르며 종일토록 놀다가 돌아왔다. 돌아올 때 본관이 내아에 통기를 하여 붕어탕 한 그릇을 저녁 찬으로 삼게 하면서 "이 음식은 먹어도 체하지 않습니다."라고 했다. 또 전에도 자주 요리한 음식을 보내왔는데, 대개 아영에게 차려준 것이 매우 박한 것을 민망히 여긴 까닭이다. 매우 감사한 일이다.

二十日. 本官中軍皆來到, 有頃穩話而後, 本官曰, "亞營長病滯鬱, 極可悶悶. 今則少有差勢, 偕往于本衙, 呼來笛客歌妓, 以爲逍遙之道云."
余曰, "其言誠爲我矣." 中軍亦曰, "好矣." 三官徒步而往, 以本衙咫尺故
也. 略設盃盤, 吹笛唱歌, 終日遨遊而歸. 歸時本官通奇于內衙, 以鮒魚
湯一器, 使爲夕饌曰, "此物食而不滯云." 且前此頻送烹飪之饌者, 蓋悶
亞營所供之甚薄故也. 多感多感.

1798년 3월 21일. 비가 퍼붓듯이 내리기에 고요한 가운데 우두
커니 앉아있을 즈음에 명천 아전 허흡(許洽)이 와서 쪽지를 바치며
말하길, "박교리는 옥당에 입직하셨고, 서참봉은 환후가 매우 심하
여 답장을 받을 수가 없었습니다. 청직(廳直)의 수표를 성급해주기
때문에 하리의 도리에 있어서 감히 억지로 답장을 청하지 못하고
이 종이만을 가지고 왔습니다."라고 하였다. 그의 말뜻을 살펴보니,
진실로 그럴 것이라는 마음이 들지만 조금은 의심할만한 단서가
있었다. 그러나 이 사람은 곧 데리고 긴 진상 색리이다. 어떻게 허
위일 수 있겠는가?

二十一日. 雨來如注, 涔寂塊坐之際, 明川吏許洽來獻小紙曰, "朴校理
入直玉堂, 而徐參奉患候孔劇, 未得受答, 成給廳直手標, 故下吏之道,
不敢强請其修答, 持來此紙云." 覽其辭意, 則實有其然之心, 而少有可疑
之端. 然而此漢乃領去進上之色吏也. 何可虛僞乎?

1798년 3월 23일. 본관이 잉어 2마리를 보내오면서 전갈하길,
"이 물건은 조금 원기에 보탬이 될 것이니, 먹어도 체하지 않을 것
입니다."라고 했다. 그의 두터운 정성을 생각하면 감사함이 매우
깊다. 일전에 선비 하유원이 내가 체병에 거리고 또 술을 좋아하지
않은 것을 알고 단술 한 병을 앞에 드리면서 말하길, "이 술은 달
고 또 체기를 삭히는 데 이롭기 때문에 집에서 빚어서 가져온 것
입니다."라고 했다. 병을 기울여 조금 마셔보니 그 맛이 맑고 달아
서 마음과 입에 모두 흡족했다. 병객의 마음에 있어서 그 정과 맛

에 감사하는 마음이 마땅히 다시 어떻겠는가? 그에게 어떤 물건으로 이 술을 빚은 것인가를 물어보니, 답하길, "찹쌀과 누룩과 배와 송화가루를 배합하여 빚은 것입니다."라고 했다. 사인 이제응(李躋膺)도 이 술을 가지고 왔기 때문에 마셔보니, 그 맛이 맑고 달아서 병객의 마음에 위로되기 충분하니, 감사할 일이다.

二十三日. 朝, 本官送鯉魚二尾, 而傳喝曰, "此物少補元, 食不滯云." 念其眷厚之情, 感鏤良深. 日前士人河有源, 知余之病滯且不嗜酒, 而以醴酒一壺, 進於前曰, "此酒甘而且利於消滯, 故家釀而持來云." 傾壺少飮, 則其味淸甘, 心口俱爽. 其於病客之心, 感其情味, 當復如何? 問其以何物釀此酒, 則答曰, "以粘米曲子生梨松花交合釀之云." 士人李躋膺, 亦以此酒來進, 故飮之則其味淸爽且甘, 足慰病客之心, 可感.

1798년 3월 24일. 박교리와 서참봉 두 어른의 답장편지가 저리편을 통해 왔기 때문에 손을 바삐하여 열어보니, 자리를 함께 한 것과 다름이 없어서 병중의 근심스런 심회에 조금 위로가 되었다. 그러나 그중에서 차마 볼 수 없는 소식이 있으니, 교리 어른의 증손이 경풍으로 요절했다고 한다. 매우 비참하다. 그 어른의 선한 마음과 어진 덕으로도 하늘의 응보를 받지 못하고 이러한 요절의 참담함이 있게 되었으니, 이치는 진실로 믿기 어려운 것이다. 찰방 박능원의 답장편지는 왔지만, 진사 박주원과 진사 권중륜 두 친구는 모두 답장을 보내지 않았으니, 필시 영행(榮行)으로 출타 중일 것이다.

二十四日. 朴校理徐參奉兩丈答翰, 自邸便來到, 故忙手披閱, 無異合席共吐, 稍可慰病中愁盃之懷, 而其中有不忍見之報, 校理丈之曾孫, 以驚風夭逝云. 極爲慘然, 以其丈之善心良德, 不應有此夭憾之慘, 而今乃如此, 理固難信也. 朴察訪能源答書來到, 而朴進士周源權進士中倫兩友, 則皆不送答, 想必以榮行出他耳.

1798년 3월 25일. 민중군이 와서 말하길, "오늘 날씨가 매우 화창하고 바람도 없으니, 함께 낙민루에 올라가서 소요하고 움직이면서 눈을 멀리 바라본다면 울체병에 이로움이 있을 것 같습니다." 라고 하기에 내가 말하길, "오랫동안 병고에 시달리느라 일년의 춘광을 신음하면서 보내게 되었으니, 시냇가 버들이 푸르러지는 것이나 산중의 꽃들이 붉게 피어나는 난만한 춘경을 한 번도 보지 못했소. 이것은 비록 병 때문이라지만 어찌 봄을 사랑하는 자의 한 가지 흠사가 아니겠소? 지금은 병도 조금 좋아졌으니 감히 허락하지 않을 것이오?"라고 하고, 본관 및 중군과 함께 낙민루에 올라가 반나절 동안 얘기를 나누었다. 또 술잔도 나누면서 좌우를 빙 둘러보니 눈에 가득 춘경이라, 보는 것마다 더욱 새롭기에 마음이 조금 열리고, 병이 더해질 근심을 알지 못했다. 물 위로 불어오는 바람은 사람이 비록 사랑하기는 하지만 나는 두렵기 때문에 해가 아직 저물지도 않았는데 내려왔다. 본관과 중군도 그리했다.

二十五日. 閔中軍來言曰, "今日日氣甚和無風, 連袂步上于樂民樓, 逍遙勞動, 騁目望遠, 則似有利於鬱滯之病云." 余曰, "久沈於病故, 一年春光虛度於呻吟之中, 而澗柳之抽靑, 山花之發紅, 爛漫春景, 一未得着眼. 此雖緣病, 而然豈不爲愛春者之一欠事也? 今病少愈, 敢不唯諾." 與本官中軍同登樂民樓, 半日談話. 且有小酌, 左右回瞻, 滿眼春景, 看看愈新, 心少開暢, 不知有添病之慮矣. 水上來風, 人雖愛而余則畏, 故日猶未暮而下來. 本官中軍亦然.

1798년 3월 26일. 덕원부에 있는 용진서원(龍津書院)은 곧 우암 선생의 영정을 봉안한 곳인데, 재임 정붕익(鄭鵬翼)이 찾아와서 말하길, "모본(模本)의 색깔이 변해서 지금 개모(改模)하려고 하는데 재물을 준비하기가 매우 어렵습니다."라고 했다. 내가 말하길, "이 일은 실로 마땅히 해야할 일인데, 어찌 물력의 어려움에 구애되어 정지할 수 있겠소? 생각건대 우리 수재(守宰)들이 조력할 방도가 반드시 많이 있을 것이니, 모름지기 자기의 일로 여기고 재물을 모아 성사시킨다면 사림의 다행일 뿐만이 아니라 실로 사문의 큰 다행일 것이오. 부디 소홀하지 않게 하시오."라고 했다. 개모도유사(改模都有司)는 이곳에 사는 참봉 한성순이고, 본부유사는 참봉 문산규이다. 대저 덕원부에 서원을 세운 것은 이전 을묘년(1675)에 본주(本州)에 유배되었었기 때문이다.

二十六日. 德源府龍津書院, 卽奉安尤菴先生影幀之所, 而齋任鄭鵬翼來見而言曰, "模本色渝, 今將改模, 而物財辦得, 誠極爲難云." 余曰, "此實當爲之事, 何拘於物力之艱而停止乎? 想必吾儕之守宰多有助力之道, 幸須主張看作自己事, 鳩財成事, 則非但士林之幸, 實斯文之大幸也. 愼勿虛疎也." 改模都有司則此土所居韓參奉性淳, 而本府有司則文參奉山奎也. 夫建院德源者, 以前乙卯年編配于本州故耳.

1798년 3월 29일. 아침에 가서가 도달했기에 봉투를 뜯어보니, 비록 평보(平報)이기는 하지만 생도가 매우 어렵다고 하였다. 이 또한 병중에 걱정이 더해지는 일이다. 편지가 출발한 것은 2월 12일이었는데, 창재직소(昌齋直所)로부터 돌고 돌아 아영에까지 전해진 것이라, 저곳에서 출발하여 이곳에 오기까지의 날짜를 헤아려보면, 길이 거의 2천리나 되는데 불과 40여 일밖에 걸리지 않았으니, 특별히 늦어졌다는 탄식은 없다. 이날 문득 서울소식을 들으니 체직되었다고 한다. 개인적인 계획에서는 비록 다행이기는 하지만 병이 아직 완쾌되지 않았는데 먼길을 말타고 달려가야 하니, 생각기에 병이 더해질 것이라 이것이 걱정이다. 본관과 중군이 와서 얘기를 나누다가 갔다.

二十九日. 朝, 家書來到, 開緘見之, 則雖平報, 而生道極艱云. 是亦病中之添慮事也. 書之封發出於二月旬二, 而自昌齋直所轉傳于亞營, 計其出彼來此之其間日子, 則路近二千里, 而不過四十餘日, 別無稽緩之歎矣. 是日忽聞京耗, 則遞職云. 其於私計, 雖爲幸也, 而病未快完, 遠路驅馳, 想必有添劇之患, 是可慮也. 本官中軍來到相晤而去.

1798년 3월 30일. 석사 한약림(韓若霖)과 선비 윤송(尹淞)·하유
원(河有源)이 찾아왔다가 갔다.

三十日. 韓碩士若霖, 士人尹淞河有源, 來見而去.

1798년 4월 1일. 신병 때문에 하례에 참석치 못하니 마음 가득
황송함이 어찌 끝이 있겠는가? 이날 한약림이 재임(齋任)으로서 분
향을 하기 위해 나갈 때 들러서 말하길, "일찍이 연산의 판부사 김
희(金憙)를 찾아가서 배알했는데 은근하고 정성스레 대접해주면서
칠절시를 지어주었습니다."라고 하며, 그것에 대한 차운시를 지어
서 주라는 뜻으로 나에게 청하였다. 나도 이미 그 사람을 가상하게
생각하고 있으니, 어찌 사양하겠는가? 대략 몇 줄을 엮고 겸하여
김우상의 시에 차운하여 주었다.

내가 우연히 함주의 아영에 왔는데, 한 사람의 아름다운 선비가
찾아왔기 때문에 그 이름을 물으니 약림이고, 그 자를 물으니
용여(用汝)라고 한다. 말을 들어보고 모습을 살펴봄에 사람으로
하여금 마음이 트이고 기운이 용솟음치게 하니, 진실로 이름자가
그 사람과 합당함을 믿을 수 있다. 때때로 내방하여 나의 고적
한 심회를 위로해주었는데, 그 말과 풍채와 조행과 입지가 세상
사람들이 세력을 좇아 창자를 바꾸는 무리들과는 매양 상반된다.
지금 세상을 살아가면서 이와 같을 수 있다면 그 마음이 주일한
것이니, 다름 아닌 이것에서 미루어보아도 또한 북방의 호걸지사
라고 말할 수 있다. 문장은 특히 그 사람의 여사이고, 가장 귀한
것은 그 가문의 명성을 떨어뜨리지 않고 계술해 가는 것이다.
다만 안타까운 것은 대저 과거시험에 미끄러져서 조정에 올라

그의 본래 뜻을 펼칠 수 없는 점이다. 그러나 함 속의 옥이 끝내 묻히는 이치가 없고, 용광로의 쇠는 반드시 약진하는 방도가 있는 것이니, 천리마의 기량을 펼칠 날이 반드시 오래지 않아 있을 것이다. 그대는 한스러워 말라. 금년 봄에는 떨어졌지만 더욱 탁마의 공부를 힘쓰게. 내 비록 문장은 졸렬하지만 이미 이 사람을 만났으니, 어찌 한 마디의 말이라도 해줌이 없을 수 있겠는가? 삼가 연산의 김판부사가 지어 한군에게 준 시에 차운하여 준다.

偶到咸山千里程	우연히 도착한 함산은 천 리 먼 노정이고,
幸逢一士最高明	다행이 만난 한 선비는 가장 고명한 사람이네.
時來銷我吝心萌	때때로 와서 나의 비루한 맘을 녹여주니,
晚契何殊竹馬情	늦게 사귄 벗이 어찌 죽마고우의 정과 다르리.

〈金判府事原韻〉	김판부사의 원운시
咸山此去近千程	함산은 이곳과는 거의 천 리 길인데,
今日逢君眼忽明	오늘 그대 만나니 눈이 갑자기 밝아지네.
數盃村酒聊相勸	몇 잔의 시골 술을 다만 서로 권하자니,
老我方知不世情	늙은 나는 속세의 정 아님을 알겠네.

선비 주진용과 윤송이 찾아와서 나의 관직이 경체(經遞)[50]되었음을 위로해주었다. 내가 말하길, "이 벼슬의 득실에 대해서는 족히 근심하거나 기뻐할 것이 못되지만 다만 병이 아직 완쾌되지 않았으니 먼길을 가다가 증세가 더해지는 폐가 있을 것 같아 이것이 민망한 것이오."라고 했다. 주진용은 김판부사가 북백(北伯)을 맡았을 때 이미 도천(道薦)[51]이 되었지만 아직까지 초사(初仕)를 못한

---

50) 경체(經遞) : 임기가 차기 전에 체임되는 것이다.
51) 도천(道薦) : 감사가 자기 도내의 학식이 높고 유능한 사람을 임금에게 천거하던 일을 말한다.

사람이다. 이 사람은 알려짐을 구하지 않고 가난을 달게 여기며 지조를 지켜가는 사람으로, 그 고조부인 교관 여규(汝奎)의 유풍을 잃지 않고 있다. 여규는 곧 우암선생의 문인이다. 가풍을 지켜가는 것은 그 사람의 귀한 것이고, 거둬쓰지 않은 것은 우리들의 수치이다. 선비 주중술 집안에도 우암과 동춘 두 선생의 필적이 많이 있어서 모두 가지고 왔기 때문에 내가 말하길, "우암의 필적은 이미 진본과 인본 2건이 있으니, 원컨대 인본을 얻어서 매양 살피며 흠모하는 자료로 삼고자 하는데, 귀하의 뜻은 어떤가?"라고 하자, 중술이 답하길, "이미 2건이 있다지만 진필은 1본 뿐이니, 첩장(疊藏)하는 것이 나누어서 보는 것보다는 더 나을 것이기 때문에 감히 허락지 못하겠습니다."라고 하고 마침내 빌려주기 때문에 단단히 봉해서 가지고왔다. 대개 이 사람은 빈한함을 이기지 못하고 토굴에서 살고 있느라 소중한 유필에 풍우가 침투하는 근심을 면하지 못한다고 했다. 그 형세가 가련하여 말할 것이 없다. 그리고 선생의 필적을 소장할 곳이 없다면 어찌 우리 무리의 수치스런 일이 되지 않을 것인가?

四月初一日. 以身病未參賀禮, 滿心惶悚, 曷有其已? 是日, 韓若霖以齋任焚香出去時, 來見而言曰, "曾往拜謁于連山金判府事憙, 則殷勤款接, 兼贈七絶." 願次其韻以贈之意, 面請于余. 余旣嘉其人, 烏可辭乎? 略構數行, 兼次金右相韻以贈之.

余偶來咸州亞營, 而有一佳士來見, 故問其名則曰若霖, 問其字則曰用汝. 聽言觀貌, 令人心豁而氣聳, 信乎其名字之與其人合耳. 有時來訪, 慰余孤寂之懷, 其言議風采操行立志, 與世逐勢換腸之輩, 每每相反. 居今之世, 而能若是, 則其心之主一, 無他可推於此, 亦可謂北方豪傑之士也. 文章特其人之餘事, 最可貴者, 不墜其家聲, 而能繼述之, 但惜夫科第蹉跎, 未及登朝行其素志也. 然而櫝玉無終藏之理, 爐金有必躍之道, 展其驥足想必不久, 願君勿恨. 今春之渡灞, 而益勉琢磨之工也. 余雖文拙, 旣逢若人, 烏得無一言以贈之乎? 謹次連山金判府事贈

韓君韻以贈. 偶到咸山千里程, 幸逢一士最高明. 時來銷我吝心萌, 晚
契何殊竹馬情.

金判府事原韻. 咸山此去近千程, 今日逢君眼忽明. 數盃村酒聊相勸,
老我方知不世情.

士人朱鎭容尹淞來見. 慰余職之徑遞. 余曰, "此官之得失, 不足爲憂
喜, 而但病未快完, 遠路致身, 似有添症之弊, 是所可悶云." 鎭容則金判
府事爲北伯時已爲道薦, 而尙未初仕者. 此人不求聞達甘貧守操, 不失其
高祖教官汝奎之遺風, 汝奎卽尤菴先生之門人也. 守其家風者, 其人之可
貴, 不爲收用者, 吾儕之可恥也. 士人朱重述家, 多有尤菴同春兩先生筆
跡, 而皆爲袖來, 故余曰, "尤菴筆跡, 旣有眞本印本二件, 則願得其印本,
欲以爲每每觀慕之資, 於貴之意何如?" 重述答曰, "旣有二件, 而筆則一
本, 疊藏猶勝於分覽, 敢不唯諾." 遂爲借惠, 故堅封賚來. 蓋此人不勝貧
寒爲土窟以居, 而所重遺筆未免風雨滲濕之患云. 其勢之可矜不須論也,
而先生之筆跡, 無所藏處, 則豈不爲吾黨羞恥之事乎?

1798년 4월 2일. 홍원태수 이명연이 편지를 보내고 겸하여 칼
과 칼집을 보내왔기 때문에 답장을 써서 보내는데, 관의 전대가 쓸
쓸하여 보답할 물건이 없기에 육촉(肉燭) 20자루를 편지와 함께 부
쳤다. 편지글 속에는 '보내주신 검에 평생동안 일편단심으로 감사
드리고, 보답해드린 촛불은 멀리 천 리를 가는 사람을 비추고자 해
서입니다'는 말을 써서 부쳤으니, 그것을 보면 반드시 한바탕 웃음
거리로 삼을 것이다. 진사 최경원(崔景遠)이 도문연(到門宴)52)을 할
때 다담상을 보내와서 앞에 차려주니, 과연 성찬이라고 할 수 있지
만 체할까 걱정되어 먹지 못하고 하속들에게 나누어주었다. 그의
잊지 않은 정은 기특하다고 할 수 있다. 본부의 통인인 유경로(劉
景魯)는 사람됨이 근실하고 용모가 단아한데, 수삼개월 동안 장번

---

52) 도문연(到門宴) : 과거에 급제한 사람이 집에 돌아와서 친지(親知)들
을 초청하여 베푸는 자축연(自祝宴), 곧 문희연(聞喜宴)이다.

(長番)을 서며 정성을 다해 구병하고 약과 차를 닳여주길 때를 어기지 않고 주야로 곁을 떠나지 않으니, 매우 기특하다고 할 수 있다.

初二日. 洪原太守李明淵, 送書而兼惠刀子具鞘, 故修答送之, 而官橐蕭然, 物無所報, 以肉燭二十柄, 伴簡而付之. 書中以'惠之以劒仰感平生一片之心, 報之以燭欲其遠照千里之人'之語, 書之以送, 覽之必爲一笑之資耳. 進士崔景遠到門宴時, 送茶啖床而進之於前, 可謂盛饌, 惝滯未食, 分給于下屬, 可奇其不忘之情. 本府通引劉景魯之爲人, 勤實容貌端妙, 長番數三朔, 盡誠救病煎藥烹茶, 不違其時, 晝夜不離于側, 極爲可奇.

1798년 4월 3일. 봉진하는 삭선(朔膳)[53]을 진상했는데, 순사가 북순(北巡)하는 일로 감영에 있지 않기 때문이다. 이날 비가 쏟아졌는데 늦게서야 조금 그쳤다.

初三日. 封進朔膳進上, 以巡使之北巡, 而不在營故也. 是日雨來滂沱, 晚後少止.

1798년 4월 5일. 식후에 부아(府衙)에 가서 본관과 수작을 할 때 중군 민백길이 하리를 시켜 전갈해오길, "오늘 바야흐로 습악(習樂)을 하고자 하니, 오셔서 소요거리로 삼으시는 것이 어떻습니까?"라고 하기 때문에 본관과 함께 중영(中營)에 도착하니, 악공과 기생들이 모두 와서 기다리고 있었다. 각양의 기생춤을 모두 마친 후 기생들을 시켜 차례대로 노래를 부르게 하니, 전혀 모양을 이루지 못하는 기생이 거의 반이었다. 이윽고 흰쌀밥에 구갱(狗羹)을 내왔는데, 그때 상하로 모인 사람의 숫자가 거의 백여 명에 이른데 이들의 식사를 매우 균등하게 했다. 잔박한 관의 상황으로 이러한 일을 베푼 것은 나의 떠나는 행차가 멀지 않음을 생각해서 한 것

---

53) 삭선(朔膳) : 매월 초하룻날에 각도에서 나는 물건으로 임금에게 차려 올리는 음식상을 말함.

이다. 또 본부에서 무과 출신이 절등의 재인을 데리고 온다고 하기 때문에 연회가 파한 후에 본아로 가서 시재(試才)를 하게 하니, 두 어린 재인이 지상으로 도약하였다가 몸을 뒤집는 것이 마치 나는 것 같고, 마치 춘풍에 버들가지가 나부끼는 것 같았다. 이 사람은 몸은 비록 사람이지만 나는 새와 다름이 없다. 그가 사는 곳을 물어보니 전주에 산다고 했다.

낙민루에는 농암과 삼연 두 선생이 지은 제영시가 있기 때문에 나도 졸렬한 시로 그 시에 차운하여 현판에 걸었는데, 보는 자들의 조소를 얻지 않을 것인가? 겸하여 그 원운시를 베껴둔다.

天作咸興壯北方　하늘이 함흥을 만들어 북방에 웅장하니,
鬱葱佳氣古南陽　서기가 가득한 우리 임금의 고향일세.
青山盡拱樓臺出　청산이 에워싼 곳에 누대 높이 솟아 있고,
綠水回通市郭長　녹수가 휘감아 드는 곳에 성시가 길어라.

樂民樓迴倚層空　낙민루는 멀리 창공에 기대섰고,
萬歲橋長臥彩虹　만세교는 길게 무지개처럼 놓여 있네.
橋上人行樓上坐　다리 위를 걷는 사람 누대 위에 앉은 사람,
相看俱是畫圖中　바라보니 모두가 한 폭의 그림 같네.

百里長郊萬里勢　백 리 들판 아스라이 만 리나 될듯하고,
羣山未見眼中多　수많은 산봉우리들 눈에 다 볼 수 없네.
成川一道流如練　성천은 한줄기로 흘러 명주 같은데,
直到滄溟不起波　곧바로 바다로 흘러들며 물결도 없네.

沛中中迹問如何　제왕 고향에 남은 자취 어떠한가,
手種雙松歲月多　몸소 심은 쌍송에도 오랜 세월 지났네.
黛色尙留芒碯氣　검푸른 빛 아직도 제왕 기운 서렸는데,

龍吟猶似大風歌　수룡음은 오히려 대풍가54)와 비슷하네.
　右農巖韻　이상은 농암의 시이다.

十里橋長倦馬蹄　십리나 되는 긴 다리에 말발굽 게으르고,
橋窮樓與白雲齊　다리 끝엔 누각이 흰구름과 나란하네.
晴川廣矣龍鱗漾　청천은 광활하여 용비늘처럼 출렁이고,
平楚蒼然鴈背低　들판은 창연하여 기러기 등에 이르네.
王霸迹從幽朔起　왕패의 자취는 북방을 좇아 일어났고,
華夷界入大荒迷　화이의 경계는 대황55)에 들어 아득하네.
憑軒不盡低昂意　난간에 기대니 오르내리는 뜻 끝이 없지만,
唱送燕歌始下梯　송연가를 부르고서야 계단을 내려오네.

人間百回會　인간 세상을 백번이나 만나더라도,
難在樂民樓　낙민루에서 만나기는 어려우리.
月射虹橋脚　달빛은 홍교의 다리를 비추고,
波搖粉堞頭　파도는 성가퀴의 머리에 흔들리네.
豈知楡塞跡　어찌 알았으리 유새56)에서의 발자국이,
翻作桂宮游　변하여 계궁57)에서 노닐 줄을.
明日第千佛　내일은 천불전을 찾아갈 것이니,
詩從爾後求　시는 너를 따른 후에 구하리라.
　右三淵韻　이상은 삼연의 시이다.

---

54) 대풍가(大風歌) : 한고조(漢高祖)가 천하를 차지하여 천자가 된 뒤에
그의 고향 풍패(豊沛)에 들러 주연을 베푼 자리에서 지어 불렀다는
노래이다.
55) 대황(大荒) : 국경 밖 타국(他國)의 황량한 땅을 가리킨다.
56) 유새(楡塞) : 유관(楡關) 즉 산해관(山海關)의 별칭으로, 북쪽 변방
요새를 가리킨다.
57) 계궁(桂宮) : 계수나무가 있는 월궁(月宮)이라는 말인데, 월궁의 계
수나무 가지를 꺾는 것으로 과거 급제를 비유하곤 한다.

본부 운전사(雲田社)에는 팔현서원이 있지만 병이 깊은 것으로 인해서 찾아보지를 못한 것이 항상 마음에 걸려있었는데, 근처까지 올랐다. 병 또한 조금 나아졌기 때문이다.

初五日. 食後往府衙, 與本官酬酢之際, 中軍閔百吉使下吏傳喝曰, "今日方欲習樂, 幸須來到, 以爲逍遙如何云?" 故與本官偕到中營, 則樂工諸妓等, 皆來待之. 各樣舞妓皆畢後, 使諸妓次第唱歌, 則全不成樣之妓, 幾居半矣. 俄進白飯狗羹, 而其時上下齊會之人數, 至百餘分, 食甚均. 以殘薄官況, 能設此擧者, 意其念我啓行之不遠而爲此也. 且本府武出身率來絶等才人云, 故宴罷後往本衙, 使之試才, 則兩童才人, 跳躍地上, 翻身若飛狀, 如春風弱柳之飄輕, 此漢則身雖人而無異飛禽也. 問其所居, 則居於全州云. 樂民樓有農巖三淵兩先生題詠, 故余亦以拙律次其韻而揭之于版, 得無覽者之嘲笑耶? 兼謄其原韻.

天作咸興壯北方, 鬱葱佳氣古南陽. 靑山盡拱樓臺出, 綠水回通市郭長. 樂民樓迥倚層空, 萬歲橋長臥彩虹. 橋上人行樓上坐, 相看俱是畫圖中. 百里長郊萬里勢, 羣山未見眼中多. 成川一道流如練, 直到滄溟不起波. 沛中中迹問如何, 手種雙松歲月多. 黛色尙留芒碭氣, 龍吟猶似大風歌. 右農巖韻.

十里橋長倦馬蹄, 橋窮樓與白雲齊. 晴川廣矣龍鱗漾, 平楚蒼然鴈背低. 王霸迹從幽朔起, 華夷界入大荒迷. 憑軒不盡低昂意, 唱送燕歌始下梯. 人間百回會, 難在樂民樓. 月射虹橋脚, 波搖粉堞頭. 豈知楡塞跡, 翻作桂宮游. 明日笭千佛, 詩從爾後求. 右三淵韻.

本府雲田社有八賢書院, 而緣於沈病, 趁未祇謁, 常掛一念, 登程隔近, 病且少愈故.

1798년 4월 7일. 본관 김이유(金履裕)와 중군 민백길 및 관아에 머물고 있는 객들과 함께 채찍을 나란히 하고 함께 가니, 도로의 광경은 과연 성대한 일이라고 할 수 있고, 또한 서원에도 빛이 나는 뜻이 없지 않았다. 첨배를 한 후에 신실에 들어가서 삼가 제현의 위판을 봉심하였다. 팔현은 곧 포은 정몽주, 정암 조광조, 퇴계 이황, 율곡 이이, 우계 성혼, 우암 송시열, 중봉 조헌, 노봉 민정중이다. 노봉은 영정이 벽상에 걸려 있기에 재삼 우러러 바라보니 기상이 엄숙하였다. 대저 이곳의 허다한 격식은 모두 노봉이 북백(北伯, 함경감사)을 맡았을 때 상정(詳定)한 것을 지금까지 준수해온 것이라고 한다.

〈到院時馬上口占〉 서원에 도착했을 때 말 위에서 읊다
跨馬還忘病　말에 올라타니 도리어 병을 잊고,
看山始覺春　산을 둘러보니 비로소 봄임을 깨닫겠네.
三官同日往　세 관원이 같은 날 함께 가서,
瞻拜八賢人　팔현의 인물에게 첨배하였네.

初七日. 與本官金履裕中軍閔百吉, 及留衙諸客, 聯鞭偕往, 道路光景, 可謂盛擧, 亦不無院中生光之意. 瞻拜後入于神室, 謹審諸賢位版. 八賢卽鄭圃隱夢周, 趙靜菴光祖, 李退溪滉, 李栗谷珥, 成牛溪渾, 宋尤菴時烈, 趙重峯憲, 閔老峰鼎重也. 老峰則有影幀掛于壁上, 再三仰瞻, 氣像儼然. 蓋聞此土許多定式, 皆老峰爲北伯時所詳定者, 而至今遵守云.

到院時馬上口占. 跨馬還忘病, 看山始覺春. 三官同日往, 瞻拜八賢人.

1798년 4월 8일. 오늘은 나의 좌재일(坐齋日)이다. 종일토록 홀로 앉아있자니 만감이 더해졌다. 황혼 때 창을 열고 내다보니 만가에 매단 등불이 반공을 밝게 비춘다. 태평옥촉(太平玉燭)[58]이란 것이 이와 가까운 것이 아닌가? 본관이 전갈해오길, "오늘 저녁 등불 켠 광경을 혼자만 즐길 수 없으니, 함께 가서 보시겠습니까?"라고 하기에 내가 말하길, "해마다 이 밤이 있지만 관등은 보지 못했소."라고 했다. 이어서 칠절시를 지었다.

---

58) 태평옥촉(太平玉燭) : 천하가 태평하고 사시가 고르다는 뜻으로, 사시의 기운이 조화로운 것을 옥촉이라 이른다.

獨客悄然坐似僧　　외로운 객 처량하게 앉았으니 승려와 같은데,
是何紅塊半天升　　이 무슨 붉은 덩이가 반공에 떠오르나.
呼來童子出門見　　동자를 불러서 문에 나가 보게 하니,
謂曰家家懸夜燈　　집집마다 등불을 매달았다고 답하네.

初八日. 卽余之坐齋日也. 終日獨坐, 百感愈增. 黃昏時開窓見之, 則萬家懸燈照耀半空, 太平玉燭無乃近於此乎? 本官傳喝曰, "今夕燈景, 不可獨翫, 同往觀乎?" 余曰, "年年此夜, 未得觀燈云." 因吟七絶.

獨客悄然坐似僧, 是何紅塊半天升. 呼來童子出門見, 謂曰家家懸夜燈.

1798년 4월 9일. 곧 돌아가신 어머니의 제삿날이다. 과연 집에서는 별탈없이 제사를 지내고 있겠지? 몸이 천 리 밖에 있어서 제사에 참석하지 못하니, 더욱 서글픈 마음 간절하다. 아들로서의 도리가 멸절한 것이다. 공명이 사람을 그르친다는 것이 진정 이것을 말한 것이리라.

初九日. 乃先妣諱日也. 果未知家內無故而行祀耶? 身在千里不得參祭, 彌切感愴, 子道絶矣, 功名誤人者, 正謂此也.

1798년 4월 10일. 명천(明川)의 신 급제자인 김몽니(金夢栀)와 김성호(金聖灝) 두 사람이 찾아왔기 때문에 잠시 호신래(呼新來)를 하고, 당에 올라 수작을 할 즈음에 나의 병증을 듣고 말하길, "저도 또한 이러한 병이 있었는데, 냉체 집증으로 연일 자기오줌을 복용하여 지금은 쾌차를 하였습니다."라고 했다. 내가 말하길 "나 또한 이럴 생각이 있지만 의원에게 물어보니 병든 오줌을 어찌 복용할 수 있겠냐고 하기 때문에 의심과 걱정이 없을 수 없어서 그렇게 하지 못했소."라고 말했다. 김몽니는 나이 78세로 가자(加資)되어 오위장(五衛將)을 제배하고 내려왔다고 했다. 드리어 김성호가 지시한 약과 같이 연달아 오줌을 복용하니 작은 효과가 있는 것

같았다.

初十日. 明川新及第金夢梡金聖瀨兩人來見, 故暫呼新來, 上堂酬酢之際, 聞余之病症而言曰, "渠亦有如此之病, 而以冷滯執症連服自己溺, 今則快差云." 余曰, "我亦有此意, 而問于醫則病溺何可服之云, 故不無疑慮而未果云." 金夢梡以年七十八加資, 除拜五衛將而下來云. 遂如金聖瀨指示之藥, 連服輪回溺, 則似有微效耳.

1798년 4월 11일. 출발일이 닥쳐왔기 때문에 나와 본관(本官) 김이유(金履裕)는 평소에 친한 사이인데, 우연히 평수(萍水)의 타향에서 만나 옛정이 더욱 새로워졌기에 작별에 임했을 때는 어찌 한자의 글을 지어서 줌이 없을 수 있을 것인가? 대략 소회를 기술한다.

함산 천리에 쌍월이 함께 밝아서 평수에서 해후하니 옛정이 더욱 돈독하네. 어찌하여 나의 병은 봄부터 여름에 이르렀는데, 자주 고기와 술을 보내주어서 항상 감사함이 간절했소. 모이면 반드시 헤어짐이 있는 것은 이치의 당연한 것이니, 일상에서 반드시 기이하다고 말하지 않지만, 고인의 시에 만약 이별(離別) 글자가 있다면 문득 쓸쓸해져서 차마 헤어진다는 말을 읊지 못하는 자가 많네. 이것은 인정의 당연한 것이오. 또 하물며 나와 본부의 이아(貳衙)59) 어른과는 정의가 자별함에랴? 떠나고 남을 때 심신이 암담해져서 다만 칠절시를 읊어서 줄 따름이오.

數月周章一夢中　수개월 동안 배회한 것이 한바탕 꿈속이라,
呻吟恨未日相同　신음하느라 날마다 함께 못한 것 한스럽네.
人間離合何須歎　인간 세상의 이합을 어찌 반드시 한탄하리,

---

59) 이아(貳衙) : 관찰사를 보좌하는 판관이나 유수를 보좌하는 경력이 머무는 관아를 말한다.

惟仰仁聲速草風　어진 명성이 풀 위의 바람처럼 빠르길 원하네.

十一日. 以啓行隔日, 故余與本官金履裕平昔之所親, 而偶逢於萍水之他鄉, 舊情愈新, 臨別之時, 烏得無一字以贈之乎? 略述所懷.

咸山千里雙月並明, 萍水邂逅, 彌篤故情. 云胡余病自春至夏, 頻餒魚酒, 恒切感荷. 合必有離, 理所固然, 處常不必爲異, 而古人之詩, 若有離別字, 則輒以怊悵, 不忍分之語詠之者多, 此則人情所當然也. 且況余與本府貳衙丈, 情誼自別者乎? 去留之際, 心神悵黯, 聊吟七絶以贈之.

數月周章一夢中, 呻吟恨未日相同. 人間離合何須歎, 惟仰仁聲速草風.

1798년 4월 15일. 함흥에서 출발하였는데 본부(本府)의 선비 하유원(河有源)과 동행했다. 지경막까지 못 간 30리 쯤 중도에서 신도사(新都事) 이형(李珩)을 만나 잠시 호신래(呼新來)와 진퇴보를 한 후에 말에서 내려 얘기를 나누었다. 이 사람은 금년의 신방(新榜)인데 을묘생으로, 특별히 본도 도사에 제수되어 금의환향하게 된 것이다. 다시 출발하여 정평부(定平府)에 이르렀는데, 망덕서원(望德書院)이 멀지 않은 곳에 있기 때문에 곧바로 고을의 뒤쪽으로 난 소로를 통해 서원을 찾아가서 배향된 분들을 지알하였다, 제현은 곧 정포은, 정포저, 김청음, 민노봉이다. 사우는 황량하고 담장은 무너져내려 조잔한 모양이 많으니, 보기에 매우 민망하였다. 재임인 이응(李膺)과 더불어 서원의 일에 대해 자세히 물은 후에 읍내의 사처에 이르렀다. 저녁때는 비가 부슬부슬 내렸다. 부사 최명건(崔命健)이 때마침 출타했다가 황혼녘에 들어오자 곧바로 사처로 와서 한참동안 얘기를 나누었다.

十五日. 自咸興離發, 與本府士人河有源同行. 未至至境幕三十里, 而中路遇新都事李珩, 暫呼新來進退而後, 下馬酬酢. 此人則今年新榜, 而以乙卯生特除本道都事, 使之錦還也. 發至定平府, 而望德書院在不遠之處, 故逕由邑後小路尋院, 祗謁院中所配諸賢, 卽鄭圃隱趙浦渚金淸陰閔老峰也. 祠宇荒涼, 墻垣頹圮, 多有凋殘之狀, 見甚可悶. 與齋任李膺, 細問院事後, 至邑內下處. 夕時雨霏霏. 府使崔命健, 時適出他, 黃昏入來, 直到于下處, 有頃相晤.

1798년 4월 16일. 또 비가 내렸는데 잠깐 개었다가 잠깐 내리다가 했다. 주관이 비록 만류를 할지라도 읍폐(邑弊)를 생각하면 머물러 묵기가 어렵기 때문에 우비를 갖추고 출발하였다. 오후에는 비가 그쳤다. 영흥부까지 80리를 가서 유숙했다. 곧바로 동헌으로 들어가니, 본부사(本府使, 영흥부사) 김희조(金熙朝)는 채신(采薪)의 근심 때문에 망건을 벗고 이불을 뒤집어쓴 채 앉아있었는데 얘기를 나누다가 사처로 나왔다. 대접하는 것은 매우 정성스러웠으니, 과연 친지간에 두터운 자라고 말할 수 있다.

十六日. 又雨, 乍晴乍雨. 主官雖挽留, 而言念邑弊, 難可止宿, 故着雨具離發. 午後雨止, 至永興府八十里留宿, 直入東軒, 則本府使金熙朝, 以采薪之憂, 脫網擁衾而坐, 相與穩吐, 出來下處. 凡干接待, 極其款曲, 可謂厚於親知間者也.

1798년 4월 17일. 평명에 출발하여 고원까지 40리를 가서 점심을 먹었다. 군수 윤범철(尹範喆)은 일 때문에 영문(營門)에 갔기에 만나볼 수가 없었다. 오후에 출발하여 문천까지 50리를 가서 유숙했다. 주관 이상준(李尙儁)이 촛불을 밝히고 나와서 한참 얘기를 나누고 갔다.

十七日. 平明離發, 至高原四十里中火. 郡守尹範喆, 以事往于營門, 未得相面. 午後發至文川五十里, 留宿. 主官李尙儁張燭出來, 有頃相晤而去.

1798년 4월 18일. 평명에 출발하여 원산까지 50리를 간 후에 점심을 먹었는데, 본부사(本府使, 원산부사) 원의진(元毅鎭)에게 전갈을 하였다. 오후에는 출발하여 안변부의 석왕사(釋王寺)까지 60 리를 가서 유숙하면서 열성어제어필(列聖御製御筆)과 사적비문(史蹟碑文)을 봉심하였다. 또 지공·나옹·무학 세 분 화상의 영정을 보니, 그 용모가 훤칠하여 여느 승려의 형상과는 달랐으니, 이것이 과연 진본을 모사한 것인가? 대저 이 두 승려는 우리나라에 공로가 많이 있는 사람이다. 이에 당저(當宁)에 사호(師號)를 가증(加贈)하고 서원을 세워서 제향하고 있는데, 절도 이것으로 인해 다른 것과는 차별이 있게 되니, 어찌 귀하지 않겠는가!

十八日. 平明離發, 至元山五十里中火, 傳喝于本府使元毅鎭. 午後發至安邊府釋王寺六十里留宿, 奉審列聖御製御筆及史蹟碑文. 又看指空懶翁無學三和尙影幀, 則其容貌魁偉, 異於凡僧之形, 未知此果眞本所模得者耶? 蓋此二僧, 多有功助於我國者也. 玆以當宁加贈師號, 建院致享, 寺亦緣此而與他自別, 豈不貴哉!

1798년 4월 19일. 식후에 출발하여 빠른 길로 가다가 용주원 탄막까지 30리를 간 후에 비로소 대로로 나왔다. 말에서 내려 여점에서 잠시 쉰 후에 출발하여 고산역까지 20리를 갔는데, 해가 아직 한 가운데 있었지만 연일 달리느라 병이 더해질 것 같은 우려가 있어서 역관에서 유숙했다. 지공(支供)과 같은 일은 안변부에서 두 차례나 역참에 나와 담당했다. 함흥의 선비 한계상(韓啓商)이 상경하여 공부를 하는 일로 뒤를 따라 문천에 이르렀기 때문에 그의 나이를 물어보니 22살이라고 했다. 이미 먼 시골에 살고있는데다 나이 또한 젊은데도 천리 길을 발섭하니, 그의 뜻한 바를 보면 가상하다고 할 수 있다. 이 사람은 동행하는 하유원의 처사촌이라고 한다. 또 선비 주형조(朱亨祖)가 역관으로 찾아왔기 때문에 그의 사는 곳이 멀거나 가까운지를 물어보니, 이곳으로부터 10리쯤된다고 하며, 함흥에서 안변으로 이사했다고 했다. 내가 체증으로 미음을 먹고 있는 모습을 보고는 약쑥 약간을 올리면서 말하길,

"이곳의 쑥은 본디 품질좋은 것으로 일컬어지고 있으며 배꼽에 뜸 뜰 때 사용합니다."라고 하니, 그 마음이 아름답다.

十九日. 飯後離發, 自捷路行至龍珠院炭幕後三十里, 則始出大路矣. 下馬少憩于旅店, 發至高山驛二十里, 則日猶當午, 而連日驅馳, 似有添病之慮, 留宿于驛館. 支供凡節, 安邊府兩次出站當之耳. 咸興士人韓啓商, 以上京做工事, 從後追至于文川, 故問其年則二十二歲云. 旣居遐鄕, 年且少而能作跋涉千里之行, 究其所志, 足爲可尙, 此人則同行河有源之妻四寸云. 又有士人朱亨祖來見于驛館, 故問其所居遠近, 則此去爲十里許, 而自咸興移居于安邊云. 看余以滯症服米飮之狀, 以藥艾少許進之曰, "此土之艾, 素稱品好, 用於灸臍之時云." 其心可嘉.

1798년 4월 20일. 평명에 출발하여 회양부까지 60리를 가서 점심을 먹었는데, 본부사 이우진(李羽晉)은 원영(原營)에 출장을 갔기 때문에 만나볼 수 없었고, 그 아우 익진(翼晉)이 금강산에 유람을 갔다가 좀전에 들어왔다고 했다. 먼저 전갈을 하고 출발할 때 잠깐 얼굴을 보고 헤어졌다. 오후에 출발하여 신안역까지 30리를 가서 유숙했다.

二十日. 平明離發, 至淮陽府六十里中火, 而本府使李羽晉出去原營, 故未得相面, 其弟翼晉自金剛山遊翫之行, 俄始入來云. 先爲傳喝, 臨發時雲面而分. 午後發至新安驛三十里留宿.

1798년 4월 21일. 평명에 출발하여 창도역까지 40리를 가서 점심을 먹고, 오후에는 출발하여 진수역까지 40리를 가서 유숙했다.

二十一日. 平明離發, 至昌道驛四十里中火, 午後發至眞水驛四十里留宿.

1798년 4월 22일. 평명에 출발을 하여 금화현까지 40리를 가서 점심을 먹었는데, 주관 민치겸(閔致謙)과 더불어 잠시동안 막힌 회포를 펼쳤다. 오후에는 출발하여 풍전역까지 50리를 가서 유숙했다.

二十二日. 平明離發, 至金化縣四十里中火, 與主官閔致謙, 暫敍阻懷. 午後發至豐田驛五十里留宿.

1798년 4월 23일. 평명에 출발을 하여 영평현의 양문역까지 40리를 가서 점심을 하고, 오후에 출발하여 포천현의 시기역까지 30리를 가서 유숙했는데, 해가 아직 저물지를 않아서 홀로 말을 타고 읍내로 들어가서 김봉조하(金奉祖賀)를 배알하니, 환후가 매우 심하여 수작할 길이 없었다. 그 노인의 병을 생각하면 매우 가련하다. 나와서 주관 김동선(金東善)과 더불어 한참동안 얘기를 나누고 역점으로 왔다.

二十三日. 平明離發, 至永平縣梁門驛四十里中火, 午後發至抱川縣市基驛三十里留宿, 而日尙未暮, 以單騎入去邑內, 拜謁金奉祖賀, 則患候添劇, 末有酬酢之道, 念其老人之病, 極爲可悶. 出與主官金東善, 有頃相晤而出來于驛店.

1798년 4월 24일. 조명(早明)에 출발하여 양주의 녹양역까지 50리를 가서 점심을 먹고, 오후에 출발하여 신문 밖의 주인집까지 60리를 가니, 해가 막 넘어가고 있었다. 대저 병든 몸을 부여잡고 천리길을 왔는데도 오히려 병증이 더해지지 않은 것은 음식을 배나 절제하고, 연속해서 미음을 먹은 것 때문이다. 원기는 비록 사그라졌어도 체병은 더해지거나 감해지지 않았으니, 자기 오줌을 복용한 효과 때문이다.

二十四日. 早明離發, 至楊州綠楊驛五十里中火, 午後發至新門外主家六十里, 則日方向夕. 蓋扶病千里, 猶不添症者, 倍節飮食, 連服米飮, 元氣雖消鑠, 滯病則不加不減意者, 以其服自己溺之效也.

1798년 4월 26일. 종제가 창재(昌齋)로부터 와서 정답게 막힌 회포를 풀었다. 또 가서를 보니 비록 평보이기는 하지만 생계가 매우 어렵다고 하니 답답하다. 석사 전광정(全光鼎)이 찾아왔기 때문에 우스갯소리로 책망하길, "금년에도 어찌하여 합격하지 못했는가?"라고 하자 답하길, "재주가 부족하고 운수가 기구해서 그렇습니다."라고 하였다. 그의 시하(侍下)의 사정을 생각하면 진실로 매우 가련하다. 약간의 어곽으로 이웃의 궁박한 친구에게 정을 표하자니 도리어 얼굴이 화끈거렸다.

二十六日. 從弟自昌齋來到, 穩敍阻懷. 且見家書, 則雖平報而生計極艱云, 可悶. 全碩士光鼎來見, 故以戲言責之曰, "今年又何不登第耶?" 答以"才不足數亦奇云." 言念其侍下情勢, 誠極悶憐. 以若干魚藿表情于比隣之窮交, 而旋爲赧然.

1798년 4월 29일. 함흥의 서방 박종심을 전송하는데, 각처에서 부쳐온 짐에 대한 답장편지도 거두어서 보냈다.

二十九日. 傳送咸興朴書房宗心, 所付之卜物于各處而收送答札.

II
휴직 시기

1. 1798년 일기(하)

1798년 5월 1일. 선달 박이각(朴履珏)이 찾아와서 반나절동안 얘기를 나누다가 갔다. 본읍 사람 편에 고향으로 보내는 편지를 부쳤다.

五月初一日. 朴先達履珏來見, 半日相晤而去. 本邑人便付送鄉書.

1798년 5월 3일. 종제가 온릉(溫陵)[60]에 임명되었는데, 창재로 갈 때 와서 얘기를 나누다가 갔다.

初三日. 從弟差除溫陵, 出去昌齋時來晤而去.

1798년 5월 4일. 나의 병증 때문에 홍양의 지욱호(智郁浩)에게 가서 말을 해보니, 비록 서로 알지 못한 사이일지라도 수작하는 것이 물 흐르듯 하였다. 교가오적산(交加五積散) 10첩의 약방문을 지어주니, 또한 그 사람의 마음가짐이 평순한 것을 볼 수 있다. 주인더러 지어오게 해서 5첩을 달여 먹으니 조금은 효과가 있는 것 같다. 대변은 끝내 냄새가 심한 것이 많이 배출되니, 이 증세는 곧 냉증과 서습이 체해서 그런 것이 아닌가?

初四日. 以余病祟, 往言于洪陽智郁浩, 則雖不相識之間, 而酬酢如流, 題給交加五積散十貼, 亦可見其持心之平順矣. 使主人製來煎服五貼, 則似有微效, 大便之終多出漚糞, 此症無乃冷與暑濕之滯耶?

1798년 5월 6일. 도사 윤의동(尹毅東)과 생원 구동(久東)·지동(趾

---

60) 온릉(溫陵) : 경기도 양주시에 있는, 조선 중종의 원비 단경왕후신씨(端敬王后慎氏)의 능이다. 단경왕후 신씨는 1506년 반정으로 중종이 등위하자 왕비로 책봉되었으나 7일 만에 폐출되었다. 그 후 승하하자 친정인 신가묘역(慎家墓域)에 묻혀 있다가 1739년(영조 15)에 복위되면서 묘호(廟號)를 단경(端敬), 능호(陵號)를 온릉으로 하였다.

東)의 내간상을 조문하였는데, 좌유선(左諭善)은 이때 관현에 있기 때문에 가서 위로하지 못했다. 오는 길에는 판서 김재찬(金載瓚)과 그의 아우 재호(載瑚) 및 참봉 서협수(徐協修) 어른을 방문하고 왔다.

初六日. 往弔尹都事毅東生員久東趾東之內艱, 左諭善則時在館峴, 故未及往慰. 歷訪金判書載瓚其弟載瑚徐參奉協修丈而來.

1798년 5월 8일. 차동에 사는 참판 민태혁(閔台赫)에게 가서 여러 달 동안 병에 걸려있는 것을 물었는데, 이때 마침 그의 아우 두혁(斗赫)도 자리에 있었기 때문에 대략 막힌 회포를 펼쳤고, 오는 길에 교리 박길원(朴吉源)을 방문하고 왔다. 이웃에 사는 정언 심반(沈鍪)은 이미 내간상을 당했는데 또 갑자기 아내상을 당했으니, 부자가 모두 홀아비가 되었다. 형세 또한 가난하니, 그 생계를 생각하면 참혹하기가 차마 볼 수 없다. 이것이 이른바 '재앙은 한 가지만 생기지 않는다'는 것이다. 뱃속의 울체증이 함주에 있을 때에 비해서는 비록 조금 감해진 것은 있지만, 항상 불평하기 때문에 연속해서 자기수(自己水)를 마시고 또 약쑥으로 배꼽 위에 뜸을 뜨니, 비록 한량한 계절일지라도 오히려 감내하기 어려운 것을, 하물며 이처럼 매우 더운 시기임에랴? 저번 때 몸 붙여 살 곳이 없던 날에 첨지 조세웅(曺世雄)이 은혜롭게 나를 도와준 일이 많이 있었기 때문에 북포 1필과 어곽 약간을 가지고 대략 잊지 않은 마음을 표했다. 산승인 최린(崔璘)도 또 정성스럽게 혜택을 줌이 있었기 때문에 포필로 보답해 주었다. 대개 이 두 사람이 나에게 준 은혜에는 비록 우열이 있기는 하지만 보답할 만한 처지에서는 어찌 잊을 수 있겠는가? 관황(官況)이 박한 것으로 인해 나의 뜻을 이루지 못하니, 매우 한탄스럽다.

初八日. 往問車洞閔參判台赫累月沈病, 時適其弟斗赫在座, 故略敍阻懷, 歷訪朴校理吉源而來. 隣居沈正言鍪, 旣遭內艱, 又忽叩盆, 父子俱

鰥, 勢且貧窶, 想其生計, 慘不忍見, 此所謂禍不單行也. 腹中滯鬱之症,
比於在咸州之時, 雖有少減, 而常常不平, 故連飲自己水, 又以藥艾薰灼
于臍中, 雖寒涼之節, 猶且難耐, 況此極熱之時乎? 曩時棲遑之日, 曺僉
知世雄, 多有恩助於我, 故以北布一匹魚藿少許, 略表不忘之心. 山僧崔
璘亦有款曲之惠, 故以布匹贈之. 蓋此兩人之於我恩雖有優劣, 而若當可
報之地, 則何可忘乎? 緣於官況之薄, 未遂所志, 可歎可歎.

1798년 5월 11일. 부장 이의홍(李宜弘)과 석사 전광정이 찾아왔
는데, 모두 이런 무더운 계절을 당해서 몸에 걸칠만한 것이 없다고
하니, 듣기에 매우 민망하였다. 이형에게는 북쪽에서 가져온 척포
(尺布)를 주었고, 전우(全友)에게는 입었던 헤진 바지를 풀어주었다.
이 일은 일기중에 기록할만한 것은 아니지만, 자손 중 이것을 보는
자가 혹시라도 내 마음을 본받음이 있을 것이기 때문이다. 신문 밖
에 살던 길주인(吉主人)이 문안의 개양문(開陽門) 앞으로 이사를 하
였는데, 그의 거처가 전의 집에 비해 훤하여 크게 나았다. 그러나
내가 거처하는 곳은 비좁고 낮아서 몸을 움직이기 어렵다. 이런 무
더운 날에는 곧 병이 더해지는 하나의 단서이니, 답답하다. 장차
소매를 떨치고 귀향을 하고 싶지만 날이 이처럼 더운 데다 병 또
한 아직 남아있기 때문에 뜻을 이루지 못하고, 우선 장한이 강동으
로 돌아갈 때61)를 기다리고 있을 따름이다.

十一日. 李部將宜弘全碩士光鼎來見, 而皆當此炎節身無可着云, 聞極
悶然. 李兄則贈以北來之尺布, 全友則解贈所着之弊裙, 此事不足記之於
日記中, 而子孫之看此者, 或有效余之心故耳. 新門外吉主人, 移徙于門
內開陽門之前, 而渠之所居, 比前之家軒暢大勝, 而余之所住處, 則狹窄
卑奧, 難可容身, 當此炎熱, 是乃添病之一端也, 可悶. 將欲拂袖歸鄉, 而

---

61) 장한이 강동으로 돌아갈 때 : 진(晉)나라 장한(張翰)이 가을바람을
   맞고는 고향의 농어회 생각이 나서 벼슬을 그만두고 돌아갔던 고사
   가 있다. 『世說新語 識鑑』

日熱如此, 病又尙爾, 故未果遂意, 姑待張翰歸江東之時耳.

1798년 5월 12일. 석사 임백겸(任百謙)이 찾아와서 잠시 얘기를 나누다가 갔다. 선달 박이각도 찾아왔다.

十二日. 任碩士百謙來見, 少頃相晤而去. 朴先達履珏亦來見.

1798년 5월 14일. 아침에 낙동(駱洞)에 가서 판서 서매수(徐邁修)를 뵙고 그가 가자된 것을 축하하였다. 듣기에 승지 어용겸(魚用謙)은 궐내에 들어갔다고 하기 때문에 보지 못하고 왔다. 벗 박이각의 말에 "흰소금 2되와 밀가루 5홉을 가지고 자염한 것을 가루로 만들고, 밀가루 풀과 섞어서 환을 만들되 콩만한 크기로 하여 따뜻한 물이나 술로 때때로 공복에 삼키면 냉체와 그밖의 증세가 사그라질 수 있습니다. 어떤 사람도 이 환을 복용하여 뱃속에 응체된 것이 쾌히 사그라졌고, 지금은 밥을 많이 먹어 살이 쪘습니다."라고 하기 때문에 나도 이러한 소금환을 만들어서 연일 복용하지만 효과가 있는지는 모르겠다.

十四日. 朝, 往見駱洞徐判書邁修, 而賀其加資, 聞魚承旨用謙入闕內云, 故未見而來. 朴友履珏言曰, "以白鹽二升眞末五合, 煮鹽作細末, 雜以眞末之糊交合作丸, 如太之大, 以溫水或酒, 時時空心呑下, 則冷滯與他症可以消散, 有人服此丸而腹中凝滯快爲消解, 今則多飯肥己云." 故余亦作此鹽丸, 連日服之, 未知得效否.

1798년 5월 15일. 오늘은 나의 좌재일(坐齋日)이다. 엎어져서 신음하는 중에 백감(百感)이 더해졌다. 본읍 사람인 김준득(金俊得) 편에 가서를 부쳐보냈는데, 과연 가내는 무고하고 제사는 잘 지내고 있는지 모르겠다. 홀로 천 리 먼 서울에서 앉아있으면서 멀리 남쪽하늘을 바라보자니, 다만 저절로 서글퍼질 따름이다. 날이 한창 가뭄이 심해서 모내기가 때를 어기게 되니, 나라를 걱정하고 집안을 근심하는 염려가 없을 수 없다. 그러나 남쪽에서 들려오는 소식을 들으면 잠깐 소나기가 내려서 물이 있는 곳에서는 간간이 이앙을 하였고, 천수답의 경우에는 전혀 이앙을 하지 못했다고 한다. 내가 사는 곳은 모두 하늘에서 떨어지는 물에 의지해서 이앙을 하는 곳이다. 생각건대 반드시 이앙할 방도가 없을 것이니, 이 어찌 연해지방이 연속해서 재앙을 입은 것이 이와 같단 말인가?

十五日. 卽余之坐齋日也. 伏枕呻吟之中, 百感愈增. 本邑人金俊得便, 付送家書, 果未知家內無故, 而齋戒爲饍耶? 獨坐千里之洛城, 遙望南天, 只自感愴而已. 日方亢旱, 移種愆期, 不無憂國憂家之慮, 而卽聞南來風信, 則以霎時驟雨, 有水根處則間間移秧, 而如奉天之畓, 則全不移種云. 余之所居處, 皆是以天落水賴而移種之地也. 想必無可移之道, 是何沿海之荐被災殄若此耶?

1798년 5월 16일. 비가 내릴 것처럼 하늘에 구름이 가득하고, 빗방울이 간혹 떨어지기도 했지만 먼지도 적시지 못했다. 그러나 저 하늘이 어찌 한바탕 비를 내려주어서 억만의 생령을 살리지 않을 것인가? 우두커니 앉아서 농가의 일을 생각하니, 삽을 멘 농부들이 밭두렁을 서성일 것인지라 무지개를 바라는 탄식이 배나 더 간절할 따름이다. 이 때문에 성상께서는 농사가 때를 어긴 것을 진념하시어 산천에 기우제 지낼 것을 명하셨으니, 산천의 신령도 감응해주어서 우리 성상께서 구중궁궐에서 밤낮으로 근심함을 풀어줄 것이다.

十六日. 有雨意而滿天密雲, 銀鈴或下, 塵亦不浥. 然而皇天何不霈然下雨, 以活億萬生靈耶? 塊坐默想田家之事, 則荷鋪農夫彷徨田疇, 倍切望霓之歎而已. 是以聖上軫念民事之違時, 命祈雨于山川, 山川之神庶幾歆感, 以解我聖上九重宵旰之憂也.

1798년 5월 17일. 오늘은 선고(先考)의 제삿날이다. 새벽에 일어나 근심스레 앉아있자니 눈물이 양쪽으로 흐르며 슬픈 마음을 이길 수 없었다. 이날 검은 구름이 하늘에 가득하더니 가는 비가 때로 내리며 점차 더 쏟아질 것 같았다. 그래서 앉아서 구름 빛깔을 보니, 비를 머금은 것 같아서 마음이 조금 내려갔다. 얼마 안 되어 구름이 걷히고 청천에 햇빛이 쨍쨍했다. 그러나 하늘의 모습을 올려다보니 아직 개지는 않았다.

十七日. 卽先考諱日也. 曉起悄坐, 涕泗交頤, 不勝感愴. 是日黑雲滿空, 細雨時下, 似有滂沱之漸, 而坐看雲色, 而有含雨之意, 心乃稍降矣. 俄而雲捲, 靑天日光杲杲, 而仰觀天象, 猶不開霽矣.

1798년 5월 18일. 오시에는 가는 비가 뿌렸지만 두루 적시는 혜택은 없었다. 인심이 목마른 것 같음이 곡식 종자가 타들어가는 것과 같을 뿐만이 아니지만, 하늘이 하는 일이니 어쩌겠는가? 이날 저녁때 김처량(金處良)이 배알하기 때문에 자세하게 남쪽의 농사 형편을 물어보니, 본현은 다행히 때맞은 비가 내려주어서 거의 이앙을 끝냈고, 이웃 고을도 그렇다고 했다. 비록 지극한 다행이지만 경기와 충청 두 도는 비가 두루 적시도록 내리지 못하여 농사가 시기를 놓치는 탄식을 면하지 못했다. 때는 오월도 장차 저물어가니, 농사 시기가 매우 늦어진 것이다. 아무리 생각해보아도 앞으로의 생계가 매우 한심할 것이니, 어찌 답답하지 않을 것인가?

十八日. 午時, 細雨霏灑, 而無周洽之澤, 人心之如渴, 不啻若穀種之焦枯, 而天之所爲, 奈何奈何? 是日夕時金處良來謁, 故細問南土農形, 則本縣幸得時雨, 幾盡移種, 而隣邑亦然云. 雖極萬幸, 京畿忠淸兩道, 則雨未周洽, 民事未免愆期之歎. 時維五月將晦, 農期太晚. 言念元元來頭之生計, 大可寒心, 豈不悶哉?

1798년 5월 19일. 체증 때문에 약을 먹을 때 어떤 사람이 와서 고하길, '창의문 밖의 옥천암(玉泉菴) 앞에 석간수가 있는데 5~6일

동안 마시면 체증이 반드시 낫는다'고 하였고, 또 그 물을 마시고
병이 나은 사람이 입증을 하였다.

　十九日. 以滯症飮藥之時, 有人來告曰, '彰義門外玉泉菴前石間之水飮
之五六日, 則滯症必差云.' 又以飮其水, 病差之人立證故.

　1798년 5월 20일. 때문에 이른 아침에 선달 박이각과 동행하여
옥천암에 이르고서 잠시 휴식을 취한 후에 약수물이 나오는 곳으
로 향해가는데, 돌길이 울퉁불퉁하여 비록 멀지는 않을지라도 오르
내리기가 매우 어려웠다. 앉아서 물이 나오는 곳을 보니, 큰 바위
속에서 수맥이 신죽(臣竹)과 같은 크기로 용출하길 쉬지 않고 있
다. 기이한 일이도다! 대나무 통을 물구멍에 꽂아서 그릇에 받고
서너 대접을 마셨는데, 그 맛이 물리지 않고 달짝지근하며 차지 않
았다. 남녀들이 무리를 이루어 계속해서 끊어지지 않고 오는데, 어
떤 사람은 새벽에 오는 자도 있고 어떤 사람은 바위 아래에서 유
숙한 자도 있다. 나는 두 밤 동안 암자에서 유숙하였는데, 연속 사
흘동안 마신 물 숫자를 대략 계산해보니 50~60 대접은 되었다.
뱃속의 체기에 현저히 동정이 있고, 흰 가래 한 덩이가 기침을 통
해 나오더니 가슴의 답답함이 해소되는 뜻이 있는 것 같았다. 그
사람의 말이 과연 허황한 것이 아니며, 물이 약이 된다는 것은 더
욱 기이한 일이다.

　二十日. 早朝, 與朴先達履珏同行, 至玉泉菴, 暫爲休息後, 將向藥水
所出處, 而石路崎嶇, 雖不甚遠, 升降極難. 坐看水之所自出, 則大岩
中水脈, 如臣竹之大, 湧出不息, 異哉異哉! 揷竹箏于水穴, 灌注于器,
飮之數三椀, 而無厭其味溫甘不寒. 男女成群絡繹不絶, 或有凌晨而至者,
或有留宿于岩下者. 余則二夜留宿于菴, 連三日所飮之水, 槪計其數幾至
五六十椀矣. 腹中所滯顯有動靜, 而白痰一塊從唾自出, 胸臆之盂, 似有
疏解之意. 其人之言, 果非虛誕, 而水之爲藥, 尤可異也.

1798년 5월 22일. 저녁때 무악산을 넘어서 성 아래로 난 지름길을 통해 주인가에 들어왔다.

二十二日. 夕時踰于武岳, 由城下捷徑, 入來主家.

1798년 5월 23일. 가는 비가 내리다가 그치다가 하였지만 아직 먼지를 적시지도 못했고, 연일 비가 내리기는 하지만 끝내 쏟아지는 일은 없었다. 백창(白漲)의 물은 비록 적게라도 밭곡식에 이익됨이 있다지만, 거북 등처럼 갈라진 논은 물을 저장하여 이앙을 할 수 있겠는가? 이날 저녁때 김처량이 올라오는 편으로 인해서 입으로 전하는 소식을 들어보니, 본현과 이웃 고을은 다행히 소나기에 의지하여 이앙을 마쳤다고 한다. 이 말은 기쁘고 다행함이 지극한 것으로 인해서 잊고서 또 기록하고 있으니, 보는 자가 이 마음을 알 것이다.

二十三日. 細雨乍霏乍止, 猶未浥塵, 連日成霖, 終無沛然. 白漲之水, 雖少有益於田穀, 龜坼之畓, 其可貯水而移種乎? 是日夕時, 卽因金處良上來便, 得聞口傳, 則本縣與隣邑, 幸賴驟雨畢移云. 此言緣於喜幸之極, 忘而疊記之, 觀者知此心哉!

1798년 5월 26일. 김처량이 내려가는데, 빌려타고 온 말이 수영(水營)으로 바로 돌아가는 말이기 때문에 먼저 약간의 짐을 부치고 겸하여 가서를 보내면서, 돈 1민을 주어 말 빌린 값에 보태라고 했다. 이날은 종일토록 비가 내리다가 그치다가 했는데, 부친 서책이 젖어버린 일은 없는지 모르겠다.

二十六日. 金處良下去, 而賃騎水營順歸馬, 故先付如干卜物, 而兼送家書, 以銅一緡補其馬賃而給之. 是日終日或雨或止, 所付書冊未知無沾濕之弊耶?

1798년 5월 29일. 경주인이 올라오는 편에 아들의 편지를 받아보고 무고하다는 것을 알게 되었고, 또 다행히 비를 얻어서 보름전에 이앙을 마쳤다고 하니, 조금은 위로가 되었다.

二十九日. 京主人上來便, 得見家兒書, 以知無故, 而且幸得雨望前畢移云, 少可慰懷. .

1798년 6월 2일. 읍한 편에 답장편지를 부쳐보냈다.

六月初二日. 邑漢便付送答札.

1798년 6월 3일. 아침밥을 먹기 전에 병든 몸을 붙들고 도유(道儒)들이 창의록(倡義錄)[62]을 개간하는 일로 모여있는 곳에 가서 신병 때문에 진즉 와보지 못한 이유를 말하고, 술과 참외를 사서 대접해주고 왔다. 생원 이종수(李宗洙)는 인쇄하는 일이 늦어질 것 같기 때문에 오늘 먼저 내려간다고 하였다. 오는 길에 같은 도 사람들을 방문하고, 이어서 재동에 가서 장령 김회빈(金晦彬)과 막힌 회포를 풀었는데, 술과 떡을 내오기 때문에 물어보니 기일이기 때문이라고 했다. 아침 식사를 한 후에 청동(淸洞)에 가서 판서 심환지를 뵙고, 오는 길에 그의 조카 능수(能壽)를 방문하였으며, 또 직장 김이도(金履度)를 방문하고, 또 그의 판관 중씨(仲氏)와 더불어 서로 주선하는 일을 이야기했다.

初三日. 飯前扶病往道儒, 以倡義錄改刊事僉會所, 具言以身病赴未來

---

62) 창의록(倡義錄) : 『병자창의록』 중간본을 말한다. 1798년 송환기의 서문을 받아 금속활자본 5권 2책으로 간행되었다. 김재일의 7대조 김안방(金安邦, 1554~1638)은 임진왜란 때 의병장 고경명과 합세하여 왜적을 무찔렀고, 정유재란 때는 종제 김안우(金安宇, 1554~1664)와 함께 충무공 이순신을 도와 명량대첩을 이루는 데 크게 공헌하였으며, 병자호란이 일어났을 때도 종제 김안우와 차자 김연지(金鍊之, 1577~1641)를 거느리고 창의하였다가 화의가 성립되었음을 듣고 돌아왔다. 김재일은 선조들이 창의한 일을 들어 상언(上言)을 계속 올렸고, 그 결과 1801년에 창의사를 건립하여 선조들을 모셨다.

見之由, 買酒葅待之而來. 李生員宗洙, 則印役似緩退, 故今日先爲下去云. 歷訪同道諸友, 仍往齋洞, 與金掌令晦彬, 相敍阻懷, 次進酒餠故問之, 則有忌故云. 朝飯後, 往拜淸洞沈判書煥之, 歷訪其咸能壽, 而又訪金直長履度, 而且說與其判官仲氏相周旋之事.

1798년 6월 5일. 식전에 승지 어용겸(魚用謙)에게 병문안을 갔는데 부종병으로 신음하고 있어서이다. 지나면서 판서 서매수(徐邁修)에게 들러보았는데, 큰조카가 연풍 수령으로서 그 고을에서 죽었다고 말을 하니, 듣기에 매우 참담하였다. 나 또한 그 사람과는 친한 사이였고 매양 우러르며 취할만한 것이 있었는데, 갑작스레 사망하니 비참하고 안타깝다. 이날 식후부터 온종일 비가 부슬부슬 내렸고, 밤에도 또 큰 비가 내렸는데, 비록 흡족한 혜택은 얻을지라도 때가 늦었다는 탄식이 없을 수 없다. 그러나 하늘이 실로 하는 일이니 어쩌겠는가? 이처럼 6월의 왕성한 무더위 때를 당하여 연일 탕애(湯艾)로 인해 몸의 기운이 쇠해져서 조금이라도 움직이거나 걸어다닐 뜻이 없기 때문에 오랫동안 토방에 앉아있고 문밖의 일을 살피지 못했다. 오늘 듣기에 정언 심반이 그의 죽은 아내를 장례하고, 정언 민치재는 친환이 위급하다고 한다.

初五日. 食前往問魚承旨用謙, 以瘇病呻吟. 歷見徐判書邁修, 則言曰長侄以延豐宰在邑身死云, 聞極驚慘. 余亦與其人相親, 而每仰其有可取矣. 遽爾長逝, 慘且惜哉! 是日自食後竟日雨霏霏, 其夜又大雨, 雖得沛然之澤, 不無後時之歎. 然而天實爲之, 奈何奈何? 當此六月盛暑之時, 連日湯艾, 身氣消耗, 少無運動行步之意, 故長坐土軒, 不省門外之事矣. 卽聞沈正言鑿葬其亡室, 而閔正言致載以親患, 方在危遑中云.

1798년 6월 7일. 병든 몸을 부여잡고 가서 문안하고 왔다. 사는 곳이 비록 문 안팎의 구별이 있을지라도 서로의 거리를 논하자면 불과 몇 마장에 지나지 않는다.

初七日. 扶病往問而來. 居雖有門內外之別, 論其相距不過數馬場也.

1798년 6월 8일. 오늘은 곧 초복날이다. 비가 또 부슬부슬 내렸다. 선달 박이각이 비를 맞고 와서 반나절동안 얘기를 나누다가 갔다. 연일 장마로 비의 혜택이 두루 흡족하니, 높은 땅도 모두 이앙을 했다고 한다. 비록 매우 늦었긴 하지만 그래도 땅을 놀리는 것보다는 나으니 다행이다.

初八日. 卽初伏也. 雨又霏微. 朴先達履珏冒雨而來, 半日相晤而去. 連日長霖雨澤周洽, 高燥之處, 盡爲移種云. 雖爲太晚, 猶勝於白地, 可幸.

1798년 6월 10일. 가서를 보니 과연 평신(平信)인데, 5월 10일에 나온 것이다. 체증은 감해진 듯하다가 감해지지 않기 때문에 단방약에 대해 들으면 모두 사용해보았다. 혹은 북어를 걸죽하게 닳여서 마시기도 하고, 혹은 마늘을 달이고 즙을 내서 물에 타 복용하기도 했다. 대개 이 두 물건은 서체(暑滯)[63]에 이롭다고 하는데, 북어는 별로 이로움이나 해가 없고, 마늘즙은 과연 작은 효과가 있다.

初十日. 得見家書, 則果平信, 而乃五月十日出也. 滯症似減不減, 故得聞單方劑, 則皆用之, 或濃煎北魚而飮之, 或煎蒜取汁, 和其水而服之. 蓋此二物利於暑滯云. 北魚則別無利害, 而蒜汁水則果有微效耳.

1798년 6월 17일. 선달 박이각이 와서 말하길, "북청의 맹인이 상동(尙洞)에 와서 살고 있는데 술수(術數, 卜筮)가 비할 자가 없습니다."라고 했는데, 나는 본디 그런 잡술을 믿지 않지만, 마침 창동(倉洞)의 승지 박기정(朴基正)과 함께 얘기를 나눈 지가 이미 한 해가 지났기 때문에 창동으로 향해갔다. 길이 상동을 지나가기 때

---

63) 서체(暑滯) : 더위로 인하여 생기는 체증을 말한다.

문에 잠시 맹인을 만나보고 벼슬운수를 물어보니, 팔자를 미루어서 입으로 4구의 시로 말하면서 '재물 운수가 매우 좋다'고 했다. 그 말이 과연 합치되는지는 모르겠지만, 그 시에 이르길, "즐겁구나 금년 무오 가을이여, 기쁘구나 조개(皂蓋, 지방관의 수레)가 남쪽 길로 향하는구나. 그대의 행색은 무슨 즐거움을 연유하나, 쌍남(雙南)64)의 엷은 빛을 소매에 가득 담아 오리. 기미년 춘이월에 풍류 태수는 바로 공이 아니겠나? 모두가 하늘이 좋은 작위를 내릴 때 이니, 피하고자 해도 피할 수 없고 도망하고자 해도 도망할 수 없 네."라고 했다. 생각기에 이 시는 그가 지은 것이 아니고 외워서 낸 글일 따름이다. 가서 박승지와 한참동안 얘기를 나누었고, 지나 는 길에 이교(坩橋)의 박교리를 방문하였다가 석양무렵에 돌아왔는 데, 오는 길에 평동(平洞)에 들러 참판 이태영(李泰永)이 가자된 것 을 축하하고 왔다.

十七日. 朴先達履珏來言曰, "北青盲人來居于尙洞, 而術數無比云." 而余素不信其雜術矣. 適與倉洞朴承旨基正, 阻晤者已經年, 故將向倉洞, 而路過尙洞, 故暫見盲人, 而問宦數, 則以八字推之, 而口說四句詩曰, 財數極好云, 未知其言果合否, 其詩曰, "樂矣今年戊午秋, 喜哉皂蓋向南 路. 吾君行色由何樂, 雙南淡光滿袖來. 己未之年春二月, 風流太守無乃 公. 盡是天賜好爵時, 欲避不避逃不逃." 意者此詩非其所自作, 而誦出推 來之文書耳. 往與朴承旨有頃相晤, 而歷訪坩橋朴校理, 夕陽時還歸, 而 歷賀平洞李參判泰永加資而來.

1798년 6월 18일. 오늘은 혜경궁과 원자궁의 탄신일이다. 이날 은 아침부터 비가 내렸다. 나는 직위가 낮은 산관(散官)이기에 후 반(候班)의 끝에도 참석하지 못하고 홀로 앉아서 마음으로 탄식만 할 따름이다. 과거를 성균관에 설치하고 통방외(通方外)와65) 생진을 합설해서 한 사람을 취했는데 유응환(兪應煥)이 되었다.

十八日. 卽惠慶宮元子宮誕日也. 是日自朝而雨. 余以職卑散官, 未參
候班之末, 獨坐心歎而已. 設科于成均館, 通方外生進而合設之, 取第一
人, 兪應煥爲之.

1798년 6월 21일. 대정(大政)66)을 설했는데, 그때 장전(長銓)은
김재찬이고 아전(亞銓)은 이조승이며, 삼전(三銓)은 어용겸이다. 대
통(臺通)67)에 대해 공론이 이루어진 지 이미 여러 해가 지났지만
이래저래 미루다가 아직까지 실효가 없으니, 과연 이것도 시운과
관련되어서 그런지 모르겠다. 그러나 통청(通淸)68)은 애초에 하지
않았으니 이것은 피부존(皮不存, 근거할 데가 없음)과 다름이 없다.
탄식한들 어쩌겠는가? 다만 감찰 부의(副擬, 제2후보)로 색책(塞責)
할 따름이었다. 한밤중에 침상을 어루만지며 위연히 세상을 개탄하
는 뜻이 있다. 내일은 소매를 떨치고 강을 건너고 싶지만 날씨가
너무 무덥고, 병 또한 이와 같기 때문에 다음달 초에 출발할 것으
로 정할 따름이다.

二十一日. 設大政, 而其時長銓金載瓚, 亞銓李祖承, 三銓魚用謙也.
臺通公論之成已多年所, 而此年彼年尙無實效, 果未知是亦關於時與數而
然歟! 然通淸則初不爲之, 此無異於皮不存也. 歎如之何? 只以監察副擬
塞責而已. 中夜撫枕, 喟然有慨世之意. 明欲拂袖渡江, 而日熱甚酷, 病
又如是, 故以來月初完定啟行耳.

관학 유생이 아닌 사대부 집 자제에게도 응시하게 한 특례이다.

66) 대정(大政) : 도목대정(都目大政), 도목정사(都目政事)와 같은 말로,
   매년 6월과 12월에 이조(吏曹)와 병조(兵曹)에서 관리들의 성적을 고
   과(考課)하여 인사(人事)를 결정함을 이른다.
67) 대통(臺通) : 한 사람의 대간(臺諫)을 뽑을 때 세 사람의 후보자를
   추천하던 일이다.
68) 통청(通淸) : 청관(淸官)의 후보자로 선정함을 말한다.

1798년 6월 25일. 교리 박길원과 참봉 서협수 및 그의 아우 승지 서욱수에게 가서 얘기를 나누다가 왔다.

二十五日. 往與朴校理吉源徐參奉協修其弟承旨郁修, 相晤而來.

1798년 6월 29일. 밤새도록 큰비가 내렸는데, 거처하고 있는 집의 기둥이 기울어졌기 때문에 무너질까 싶어서 앉은 채 잠을 이루지 못하였다. 야심할 때 주인을 불러서 침구와 의복을 모두 싸서 내실의 협방으로 들어가 잠깐동안 얼핏잠을 잤다.

二十九日. 夜終宵大雨, 所處之舍棟宇傾仄, 恐有頹圮之患, 坐而不寐, 至夜深呼出主人, 盡裹寢具衣服, 而入于內之夾房, 少焉假寐.

1798년 7월 1일. 동풍이 불 때 가을 기운이 많이 있으니, 나그네가 먼저 서늘해짐을 깨닫는다. 사람들이 비록 더위에 고생한 모양은 없어질지라도 백곡에 대해서는 가을을 재촉한 피해가 없을 것인가?

七月初一日. 東風吹多有秋氣, 客者先覺凉. 人雖無苦炎之狀, 其於百穀得無催秋之害乎?

1798년 7월 5일. 석사 임백겸·백풍 형제가 찾아와서 병이 어떤가를 물었다. 그날 이부장이 와서 유숙하고 갔다.

初五日. 任碩士百謙百豊兄弟來見, 而問病之如何. 其日李部將來到, 留宿而去.

1798년 7월 6일. 읍한편(邑漢便)에 가서를 부치고 칠반 1개를 사서 보냈으며, 겸하여 헤진 옷 1건도 부쳤다. 듣자니 평동의 참판 이태영이 금백(錦伯, 충청도 관찰사)에 제배되어 급하게 출발한다고 하기 때문에 석양 때 가서 보고 왔다. 지나는 길에 진산쉬 이영원

(李英遠)을 방문하니 의빈도사(儀賓都事)에 견복(甄復)[69]된 지 이미 여러 날이 되었다. 서로 얘기를 나누다가 한참만에 왔다.

初六日. 邑漢便付家書, 而買送漆盤一立, 兼付弊衣一件. 聞平洞李參判泰永除拜錦伯, 而急爲治發云, 故夕陽時往見而來. 歷訪李珍山英遠, 則儀賓都事甄復已有日矣. 相晤有頃而來.

1798년 7월 13일. 판서 심환지(沈煥之), 판서 서매수(徐邁修), 참의 어용겸(魚用謙), 승지 박기정(朴基正), 장령 김회빈(金晦彬) 등을 찾아가서 대귀(大歸)한다고 고하자 모두가 안타까움을 그만둘 수 없다는 뜻으로 말하는데, 과연 진정에서 나오는 것인지는 모르겠다.

十三日. 往見沈判書煥之徐判書邁修魚參議用謙朴承旨基正金掌令晦彬, 而告以大歸, 則皆有嗟惜不已之意, 未知其果出於眞情耶?

1798년 7월 15일. 길을 출발하려고 했지만 가을볕이 아직 뜨겁고 병 또한 이와 같은 데다 데려가는 하예도 구애되는 바가 있다고 하기 때문에 20일로 미루었다.

十載紅塵裡   십년 동안 홍진 속에서,
蕭蕭惟白頭   쓸쓸하게 머리만 하얘졌네.
秋風歸故里   가을바람 맞으며 고향으로 돌아가자니,
能不愧沙鷗   갈매기들에게 부끄럽지 않으려나.
十五日. 意欲治發矣, 秋日尙熱, 病又若是, 而率去下隷亦有所拘云, 故以念日退定耳.
十載紅塵裡, 蕭蕭惟白頭. 秋風歸故里, 能不愧沙鷗.

---

69) 견복(甄復) : 나이가 많아 벼슬을 그만둔 사람이 조정의 부름에 응하여 다시 벼슬에 나가는 일을 말한다.

1798년 7월 20일. 서울에서 아침 식사를 한 후 출발을 하였는데, 데려가는 사환은 송정에 사는 이우(李友)의 노비이다. 과천 읍내까지 30리를 가서 점심을 먹고, 오후에 출발하여 사근평 탄막까지 20리를 가서 유숙했다.

七月二十日. 京朝飯後離發, 而率來使喚, 則松汀李友奴者也. 至果川邑內三十里中火, 午後發至肆覲坪炭幕二十里留宿.

1798년 7월 21일. 평명에 출발하여 이거 탄막까지 40리를 가서 점심을 먹고, 오후에 출발하여 칠원까지 50리를 가서 유숙했다.

二十一日. 平明離發, 至泥渠炭幕四十里中火, 午後發至漆院五十里留宿.

1798년 7월 22일. 평명에 출발하여 실음소까지 40리를 가서 점심을 먹고, 오후에 비를 맞으며 천안 읍내까지 30리를 가서 유숙했는데, 본관인 이노재(李魯在)와는 일찍부터 친분이 있고 그의 아우 우재(愚在)와는 특히 더 잘 아는 사이이다. 관아에 도착한 후 설사병으로 신음하고 있으니 가련하다.

二十二日. 平明離發, 至實陰所四十里中火, 午後冒雨至天安邑內三十里留宿, 而本官李魯在曾有雅分, 而其弟愚在則情好間也. 來到衙中, 以痢症呻吟, 可悶.

1798년 7월 23일. 평명에 출발하여 인주원까지 40리를 가서 점심을 먹고, 오후에 출발하여 공주 감영까지 50리를 갔는데, 오매 시장터에서 빠른 길을 통해 산성 북문으로 들어가니 때는 이미 황혼이어서 탄막에서 유숙하였다. 다음날 아침에 감사 이태영을 보려고 하니, 하인의 말에 "잡인 출입을 엄금하니 오고가는 빈객은 절대로 통자(通刺)하지 말라고 하셨습니다."라고 했다. 또 그의 종씨인 진사 이도영(李度永)에게도 편지를 써서 부치려 했지만 전할 방도가 없었다. 문밖에서 주저하다보니 피로가 매우 심하기 때문에 끝내 들어가볼 수가 없었는데, 서울에서 작별할 때 지나면서 방문하겠다는 약속을 저버리게 되었으니, 한탄스럽다.

二十三日. 平明離發, 至仁主院四十里中火, 午後發至公州監營五十里, 而自烏梅市基由捷徑, 入自山城北門, 時則日已黃昏, 留宿于炭幕. 翌朝欲見監司李泰永, 則下人言內, "閽禁至嚴, 來賓往客切勿通刺云." 且其從氏進士度永亦修書付之, 而莫由傳之. 躊躇門外, 疲惱莫甚, 故終不得入見, 虛負在京作別時歷訪之約, 可歎.

1798년 7월 24일. 느즈막이 출발하여 정천막까지 40리를 가서 점심을 먹고, 오후에 출발하여 사교 탄막까지 30리를 가서 유숙했다.

二十四日. 晚後離發, 至井天幕四十里中火, 午後發至沙橋炭幕三十里留宿.

1798년 7월 25일. 평명에 출발하여 여산 읍내까지 40리를 가서 점심을 먹고, 오후에 출발하여 삼례역까지 40리를 가서 유숙했는데, 그곳 우관(郵官) 김인채(金獜采)는 곧 이웃 고을에 사는 친구이다. 지나는 길에 만약 방문하지 않는다면 훗날 반드시 말을 할 것이기 때문에 들어갔다. 잠시 얘기를 나눈 후 저녁밥을 내왔는데, 밖에서 공적 비용으로 제공하는 것이기 때문에 쟁반 위의 반찬이 매우 한심했다. 접대가 썰렁하기 때문에 장차 탄막으로 나와버리려고 하다가 생각해보니, 저 사람이 비록 나를 저버릴지라도 내가 어찌 그 사람을 저버릴 것인가? 참고 또 참고서 그의 형이 머물고 있는 방에서 유숙했다. 말을 주고받을 때 사람을 대접하는 것이 매우 야박하다는 말로 잠시동안 입을 여니, 그 형은 크게 수치스런 기색이 있었는데, 조박(糟粕, 찌꺼기)의 예를 어찌 저 사람에게 책망할 수 있겠는가?

二十五日. 平明離發, 至礪山邑內四十里中火, 午後發至參禮驛四十里留宿, 而其郵官金獜采卽隣邑故舊也. 歷路若不訪, 則後必小有言, 故入去暫晤後, 進夕飯而自外公需供之, 故盤中饌物極爲寒心. 接待冷落, 故將欲出來炭幕, 而思之則彼雖負我, 我豈負人乎? 忍而又忍, 留宿于其兄所在房, 而酬酢之際, 以待人甚薄之說, 暫爲開口, 則其兄大有羞愧之色, 糟粕之禮何足責於彼乎?

1798년 7월 26일. 평명에 출발하여 금구 읍내까지 50리를 가서 점심을 먹고, 오후에 출발하여 태인현까지 40리를 가서 유숙했다.
二十六日, 平明離發, 至金溝邑內五十里中火, 午後發至泰仁縣四十里留宿.

1798년 7월 27일. 평명에 출발하여 정읍 읍내까지 30리를 가서 점심을 먹었는데, 주관 박정옥(朴挺玉)은 곧 젊었을 때부터 친한 친구이다. 접대가 정성스러웠고, 또 떠날 때 돈 2꿰미와 어간(魚簡, 악기명)을 주니, 이것은 비록 사소한 것일지라도 붕우지간에는 진실로 이와 같아야 하는 것이거늘 혹 그렇지 않은 자가 있으니, 대개 사람이면서 인도를 알지 못한다면 어찌 개연치 않을 것인가? 오후에 출발하여 모암 탄막까지 40리를 가서 유숙했다.
二十七日. 平明離發, 至井邑邑內三十里中火, 而主官朴挺玉卽自少親舊也. 接待款曲, 且贐二緡銅魚簡, 此雖些少, 朋友之間固當如此, 而或有不然者, 蓋人而不知人道則豈不慨然乎? 午後發至茅岩炭幕四十里留宿.

1798년 7월 28일. 비가 내려서 시간이 조금 늦은 후에 비를 맞고 장성 읍내까지 40리를 가서 점심을 먹었다. 오후에 출발하여 임곡막까지 30리를 가서 유숙했다.
二十八日. 雨, 日稍晚後, 冒雨至長城邑內四十里中火, 午後發至林谷幕三十里留宿.

1798년 7월 29일. 평명에 출발하여 작천막까지 10리를 가서 아침밥을 먹고, 늦게 나주 율정목막까지 40리를 가서 점심을 먹었으며, 오후에 출발하여 신원막까지 30리를 가서 유숙했다.

二十九日. 平明離發, 至鵲川幕十里朝飯, 晚後至羅州栗木亭幕四十里中火, 午後發至新院幕三十里留宿.

1798년 8월 1일. 평명에 출발하여 영암 덕진교막까지 40리를 가서 점심을 먹고, 오후에 출발하여 강진 석제원까지 30리를 가서 유숙했다.

八月初一日. 平明離發, 至靈巖德津橋幕四十里中火, 午後發至康津石梯院三十里留宿.

1798년 8월 2일. 말이 절뚝거리는 증상이 있어서 어렵사리 남원 상인의 세낸 말을 얻어타고 맹진까지 가서 돌려보냈다. 그날은 쌍교 시장날이라서 문득 본촌 사람들을 만났기 때문에 먼저 소식을 들을 수 있었으니 다행이다. 조금 쉰 후에 본제까지 50리를 갔는데, 촌락이 비록 옛날 때 모양이 있을지라도 죽은 사람과 태어난 사람이 서로 이어졌기에 슬픔과 기쁨이 교차하였다. 6년 동안에 이 무슨 인사의 변환(變幻)이 이와 같단 말인가? 이웃마을에 사는 족인들이 일제히 모여들어서 서로 막힌 회포를 펼쳤다.

이웃의 친구들이 날마다 내방하여 소요하면서 석달의 가을을 다 보냈다.

9월에야 처음으로 장포(場圃)를 쌓았는데, 곡물이 등장한 수를 헤아려보니 흉년을 면하지 못하겠다. 숫자가 많은 가족들이 군급한 모양이 많을 것 같으니, 답답하다.

初二日. 以馬有蹇症, 艱得南原商人貰馬, 至孟津還送, 而其日雙橋市也, 忽逢本村諸人, 先聞消息, 可幸. 少憩後至本第五十里, 則村落雖有 舊時模樣, 死生相仍, 悲喜交切. 六年之間, 是何人事之變幻若此耶? 隣 里諸族, 一齊來會, 相敍阻懷. 鄕隣故舊, 連日來訪, 逍遙度三秋. 九月始 築場圃, 而黙料穀物登場之數, 則未免歉歲. 數多家衆似多窘急之狀, 可 悶.

1798년 10월, 11월. 따뜻한 날이 많고 추운 날은 적었지만 신 병이 아직 다 낫지를 않았기 때문에 10리 땅을 나갈 수 없으니, 이 또한 한 가지 탄식할만한 일이다.

十月至月. 暖多寒少, 而身病猶未快祛, 故不得出十里地, 是亦一歎事 也.

1798년 12월. 선달 박증백이 상경하는 편에 좌랑 재종제에게 편지를 부치고 겸하여 각처에 보내는 편지도 부쳤다.

十二月. 朴先達增白上京便, 付書于佐郎再從弟, 而兼付各處書.

2. 1799년 일기

1799년 1월. 재종제가 보내온 답장편지를 받아보니 자여우승(自如郵丞)의 수망에 들어 낙점을 받았다고 한다. 다행이고, 나는 전적(典籍)에 들었다고 한다. 그때 장전은 판서 김문순(金文淳)이고, 아전은 이경일(李敬一)이며, 삼전은 임희존(任希存)이라고 한다. 20일 후에는 청계(淸溪)에 도착하여 죽거나 산 사람에게 조문을 하고, 지나가는 길에 비곡(比谷)의 생원 민치빈을 방문했으며, 또 그 동네 사람들을 찾아보고, 다음날 영암 영계(永溪)로부터 송정(松汀)에 가서 지난날에 부모상을 당한 사람을 잠시 위로하고 왔다.

己未正月. 得見再從答札, 則以自如郵丞首望蒙点云. 可幸, 而余則入於典籍云. 其時長銓金判書文淳, 亞銓李敬一, 三銓任希存云耳. 念後到淸溪, 弔死問生, 歷訪比谷閔生員致彬, 又見其洞內諸人, 而翌日自靈巖永溪至松汀, 暫慰往者遭艱而來.

1799년 2월 8일. 장촌의 숙모께서 숙환이 점점 심해졌다.
二月初八日. 長村叔母宿患漸劇.

1799년 2월 13일. 그러더니 갑자기 세상을 떠나셨다. 자신은 나이가 이미 85세인 데다 또 자손도 많이 있으니, 과연 영상(榮喪)이라고 말할 수 있겠다. 그러나 더욱 슬퍼할만한 점이 있는 것은 재종 미겸(美兼)이 과연 오랫동안의 소원을 이루게 되었지만 반년도 녹봉의 봉양을 못해본 것이니, 매우 애통한 일이다.

十三日. 奄忽棄世. 自家則年旣八十有五, 而又多子孫, 可謂榮喪, 而尤有慘切處, 再從美兼, 果遂積年之所願, 而未得半年分廩之養, 痛哉痛哉!

1799년 3월 10일. 산천을 유람하는 일로 길을 떠났고, 비곡에 도착하여 유숙했다.

三月初十日. 以遊山行, 行到比谷留宿.

1799년 3월 11일. 오시에 강진의 월남 탄막에서 말에게 먹이를 먹이고, 오후에 영암군에 이르러 태수 송문술(宋文述)을 찾아가서 그의 아들 상을 위문하고 유숙했다.

十一日. 午時秣馬于康津月南炭幕, 午後至靈巖郡見太守宋文述, 慰問其喪子而留宿.

1799년 3월 12일. 말에게 병이 난 것으로 인해 장암(場巖)에 사는 찰방 문찬규(文粲奎)의 집으로 가서 연침하며 정답게 얘기를 나누었다.

十二日. 以馬病發至場巖文察訪粲奎家, 而連枕穩話.

1799년 3월 13일. 나주 창허리 탄막에서 말에게 먹이를 먹이고, 오후에 출발하여 광주 흘산 주막까지 80리를 가서 유숙했다.

十三日. 秣馬于羅州昌虛里炭幕, 午後發至光州屹山酒幕八十里留宿.

1799년 3월 14일. 아침에 출발하여 읍내에 이르러서 광주목사 남인구(南獜耉)를 방문하니, 은근하고 정성스럽게 대접을 해주었다. 또 관마(官馬)까지 빌려주어 담양까지 50리를 가게 되었으며, 겸하여 전별금으로 2꿰미의 돈도 주었다. 그 사람은 승지 남공철(南公轍)의 조카이다. 같은 날 담양부사 김이규(金履鍙)를 찾아갔는데, 기쁜 얼굴로 영접해주고 약간의 물건도 주었는데, 남자 빗갑 1건과 여자 빗갑 1건, 생청 1되, 남초 1근, 마태 1말, 백미 1말, 마철

1부, 돈 2민 등이다. 과연 평소의 친의(親誼)를 잊지 않았다고 말할 수 있겠다.

十四日. 朝發至邑內, 訪其牧使南獜耉, 則殷勤款接, 又借官馬, 至潭陽五十里, 而兼贐二緡銅. 其人則南承旨公轍之侄也. 同日見潭陽府使金履銈, 則欣然迎接, 凡干物種, 則男梳匣一件, 女梳匣一件, 生清一升, 南草一斤, 馬太一斗, 白米一斗, 馬鐵一部, 錢二緡也. 可謂不忘平昔之親誼矣.

1799년 3월 15일. 식후에 출발하여 순창의 맛암 탄막까지 60리를 가서 유숙했다.

十五日. 食後發至淳昌麻叱巖炭幕六十里留宿.

1799년 3월 16일. 아침에 출발하여 임실현의 가단역까지 30리를 가서 말의 먹이를 먹이고, 다시 읍내까지 40리를 가니, 해는 겨우 정오를 지나고 있었다. 주관(主官) 이영주(李英胄)가 전주행을 갔다가 저녁때에야 관에 돌아왔기 때문에 곧바로 들어가서 잠시동안 막힌 회포를 펼치고 사처로 나오니, 지공(支供)하는 범절이 과연 성찬이라고 할 수 있었다. 다음날 출발하려고 했지만 굳세게 만류하기 때문에 유숙했다.

十六日. 朝發至任實縣柯坍驛三十里而秣馬, 晚後至邑內四十里, 則日纔過午矣. 主官李英胄以全州行, 夕時還官, 故卽爲入見, 而暫敍阻懷, 出來于下處, 則支供凡節, 可謂盛饌. 翌日欲發, 堅挽留宿.

1799년 3월 18일. 출발할 때 준 물건은 돈 10꿰미와 백지 2묶음, 건시 1접, 생청 1되, 남초 1근, 마철 1부 등이다. 후하게 전별을 하는 것을 보니, 그 사람의 정이 더욱 두터움을 알 수 있다. 같은 날 출발하여 맛암 탄막까지 70리를 가서 유숙했다.

十八日. 發行時所惠物種, 則錢十緡, 白紙二束, 乾柿一貼, 生清一升,南草一斤, 馬鐵一部也. 觀於厚贐, 益知其情之厚矣. 同日離發至麻叱巖炭幕七十里留宿.

1799년 3월 19일. 담양부까지 60리를 가니, 크게 바람이 불고 비가 내리기 때문에 이로 인해서 연속 나흘 동안 머물러 있었다. 본관의 정성스런 접대가 오래되어도 쇠하지 않으니, 그 정의 친밀함을 알 수 있다.

十九日. 至潭陽府六十里, 而大風且雨, 故緣於滯雨, 連四日淹留. 本官之款接, 久而不衰, 可知其情之密矣.

1799년 3월 23일. 길을 출발하여 광주까지 50리를 가서 유숙했다. 또 그 목사를 만나보았을 때는 거의 밤 초경 무렵이었기 때문에 남여를 명하여 나왔다.

二十三日. 離發至光州五十里留宿, 而又見其牧使時, 則夜幾初更, 故命籃輿出來.

1799년 3월 24일. 아침에 출발하여 영암의 장암까지 120리를 가서 생원 문술연(文述淵)의 집에서 유숙했는데, 그 사람이 마침 집에 없어서 만나지 못했기에 한탄스럽다. 다음날은 또 비 때문에 막혀있었다.

二十四日. 朝發至靈巖場巖一百二十里, 而留宿于文生員述淵家, 其人則適違未面可歎. 翌日又雨且滯.

1799년 3월 26일. 식후에 출발하여 맹진 원덕리에 사는 김처량의 집에 이르러 말의 먹이를 먹였는데, 노정은 60리를 간 것이다. 오후에 집까지 20리를 왔는데 날은 이미 황혼이었다.

〈滯雨留潭陽時, 聊吟七絶二首, 贈本府使金履鐘〉 비 때문에 담양

에 머물고 있을 때 칠절시 2수를 읊어서 부사 김이규에게 주다

春風策馬到秋城　춘풍에 말을 몰아 추성에 도착하니,
太守慇懃最有情　태수의 은근한 대접 그 정이 최고이네.
鳥下公庭群鶩退　새들 내려앉은 관청 뜰에 오리들 물러가고,
八州治政一心淸　여덟고을 다스림은 한 맘으로 맑아라.

秋城春雨滯歸人　추성에서 봄비 때문에 돌아갈 사람 막혔는데,
獨夜殘燈耿耿親　외로운 밤 잔등 불빛에 친함은 경경하네.
皇天亦解主官意　황천도 주관의 뜻을 이해하고,
甘霈滂沱正得辰　단비를 흠뻑 내려주니 바로 때를 얻었네.

二十六日. 食後發至孟津元德里金處良家而秣馬, 路程則六十里也. 午後到家二十里, 日已黃昏矣.

滯雨留潭陽時, 聊吟七絶二首, 贈本府使金履銈.

春風策馬到秋城, 太守慇懃最有情. 鳥下公庭群鶩退, 八州治政一心淸.

秋城春雨滯歸人, 獨夜殘燈耿耿親. 皇天亦解主官意, 甘霈滂沱正得辰.

1799년 5월 10일. 오늘은 곧 태종대왕의 제삿날이다. 이날은 매양 비가 내리기 때문에 이미 농민들이 서로 말하길, “매년 이날에는 반드시 비가 내리기 때문에 이름을 ‘태종우’라고 하는데, 금년이라고 어찌 유독 그러지 않을 것인가?”라고 하였다. 석양무렵에 과연 비가 내렸다.

五月初十日. 卽太宗大王忌辰也. 是日每雨, 故已與農人相語曰, “每年是日必雨, 故名曰太宗雨, 今年何獨不然乎?” 夕陽時果然雨下.

1799년 5월 11일. 큰비가 주룩주룩 내려서 모내기에 때를 어기는 근심이 없게 되었으니, 지금의 상황으로써 보면 가을 추수가 풍년임을 점칠 수 있다.

十一日. 大雨滂沱, 移種無愆期之患, 以今觀之, 可占秋事之登矣.

1799년 5월 16일. 본쉬 홍대연(洪大淵)이 찾아와서 반나절동안 정답게 얘기를 나누었다. 촌가에서의 접대가 갑작스레 뜻대로 하기가 어렵기에 대략 술과 안주로 대접해서 보냈다. 그가 군민을 교화하는 뜻에서는 비록 찾아와 주는 것에 감동할지라도 나의 도리에 있어서는 크게 무료한 것이다.

十六日. 本倅洪大淵來到, 半日穩話, 村家接待猝難如意, 略以酒殽待之而送之. 其於城化之義, 雖感其委訪, 而在我之道, 太涉無聊矣.

1799년 5월 20일. 이앙하는 모습을 보고 싶어서 지팡이를 짚고 들판으로 나가 높은 언덕에 앉아보니, 눈으로는 손에서 손으로 분춘(分春)하는 것을 보고, 귀로는 곳곳마다 노래부르는 소리를 들으니, 전가(田家)의 즐거움이 이보다 더한 것이 없다. 옛날에 빈토(豳土)의 풍속이 이와 같지 않았겠는가?

二十日. 欲覘移秧之狀, 杖策出野, 坐乎高丘, 眼觀手手之分春, 耳聽處處之唱歌, 田家之樂, 無過於此. 古者豳土之俗, 無乃如是耶?

1799년 10월 21일. 본쉬에게 가서 아내상 당한 것을 위로해주었다.

十月二十一日. 往慰本倅之喪配.

1799년 10월 22일. 쌍교 시장을 거쳐 간 것은 딸의 혼인이 11월 13일로 정해졌기 때문에 지휘할 일이 있어서인 것이다. 이어서 영암군에 가서 태수를 만나보니 은근하고 정성스럽게 대접을 해주고, 또 돈 10냥과 생청 1되, 남초 1근을 주니, 그의 다정함에 감동하였다. 그 사람의 성명은 곧 남이범(南履範)이다.

二十二日. 歷于雙橋市邊者, 以女婚定于至月十三日, 故有所指揮事也.

仍往靈巖郡, 見其太守, 則殷勤款接, 而又惠錢十兩, 生淸一升, 南草一斤, 可感其多情, 其官姓名卽南履範也.

1799년 10월 23일. 집에 돌아왔다.

二十三日. 還家.

1799년 11월 27일. 선조의 사우를 창건하는 일로 친히 수영(水營)에 가서 수백(水伯, 전라우수사)) 임재수(林栽洙)를 만나 송첩(松帖)을 얻었기 때문에 또 대둔사로 가서 벌목을 하고 왔다.

十一月二十七日. 以先祖祠宇創建事, 親往水營, 見水伯林栽洙, 而得松帖, 故又往大芚寺伐木而來.

3. 1800년 일기

1800년 4월 24일. 서울행 출발을 이날로 한 것은 조카의 신행이 21일이었기 때문이다. 행차가 본현의 덕정리(德鼎里)에 이르러 사돈집에서 유숙했는데, 그때는 아들이 뒤따라왔다.

庚申年四月二十四日. 治發洛行者, 以侄兒新行念一故也. 行至本縣德鼎里, 査家留宿, 而其時家兒隨至.

1800년 4월 25일. 부자가 서로 헤어질 때는 서운하고 암담한 마음을 형용할 수 없었다. 행차는 강진 석제원까지 20리를 가서 점심을 먹고, 오후에는 영암군까지 30리를 가서 유숙했는데, 영암 수령 남이범은 고창의 환곡과 관련한 폐단으로 인해 죄를 입어 조사를 받고서 얼마 전에야 겨우 관청에 돌아왔기 때문에 한참동안 서로 얘기를 나누었으며, 연전에 딸의 혼례 때 넉넉하게 부조해준 것 때문에 여행비가 비록 어렵더라도 차마 입을 열지 못했다. 다음 날 아침에 작별을 할 때 태수가 말하길, "멀리 길을 가시는데 전별금이 없을 수 없습니다."라고 하며 돈 2냥과 남초 1근, 마철 1부, 편지지 수십폭, 주지(周紙) 1묶음 등을 주었다. 그가 사람을 돕는 두터운 정의를 살펴보면, 지금 세상의 녹록한 사람들과 비교할 바가 아니다. 매우 감사한 일이다.

二十五日. 父子相分時, 悵黯之情, 難可形喩. 行至康津石梯院二十里中火, 午後至靈巖郡三十里留宿, 而主官南履範, 以高敞還弊事, 公罪勘放, 俄纔還官, 故有頃相晤, 而以年前女婚時優賻之故行資雖艱, 不忍開口矣. 翌朝, 作別時太守曰, "遠行者不可無贐." 贐錢二兩, 南草一斤, 馬鐵一部, 簡紙數十幅, 周紙一束. 究其救人之厚誼, 非今世碌碌者之比也. 多感多感.

1800년 4월 26일. 길을 출발하여 나주 창허리 주막까지 40리를 가서 점심을 먹고, 오후에는 출발하여 남평현까지 50리를 가서 유숙했다. 남평현감 김세연(金世淵)은 일찍이 몇 번 만나본 친분이 있는 사람인데, 나에게 돈 1냥과 백미 2말, 마태 1말, 마철 1부를 주었다.

二十六日. 發至羅州倉墟里酒幕四十里中火, 午後離發至南平縣五十里留宿, 而主官金世淵, 則曾有數面之分, 贐錢一兩, 白米二斗, 馬太一斗, 馬鐵一部.

1800년 4월 27일. 길을 멀리 돌아 능주까지 30리를 가서 유숙했는데, 능주목사 심수(沈銖)는 곧 본디 친밀한 사람이기 때문에 특별히 정성스럽게 대접해주고 전별금 4냥과 마철 1부, 남초 2근, 편지지 10폭, 주지 1묶음을 주었으니, 그의 평소 두터운 정의에 감사하다. 출발에 임하여 칠절시를 지어 주었다.

州得賢侯鳳必回　고을이 현후를 얻었으니 봉황 반드시 돌아와,
主人心事見梧梅　주인의 심사를 오동과 매화에서 보네.
登樓半日論心膽　누각에 올라 반나절 동안 심담을 얘기하니,
情味殷勤滿小盃　인정미가 은근하여 작은 술잔에 가득하네.

시에서 '봉(鳳)'이라고 한 것은 산 이름이 '비봉(飛鳳)'인 것으로 인해 누각 이름을 '봉서(鳳棲)'라고 했기 때문이다.

二十七日. 迂路作行, 行至綾州三十里留宿, 而牧使沈銖, 卽素所親密之人, 故別般款接, 贐錢四兩, 馬鐵一部, 南草二斤, 簡紙十幅, 周紙一束, 可感其平昔之厚誼矣. 臨發贈七絶.

州得賢侯鳳必回, 主人心事見梧梅. 登樓半日論心膽, 情味殷勤滿小盃.

詩曰鳳者, 以山號飛鳳, 樓號鳳棲故也.

1800년 4월 28일. 길을 출발하여 광주까지 50리를 가서 유숙했는데, 광주목사 남인구는 단지 아침저녁 식사만 제공할 따름이고, 애초부터 신행(贐行, 여행하는 자에게 주는 돈과 물품)의 뜻이 없으니, 그 사람됨이 비루함을 상상할 수 있다.

二十八日. 發至光州五十里留宿, 而牧使南獜耉, 只供朝夕而已, 初無贐行之意, 可想其爲人之鄙陋矣.

1800년 4월 29일. 길을 출발하여 담양까지 50리를 가서 점심을 먹었다. 부사 김이규는 일찍부터 친밀한 사이인데, 이미 상경을 했다고 하기 때문에 상면을 할 수 없어서 매우 섭섭했다. 오후에는 출발하여 순창까지 40리를 가서 주막에서 잠시 말에게 먹이를 먹인 후 출발하여 맛암 주막까지 20리를 가서 유숙했다.

二十九日. 發至潭陽五十里中火, 而府使金履鍌, 曾所親密, 聞已上京, 故未得相面甚悵. 午後至淳昌四十里酒幕, 暫爲秣馬後, 發至麻叱巖酒幕二十里留宿.

1800년 4월 30일. 평명에 출발하여 가단 주막까지 30리를 가서 아침 식사를 하고, 다음으로 운암 주막까지 20리를 가서 점심식사를 했다. 오후에는 출발하여 전주까지 60리를 가서 유숙했는데, 판관 이인호(李仁祜)는 이미 친분이 있는 사람이기에 서로 막힌 회포를 펼쳤다. 출발하려고 할 때 전별금으로 2냥을 주었다.

三十日. 平明離發, 至加丹酒幕三十里朝飯, 後至雲巖酒幕二十里中火, 午後發至全州六十里留宿, 而判官李仁祜, 已有雅分, 相敍阻懷, 臨行時贐錢二兩.

1800년 윤4월 1일. 길을 출발하여 삼례역까지 30리를 가서 아침 식사를 하였다. 찰방 김광우(金光遇)는 곧 같은 도의 태인 사람으로 일찍부터 친하게 지낸 사람인데, 단지 음식만 제공할 따름이고 애초부터 신행(贐行)의 일이 없으니, 경향사람의 인품이 현격히 다름을 알 수 있다. 출발하여 여산까지 40리를 가서 주막에서 점심을 먹고, 오후에 출발하여 사교 주막까지 20리를 가서 유숙했다.

閏四月初一日. 離發至參禮驛三十里朝飯, 而察訪金光遇卽同道泰仁人也, 曾所相親, 而但爲供饋而已, 初無贐行之道, 可知京鄕人品之懸殊矣. 發至礪山四十里酒幕中火, 午後離發至沙橋酒幕二十里留宿.

1800년 윤4월 2일. 평명에 출발하여 정천까지 30리를 가서 주막에서 점심을 먹고, 오후에 출발하여 공주 감영까지 40리를 가서 유숙했다. 감사 김이영(金履永)은 기쁜 마음으로 잘 대접해주고, 전별금으로 돈 2냥과 소주 2병, 생청 1되, 석어 1묶음을 주었다.

初二日. 平明離發, 井泉三十里酒幕中火, 午後發至公州監營四十里留宿, 而監司金履永欣然款接, 贐錢二兩燒酒二饍, 生淸一升, 石魚一束.

1800년 윤4월 3일. 일찍 밥을 먹은 후에 출발하여 인주원 주막까지 50리를 가서 점심을 먹고, 오후에 출발하여 천안군까지 40리를 가서 유숙했다. 주관 이노재(李魯在)는 일찍부터 친분이 있는 사람이기 때문에 입골(笠骨)로 잘 대접해주었다. 그때 서울에 사는 주서 신재명(申在明)이 신방(新榜)으로서 내려왔기 때문에 서로 얘기를 나누었다. 본군은 길가에 있는 잔읍이니 어찌 신행을 할 수 있겠는가? 이것은 무정해서 그런 것이 아니다.

初三日. 早食後離發至仁柱院酒幕五十里中火, 午後發至天安郡四十里留宿, 而主官李魯在, 曾有雅分, 故以笠骨款接. 其時京居申注書在明, 以新榜下來, 故相晤. 本郡以路傍殘邑, 何可贐行乎? 此非無情而然也.

1800년 윤4월 4일. 이른 식사를 한 후에 성환까지 40리를 가니, 찰방 윤함(尹涵)은 이미 친한 사람인데 상경을 했기 때문에 만나보지 못했다. 그날 비가 조금 내렸고, 점심을 먹은 후에 출발하여 소쇄 주막까지 20리를 가서 유숙했다.

初四日. 早食後, 至成歡四十里, 則察訪尹涵, 已所相親而上京, 故未得敍阻. 其日少雨, 中火後發至所灑酒幕二十里留宿.

1800년 윤4월 5일. 평명에 출발하여 오매 주막까지 50리를 가서 점심을 먹고, 오후에 출발하여 갈산 주막까지 60리를 가서 유숙했다.

初五日. 平明發至烏梅酒幕五十里中火, 午後至乫山酒幕六十里留宿.

1800년 윤4월 6일. 평명에 출발하여 과천현까지 10리를 가서 아침식사를 하고, 늦게야 서울 성안에 들어가기까지 30리를 갔다. 신문 안에 있는 옛날 식주인인 길경복(吉慶福)을 찾아가니, 사대문 안의 수문장 입직소 상변의 첫 번째 집으로 이사를 해있었다. 내가 거처할 방을 살펴보니, 매우 협착하여 몸을 움직이기가 어려울 정도이다. 객지에서 벼슬살이하는 나의 신세를 돌아보니, 다만 혀 차는 소리만 나올 뿐이다.

初六日. 平明離發, 至果川縣十里酒幕朝飯, 日晚後入京城三十里. 來訪新門內舊時食主人吉慶福, 則移居于門內守門將入直所上邊第一家, 而觀其我之所居房, 則極甚狹窄, 難可容身. 顧此旅宦之身世, 只切咄嘆而已.

1800년 윤4월 7일. 삼청동(三淸洞)에 가서 좌의정 심환지(沈煥之)에게 인사하고, 지나는 길에 사동(社洞)의 판서 서용보(徐龍輔)를 방문하였으며, 이어서 안동(安洞)에 가서 좌상 김이소(金履素)의 궤연에 곡을 하고, 또 그의 막내 동생 이도(履度)가 과거에 합격한 것을 축하하였다. 또 그의 둘째 동생 이유(履裕)의 집에 갔지만 만나지 못했는데, 그는 이때 광주판관(廣州判官)을 맡고 있다. 지나는 길에 승지 김조순과 담양쉬 김이규를 방문하고 왔다.

初七日. 往拜三淸洞左議政沈煥之, 歷訪社洞徐判書龍輔, 仍往安洞哭前左相金履素几筵, 又賀其季氏履度登第. 且往其仲氏履裕家未面, 時任廣州判官也. 歷訪金承旨祖淳金潭陽履鐘而來.

1800년 윤4월 8일. 노마(奴馬)를 내려보내는데, 귀동이가 작별인사를 할 때는 나의 마음이 매우 허전하였다. 그도 또한 차마 하직하지 못하는 뜻이 있었으니, 비록 종과 주인의 사이일지라도 천 리먼 곳으로 헤어짐이 이처럼 어려운데, 하물며 지극한 정이 있는 사람에랴?

初八日. 下送奴馬, 而貴東拜辭時, 余甚悵缺, 渠亦有不忍下直之意, 雖奴主之間, 千里相分, 若是其難, 況至情乎?

1800년 윤4월 9일. 사대문 밖에 사는 정언 심반(沈鑿)과 지평 정최성(鄭最成), 승지 이희갑(李羲甲), 석사 유서(柳瑞), 석사 심노현(沈魯賢), 진사 박주원(朴周源) 등을 만나 보았다. 이어서 창동으로 가서 참판 박기정을 만나보고, 지나는 길에 상동에 가서 대구쉬 홍이간(洪履簡)의 외간(外艱)을 조문했으며, 이어서 낙동으로 가서 판서 서매수와 그 아들 진사 유경(有憬)을 만나보았다. 또 섬정동(蟾井洞)의 도사 서탁수(徐鐸修)와 그의 동생 옥수(沃修)를 방문하고, 또 합동(蛤洞)의 참봉 서협수와 석사 김재완 및 그의 형 판서 김재찬을 만나보고 왔다.

初九日. 往見門外沈正言鑿·鄭持平最成·李承旨羲甲·柳碩士瑞·沈碩士魯賢·朴進士周源. 仍往倉洞, 見朴參判基正, 歷弔尙洞洪大丘履簡外艱, 轉向駱洞, 見徐判書邁修與其子進士有憬, 又訪蟾井洞徐都事鐸修與其仲氏沃修, 又見蛤洞徐參奉協修金碩士載琓與其伯氏判書載瓚而來.

1800년 윤4월 11일. 근동(芹洞)의 석사 이우성(李宇成)을 찾아갔는데, 그의 종씨 원성(元成)씨가 마침 상경했기 때문에 한참동안 얘기를 나누었다.

十一日. 往見芹洞李碩士字成, 其從氏元成甫適上京, 故有頃相晤.

1800년 윤4월 12일. 관동(館洞)에 가서 해남쉬의 막내동생을 만나보고, 이어서 상경할 때 본관이 빌려준 물건을 전하였으며, 또 그 근처에 사는 종씨 용궁쉬 김헌조(金獻祚)를 방문하였다. 이어서 동구관(洞口館)에 도착하여 전라도 사람 교리 고택겸(高宅謙)과 도정 최진하(崔鎭夏) 및 도사 정수(鄭璲)를 방문하였는데, 참의 고정헌(高廷憲)은 마침 외출하여 만나지 못했다. 그 나머지 친구들은 여기저기 흩어져있기 때문에 백종석(白宗石)을 시켜 전갈했다.

十二日. 往館洞, 見海南本倅季氏, 仍傳上京時本官所貸之物, 且訪其近處居宗氏金龍宮獻祚. 仍到洞口館, 訪同道高校理宅謙·崔都正鎭夏·鄭都事璲, 而高參議廷憲則適出未晤. 其餘諸友在于散處, 故使白宗石傳喝.

1800년 윤4월 14일. 사동에 가서 감찰 김세순(金世淳)과 정진사를 만나고 그의 형님인 관휘(觀輝)가 지금 무슨 관직을 띠고 있는지를 물어보니, 제주 명월만호(明月萬戶)에 보외(補外)되었다가 곧이어 본 목사에 승차되었다고 한다. 길을 돌아 포정동(匏井洞)으로 향해가서 종씨인 진사 김국현(金國鉉)을 만나보고 그의 동생인 진사 석현(碩鉉)이 과거에 합격한 경사를 축하했다. 그가 간 곳을 물어보니 장인집에 나갔다가 오래지 않아서 돌아올 것이라고 했다. 한참동안 막힌 회포를 펼치고, 지나는 길에 전라감사 참판 김달순(金達淳)을 방문하고 왔다.

十四日. 往見社洞金監察世淳鄭進士, 而問其伯氏觀輝今作何官, 則答云以濟州明月萬戶補外, 仍爲陞差本牧使云. 轉向匏井洞, 見宗氏進士金國鉉, 賀其季氏進士碩鉉登第之慶, 問其往何處, 則答云出去聘家非久還來云. 有頃紋阻, 歷訪全羅監司金參判達淳而來.

1800년 윤4월 15일. 정랑 윤효관(尹孝寬)이 찾아왔다. 이날 대정동(大貞洞)에 가서 판서 황승원(黃昇源)을 만나보고, 이어서 승지 윤치성(尹致性)의 외간과 지평 이윤행(李允行)의 내간을 조문하였다. 또 차동(車洞)에 가서 참판 민태혁(閔台赫)을 만나보고 왔다.

十五日. 尹正郎孝寬來訪. 是日往大貞洞, 見黃判書昇源, 仍弔尹承旨致性外艱, 李持平允行內艱. 又見車洞閔參判台赫而來.

1800년 윤4월 18일. 낙동에 가서 판서 서매수를 만나보고, 또 명동으로 향해가서 석사 서유순(徐有恂)의 내간을 조문했으며, 이어서 교관동(校館洞)을 향해가서 승지 어용겸의 궤연에 곡하였다. 또 이현(泥峴)의 의령쉬 홍낙수(洪樂綏)의 내간을 조문하고, 지나는 길에 공동(公洞)의 승지 서유문(徐有聞)과 고동(雇洞)의 대간 서욱수(徐郁修)를 방문하고 왔다.

十八日. 往見駱洞徐判書邁修, 又向明洞, 問徐碩士有恂內艱, 仍向校館洞, 哭魚承旨用謙几筵. 又問泥峴洪宜寧樂綏內艱, 歷訪公洞徐承旨有聞雇洞徐大諫郁修而來.

1800년 윤4월 20일. 대정동에 가서 설서 김회연(金會淵)을 만나보고, 조장(弔狀)을 두모포(斗毛浦)의 승중(承重) 외간[70]을 당한 포천쉬 김동선(金東善)에게 전하게 했다. 김동선은 전 우상 김종수의 양손(養孫)이다. 이날 지나는 길에 판서 황승원을 방문했다.

二十日. 往見大貞洞金說書會淵, 使之傳弔狀于斗毛浦金抱川東善承重外艱, 卽前右相鍾秀之養孫也. 是日歷訪黃判書昇源.

1800년 윤4월 23일. 전동(典洞)에 가서 주서 서준보(徐俊輔)와

---

70) 승중 외간 : 아버지를 여읜 맏아들로서 조부의 돌아가심을 당한 초상을 말한다..

진사 서임보(徐任輔)의 외간을 묻고, 지나는 길에 참판 이서구를 방문했으며, 이어서 간동(諫洞)으로 향해가서 주서 신재명(申在明)과 한참동안 얘기를 나누었다. 지나는 길에 재동(齋洞)의 참봉 이원명(李源明)을 방문하는데, 그의 말에 내가 앞서 상을 당한 것을 종씨에게 듣지 못했다고 했다. 지나는 길에 강서쉬 김용순(金龍淳)과 그의 아우 직산쉬 김명순(金明淳)의 내간(內艱, 어머니상)을 위문하고, 이어서 청동으로 가서 좌의정 심환지를 배알했으며, 또 재동으로 향해가서 승지 오정원(吳鼎源)과 그 아우 장령 오한원(吳翰源) 및 승지 김재익(金載翼)과 지평 송문술(宋文述)을 만나보았다. 지나는 길에 참봉 이원명의 내간상과 소안동(小安洞)의 진사 민치복의 외간상을 위문하고 왔는데, 날이 이미 어두워지고 있었다. 이앙할 시기를 당하여 날이 이처럼 가무니, 때를 어기는 염려가 없을 수 없다. 농사를 생각하면 매우 답답하다.

二十三日. 往問典洞徐注書俊輔進士任輔外艱, 歷訪李參判書九, 仍向諫洞, 與申注書在明, 有頃相晤. 歷訪齋洞李參奉源明, 而言內以余之先遭艱未聞從氏云. 歷問金江西龍淳其弟稷山明淳內艱, 仍向淸洞, 拜謁左議政沈煥之, 又向齋洞, 見吳承旨鼎源其弟掌令翰源·金承旨載翼·宋持平文述. 歷問李參奉源明內艱, 小安洞閔進士致福外艱而來, 日已向昏矣. 當此移秧之時, 日旱若是, 不無愆期之慮. 言念民事, 極可悶悶.

1800년 윤4월 27일. 정동(井洞)에 가서 전주사람인 정언 정만석(鄭晩錫)의 내간상을 위문하고, 같은 고을 선비인 민동현과 민백의가 그 동에 와서 우거하고 있다는 말을 들었기 때문에 방문하였으나 만나지 못했다. 곧이어 묵동(墨洞)으로 향해가서 판서 조진관(趙鎭寬)을 만나보고 왔다. 올 때 비곡의 임생을 만났는데, 병세의 증상이 자못 가볍지 않아서 가련하다. 이날 본읍 사람인 김달중(金達中) 편에 가서와 관가 서찰을 부쳐보냈다.

二十七日. 往問全州井洞鄭正言晩錫內艱, 聞同邑士人閔東顯百宜寓于其洞云, 故訪之未遇, 仍向墨洞見趙判書鎭寬而來. 來時見比谷任生, 病勢症頗不輕可悶. 是日本邑漢金達中便, 付送家書及官家書札.

1800년 5월 1일. 상께서 소간(宵旰)71)하며 가뭄을 근심하여 하교하시길, 기우제등록(祈雨祭謄錄)을 바치라고 하셨다. 하늘도 성상의 노심초사에 감동하여 다행스럽게도 초3일에 감우를 내려주었지만 일리(一犁)72)에도 미치지 못했다. 그러나 비가 내릴 뜻이 하늘에 가득하여 종일토록 이슬비가 내리긴 했지만 쏟아지지는 않았으니, 농사가 근심스럽다.

五月初一日. 自上宵旰悶旱下教曰, 進納祈雨祭謄錄云矣. 皇天亦感聖上之憂勤, 幸於初三日甘雨始下, 而猶未及一犁. 然雨意滿天, 終日霏微, 仍不沛然, 民事可悶.

1800년 5월 6일. 본현의 선비 민동현·민백의와 반나절 동안 얘기를 나누다가 참판 박기정이 해백(海伯)을 맡았을 때의 일로 금추(禁推)되어 어제 이미 풀려났다는 것을 들었기 때문에 잠깐 찾아가서 만나보고 왔다. 올 때는 명례궁동(明禮宮洞)에 들러서 사간 박서원(朴瑞源)과 한참동안 막힌 회포를 펼치고, 또 신문밖에 사는 정언 민치재의 내간상을 위문하였다.

初六日. 與本縣士人閔東顯百宜, 半日相晤, 聞朴參判基正, 以海伯事禁推, 而昨已保放云, 故暫見而來. 來時歷訪明禮宮洞朴司諫瑞源, 有頃紋阻, 又問新門外閔正言致載內艱.

1800년 5월 7일. 판서 한용구가 저 나라에 갔다가 돌아왔는데,

---

71) 소간(宵旰) : 소의간식(宵衣旰食)의 약어로, 임금이 새벽에 일어나고 밤늦게 밥을 먹는다는 뜻. 임금이 정치에 부지런한 것을 말한다.
72) 일리(一犁) : 보습의 깊이만큼 스며들게 내린 비를 말한다.

또 백씨(伯氏) 승지의 상을 만난 데다 또 부인상까지 당했다고 하기 때문에 찾아가서 조문을 하고 왔다. 올 때는 병판 김재찬과 참판 민태혁을 방문했고, 또 생원 윤윤동(尹允東)과 지동(趾東)의 외간상을 위문했다.

初七日. 韓判書用龜往彼國而還, 又遭伯氏承旨之喪, 且喪配云, 故往問而來. 來時歷訪兵判金載瓚·閔參判台赫, 又問尹生員允東趾東外艱.

1800년 5월 8일. 봉원사의 대사 최린(最璘) 스님은 전에 친하게 지냈기 때문에 객중에 어려움이 많을 것이라 생각하고 산중의 반찬과 돈 1냥을 보내왔으니, 그 스님의 마음을 알 수 있겠다. 부장 이의홍(李宜弘)이 내방하여 잠깐동안 얘기를 나누다가 갔다. 그의 떠도는 모습을 보면 매우 가련하다.

初八日. 奉元寺大師僧最璘, 前所親, 故想此客中之多艱, 送山饌與錢一兩, 可知其僧之心矣. 李部將宜弘來訪, 暫晤而去, 看其棲遑, 極可悶憐.

1800년 5월 12일. 박의양(朴義養)이 당혜 한 켤레를 사왔으니 매우 기특한 일이다. 신고 있는 것이 다 닳은 나머지에 다행히 이것을 얻게 되었으니, 어찌 감사한 뜻이 없겠는가?

十二日. 朴義養買來唐鞋一部, 可奇可奇. 所着盡弊之餘, 幸而得此, 豈無感意哉?

1800년 5월 13일. 오랫동안 가뭄 끝에 비가 내려서 이처럼 단비를 얻게 되니 또한 어찌 기쁜 뜻이 없을 것인가! 일전에 풍편으로 들어보니 본현에서는 먼저 비를 얻어서 거의 이앙을 마쳤다고 하였는데 과연 그런 것인가?

十三日. 雨來久旱之餘, 得此甘澍, 亦豈無喜意哉! 日前得聞風信, 則本縣幸先得雨, 幾盡移種云, 果其然乎?

1800년 5월 14일 15일. 종일토록 비가 오락가락 내렸다.

十四五日. 終日霏霏.

1800년 5월 17일. 오늘은 돌아가신 아버지의 기일이다. 우두커니 여사에 앉아있자니 서글픈 마음을 이길 수 없다. 본제에서는 별탈없이 제사를 지내고 있겠지?

十七日. 卽先考諱日也. 塊坐旅舍, 不勝感愴, 未知本第無故而行祀耶?

1800년 5월 20일. 장동(壯洞)과 포정동(匏井洞)에 가서 동종(同宗)인 진사 국현 및 주서 석현과 더불어 한참동안 정답게 얘기를 하고 왔다. 올 때는 간동에 가서 신천쉬 김용순을 방문하였는데, 주서 신재명(申在明)은 괴원(槐院, 승문원)에 입직을 했다고 하기 때문에 만나지 못하고 왔다.

二十日. 往壯洞匏井洞, 與同宗進士國鉉注書碩鉉, 有頃穩話而來. 來時歷訪諫洞金信川龍淳, 而申注書在明, 則入直槐院云, 故未面而來.

1800년 5월 25일. 길주인이 형세가 곤궁한 소치로 다른 사람에게 집을 팔았기 때문에 그날로 구서부동(舊西部洞)의 안동지(安同知) 집으로 와서 접방을 하게 되었는데, 음식과 거처가 전에 살던 곳보다는 조금 낫다. 본현의 선비 박한혁(朴漢赫)과 박필진(朴弼鎭)이 그의 선조의 일로 이곳에 와서 머물면서 연일 얘기를 나누게 되니, 외롭고 울적한 심회에 조금 위로가 된다.

二十五日. 吉主人, 以勢窮之致, 賣家于他人, 故其日來接于舊西部洞安同知家, 飮食居處, 稍勝於前所住處矣. 本縣士人朴漢赫朴弼鎭, 以其先事來留于此, 連日相晤, 稍可慰孤盃之懷.

1800년 5월 26일. 큰비가 밤새도록 내렸다.

二十六日. 大雨終宵而來.

1800년 5월 29일. 선달 박증백의 상경편을 통해서 가서를 보게
되었는데, 처자의 병이 아직 낫지를 않았다고 한다. 멀리서 걱정
스럽기 끝이 없다. 덕호리의 사돈 임정봉(任廷鳳)과 사위 임일재(任
馹材)도 편지를 보내어서 무고하다고 한다. 매우 다행이다.
二十九日. 朴先達增白上京便, 得見家書, 則妻子所患, 尙未離却云.
遠慮不已. 德湖任查廷鳳外婿任馹材, 亦送書而無故云. 可幸可幸.

1800년 6월 4일. 읍인 굴마치편에 가서를 부쳐보냈다.
六月初四日. 邑人屈ケ致便, 付送家書.

1800년 6월 16일. 비곡의 박생편에 가서와 당산에 보내는 편지
를 부쳤다. 편지 속에 침봉(針封)도 함께 부쳤다.
十六日. 比谷朴生便, 付送家書, 及堂山所去書. 書中兼付針封.

1800년 6월 18일. 조장(弔狀)을 써서 연지동(蓮池洞)의 승지 이
조원(李肇源)과 시원(始源)의 외간상에 보냈다. 답장편지가 곧바로
왔다.
十八日. 修送弔狀于蓮池洞李承旨肇源始源外艱矣. 答疏卽來.

1800년 6월 28일. 대행대왕께서 등의 종기로 인해 갑작스레 승
하를 하시니, 애통함이 망극함을 다시 무슨 말로 할 수 있겠는가?
황혼무렵에 달려가서 궐밖의 곡반(哭班)에 참여했는데 성안 가득한
곡성이 부모상을 당한 것 같았다. 국사를 생각해봄에 동궁의 나이
이제 11세인데 부여받은 일이 지극히 중하니, 슬픔과 염려가 함께
하여 가슴이 막히고 뼈가 시리다. 그러나 다행히 대왕대비인 성모

(聖母)께서 위에 계시니, 비록 붕박(崩迫)의 지극한 애통함을 당했을지라도 생각이 국세의 외롭고 위태로움에 미쳐서 특별히 좌상인 심환지를 영상으로 삼고 우상인 이시수(李時秀)를 좌상으로 삼았으며, 새롭게 서용보를 우상으로 삼고, 참의 박준원은 어장으로, 참판 김조순을 총융사로 삼았으니, 이것은 실로 고금에 드문 대처분이다. 경재(卿宰)들이 연일 뜰에서 수렴청정을 청하였으나 끝내 윤허를 하지 않았다. 유(諭)가 또 저하의 천위(踐位)를 청하였으나 또 번거롭게 하지 말하는 비답을 하였다.

二十八日. 大行大王以背廳, 奄忽昇遐, 哀痛罔極, 夫復何言? 黃昏赴參於闕外之哭班, 而滿城哭聲如喪考妣. 言念國事, 東宮年方十一歲, 付畀至重, 哀慮兼全, 臆塞骨寒, 而幸賴有大王大妃聖母在上, 雖當崩迫之至痛, 念及國勢之孤危, 特以左相沈煥之爲領相, 右相李時秀爲左相, 新卜徐龍輔爲右相, 朴參議準源爲御將, 金參判祖淳爲摠戎使, 此實今古所罕之大處分也. 卿宰連日庭請垂簾之政, 而終不允. 諭又請邸下踐位, 而亦以勿煩爲批矣.

1800년 7월 4일. 성복을 한 후에 비로소 경재들의 읍청(泣請)을 따라 곧바로 등극을 하니, 인심이 안정되고 나라 근본의 공고함이 이로부터 시작되었다. 한편으로는 기쁘고 한편으로는 슬프니, 오호 통재라! 우리 선왕의 춘추가 50살도 다 채우지 못하고 갑자기 빈천을 하셨으니, 생각하고 또 생각해보아도 애통할 따름이다.

七月初四日. 成服後始從卿宰之泣請, 卽爲登極, 人心之安靜, 邦本之鞏固, 自此始矣. 一則以喜, 一則以悲, 而嗚呼痛哉! 我先王春秋五旬未滿一, 而奄然賓天, 思之又思, 痛哉痛哉!

1800년 7월 5일. 박필진(朴弼鎭)이 돌아간다고 하니, 여러 날 동안 연침(連枕)한 나머지라 서글픈 뜻이 없을 수 없다.

初五日. 朴生弼鎭告歸, 累日連枕之餘, 不無悵缺之意.

1800년 7월 11일. 해남사람인 김덕장(金德長) 편에 가서를 부쳤다.

十一日. 邑人金德長便, 付家書.

1800년 7월 15일. 새벽에 궐문밖으로 나아가 곡반에 참여했다.

十五日. 曉, 詣闕門外參於哭班.

1800년 7월 25일. 낙동에 가서 판서 서매수를 만나보고, 지나는 길에 창동의 참판 박기정과 합동의 참봉 서협수를 방문하고 왔다.

二十五日. 往見駱洞徐判書邁修, 歷訪倉洞朴參判基正, 蛤洞徐參奉協修而來.

1800년 8월 1일. 신해일. 도정 최진하와 함께 곡반에 참여했다. 그날 아침에 가서를 본면에 사는 어영군 김득봉(金得奉)이 내려가는 편에 부쳤다.

八月小初一日. 辛亥. 與崔都正鎭夏, 參於哭班. 其朝付家書于本面御營軍金得奉下去便.

1800년 8월 13일. 가서를 받아보았다.

十三日. 見家書.

1800년 8월 15일. 도정이 있었는데 허송을 면하지 못했으니, 한탄스럽다. 그때 장전은 김재찬이고, 아전은 없으며, 삼전은 홍낙유이다.

十五日. 都政, 未免虚送, 可歎. 其時長銓金載瓚, 亞銓無乎, 三銓洪樂游.

1800년 8월 19일. 해남사람 덕장(德長)이 본가의 편지를 바치기에 살펴보니, 집사람이 왼쪽 어깨의 견인통으로 신음하고 있다고 하여 매우 걱정스럽다. 그리고 농사는 겨우 흉년을 면하게 되었다고 한다.

十九日. 邑漢德長來納本家書, 而槩審, 則室人以左肩牽引之症呻吟云, 聞極悶慮, 而農形僅免凶云耳.

1800년 8월 21일. 김명국(金明國)이 내려가는 편에 가서를 부치고 겸하여 당혜 한 켤레를 보냈다. 20일에 실시한 정사를 오늘 보니, 나를 전적(典籍)에 부망(副望)했다. 이것은 과연 기억해주는 일이 있어서 그런지 모르겠다. 명국이 재차 남초를 바치니 기특하다.

二十一日. 金明國下去便, 付家書而兼送唐鞋一部. 卽見念日政, 則擬余於典籍副望, 是未知果有記念之道而然歟! 明國再獻南草, 可奇.

1800년 9월 1일. 경진일. 새벽에 궐문 밖으로 나아가 곡반에 참여했다.

九月大初一日. 庚辰. 曉詣闕門外, 參於哭班.

1800년 9월 6일. 군위현감 박길원이 부응교로서 들어왔기 때문에 잠시 가서 막힌 회포를 풀었다. 오는 길에 정언 심반과 정언 민치재를 방문하고 왔다.

初六日. 軍威縣監朴吉源, 以副應敎入來, 故暫往敍阻. 歷訪沈正言鑿·閔正言致載而來.

1800년 9월 12일. 찬비가 을씨년스럽게 내렸다. 그날 밤에 비바람이 불어서 낙엽이 마당에 가득했다.

十二日. 冷雨蕭蕭. 其夜雨且風, 落葉滿庭.

1800년 9월 13일. 점점의 눈이 조금 내리자 한기가 엄습하니, 가장 먼저 겁을 내는 자는 객이다.

十三日. 点雪少下, 寒氣逼人, 而最先劫者客耳.

1800년 9월 15일. 새벽녘에 궐문밖 나아가 곡반에 참여하고 왔다.

十五日. 曉頭進參於闕門外哭班而來.

1800년 9월 16일. 서소문밖의 자암(紫巖)에 가서 응교 박길원과 얘기를 나누고 왔다.

十六日. 往與西小門外紫巖朴應教吉源, 相晤而來.

1800년 9월 22일. 오늘은 곧 선왕의 탄신일이다. 꼭두새벽에 궐문밖에 가서 곡반에 참여하고 왔다.

二十二日. 卽先王之誕日也. 冒曉進參於闕門外哭班而來.

1800년 9월 23일. 광주판관 김이유와 판서 김조순, 강서쉬 김용순 및 그 아우 김명순을 찾아보고, 이어서 청동 대신에게 인사하고 왔다.

二十三日. 見廣州判官金履裕金判書祖淳金江西龍淳其弟明淳, 仍拜清洞大臣而來.

1800년 9월 28일. 주인 안동지와 그의 아들 의집(義集)이 모두 해남에 내려가기 때문에 그편에 가서를 부치고 겸하여 석경 1부를 보냈다. 이날 수원으로 하외재궁(下外梓宮)을 하는데 비참하여 차마 볼 수가 없다.

二十八日. 主人安同知與其子義集, 偕爲下去于海南, 故其便付家書, 兼送石鏡一部. 是日下外梓宮于水原, 慘不忍見耳.

1800년 10월 1일. 꼭두새벽에 궐문밖으로 나아가 곡반에 참여하고 왔다.

十月小初一日. 庚戌. 曉頭進參於闕門外哭班而來.

1800년 10월 4일. 꿈속에서 돌아가신 아버지를 뵙고, 또 지붕 이는 것을 보았다. 또 한 명의 재상과 더불어 송정에서 얘기를 나누고 파한 후에 곧 그 대감을 따라가서 편교를 건너왔는데, 과연 이것은 흑감향(黑蚶鄕) 속의 일이다. 일이 매우 괴이하기 때문에 기록해둔다.

初四日. 夜夢拜先考, 而且見蓋屋, 又與一宰相相語於松亭而罷後, 乃隨其台, 渡片橋而來, 果是黑蚶鄕中事. 事甚怪異故記之.

1800년 10월 15일. 새벽에 궐문밖에 나아가 곡반에 참여하고 왔다. 오산(五山)이 편에 가서를 보았는데, 집사람의 병이 아직 낫지 않은 데다 별증으로 견인통까지 있다고 한다. 근심스럽기 그지없다. 그날 곧바로 답장편지를 부쳤다.

十五日. 曉進參於闕門外哭班而來. 五山漢便見家書, 則室憂尙未快, 添以別症牽引之痛云, 悶慮不已. 其日卽付答書.

1800년 10월 24일. 읍한 맛손이 내려가는 편에 또 가서를 부쳤다. 이날 여사군(轝士軍)이 세 차례 의식을 익히기 때문에 잠시 가서 보았는데, 참담하여 차마 볼 수가 없었다.

二十四日. 邑漢甭孫下去便, 又付家書. 是日礜士軍三度習儀, 故暫往見之, 則慘不忍視.

1800년 10월 28일. 본면의 덕호리에 사는 이명재(李明才)가 국휼을 당하자 인산(因山)에 참여하고 싶어서 천 리 길을 올라왔으니, 매우 가상하다. 그편에 가서를 받아보았는데, 집안 가득 우환이 있다니, 매우 근심스럽다.

二十八日. 本面德湖居李明才, 被國恤, 欲參因山, 千里上來, 極可嘉尙. 其便得見家書, 則滿室憂患, 聞甚可悶.

1800년 11월 1일. 기묘일. 꼭두새벽에 도보로 가서 곡반에 참여했는데, 29일에 비가 왔고 그날 밤에 또 눈까지 내려서 온통 진흙탕이 된 길을 겨우겨우 다녀왔다. 듣기에 대동찰방 김회빈(金晦彬)이 올라왔다고 하기 때문에 지나는 길에 들러서 막힌 회포를 풀고 왔다.

十一月大初一日. 己卯. 曉頭徒步進參於哭班, 而念九日雨來, 其夜又雪, 泥濘滿路, 僅僅往還. 聞大同察訪金晦彬上來, 故歷訪紋阻而來.

1800년 11월 3일. 밤 자시에 인산을 발인하기 때문에 황혼무렵에 강머리에 나가서 망곡을 하였는데, 밤추위가 별로 심하지 않으니, 이 또한 하늘이 우리 선왕의 인성(仁聖)에 강림하여서 그런 것이리라. 그때 진사 박주원(朴周源)과 함께 갔으며, 돌아오는 길에는 교리 박길원 집에서 잠깐 눈을 붙이고 평명에 주인집에 들어왔다.

初三日. 夜子時, 因山發靷, 故黃昏出往江頭望哭, 而夜寒不甚酷, 抑亦皇天降臨我先王之仁聖而然歟! 其時與朴進士周源偕行, 而回路少焉假寐于朴校理吉源家, 平明入來主家.

1800년 11월 6일. 밤 자시에 하현궁(下玄宮)[73]을 하기 때문에 5일날 밤에 궐문밖에서 망곡을 하였다.

初六日. 夜子時, 下玄宮, 故初五日夜望哭於闕門外.

1800년 11월 10일. 명재(明才)가 내려가는 편에 백장력(白粧曆) 1건과 상력(常曆) 8건 및 채도(菜刀)·필묵 등을 부쳐 보냈다. 청계의 김생원편에는 신력 6건을 부쳐 보내면서 각처에 전하게 했다. 이날 석양 무렵에 본현의 선비 이광효(李光涍)가 그의 문중의 일로 상경을 하여 찾아왔는데, 천리 먼 객지에서 갑작스레 고향사람을 만나니, 그 기쁨이 당연히 어떻겠는가? 여러 날을 연침하면서 고향 일을 다 쏟아내니, 마음에 위로가 되었다. 또 하물며 나의 객지생활의 어려움을 민망히 여겨서 돈 1민을 주니, 그 정이 기특하다.

初十日. 明才下去便, 付送白粧曆一件, 常曆八件, 與菜刀筆墨等物. 淸溪金生員便付送新曆六件, 使之傳于各處. 是日夕陽時, 本縣士人, 以其門事上京來見, 千里客地忽逢故鄕人, 其爲欣幸, 當復如何? 累日連枕, 吐說鄕事, 稍可慰懷, 且況悶余旅味之辛艱, 贈以一緡銅, 可奇其情.

1800년 11월 12일. 아침에 이판 서매수가 엄지(嚴旨)를 당했기 때문에 찾아가서 보고 왔다. 올 때 또 승지 박길원이 가자된 것을 축하하고, 지나는 길에 판서 한용구를 방문하고 왔다.

十二日. 朝, 吏判徐邁修, 遭嚴旨, 故往見而來. 來時又賀朴承旨吉源加資, 歷訪韓判書用龜而來.

1800년 11월 15일. 새벽에 궐문밖에 가서 곡반에 참여하고 왔다.

十五日. 曉進參於闕門外哭班.

---

73) 하현궁(下玄宮) : 장사를 치를 때 관을 현궁(玄宮), 즉 광중(壙中)에 내려놓는 것을 말한다.

1800년 11월 18일. 밤에 또 졸곡(卒哭)의 곡반에 참여하고, 제사가 파한 후에 나왔다.

十八日. 夜又參於卒哭哭班, 而祭罷後出來.

1800년 11월 21일. 석사 이광효가 내려가는 편에 가서와 신력 3건을 부쳐 보냈다.

二十一日. 李碩士光涍下去便 付送家書, 與新曆三件.

1800년 11월 27일. 참봉 서협수에게 가서 얘기를 나누고, 돌아오는 길에 승지 박길원과 그의 아우 진사 박주원을 만나보았는데, 내가 웃으면서 진사에게 말하길 "사방의 벽만 있는 형세에 길례가 곧 닥쳐오는데, 여러 도구를 어떻게 준비하고 있는가?"라고 하자, 진사가 웃으며 답하길, "신랑이 오면 성례를 할 수 있고, 여러 도구는 제가 어떻게 할지 모르겠습니다."라고 하였다. 이는 실로 세속에 얽매이지 않은 것이니, 그의 뜻이 맑고 높은 것을 볼 수 있다. 한참동안 얘기를 나누고 파하였다.

二十七日. 往與徐參奉協修相晤, 歸路見朴承旨吉源, 其弟進士周源, 笑謂進士曰, "四壁之勢, 吉禮隔宵, 凡具何以措備耶?" 進士笑而答曰, "新郎來則可以成禮, 凡干諸具, 吾不知何以爲之云." 此實不累於世俗, 而可以見其淸高之致也. 有頃相話而罷.

1800년 11월 29일. 승지 김이도(金履度)와 승지 김근순(金近淳)에게 가서 가자를 축하하였으며, 그의 대인 김이규와 얘기를 나누었다. 지나는 길에 강서쉬 김용순과 판서 이서구를 방문하고 왔다. 올 때 또 석사 김지순(金芝淳)의 종제(終制)를 위문하고 왔다.

二十九日. 往賀金承旨履度金承旨近淳加資, 與其大人履鉵相晤. 歷訪金江西龍淳 李判書書九而來. 來時又問金碩士芝淳終制.

1800년 12월 1일. 기유일. 진사 박주원에게 가서 딸 결혼식 지낸 것을 묻고, 그의 형님인 승지와 더불어 잠시 얘기를 나누고 왔다.

十二月小初一日. 己酉. 往問朴進士周源過女婚, 與其伯氏承旨暫晤而來.

1800년 12월 6일. 오늘은 곧 대한인데 추위가 별로 심하지 않다. 대저 올겨울은 따뜻한 날이 많고 추운 날이 적다.

初六日. 卽大寒, 而寒不甚酷. 大抵今冬暖多寒少.

1800년 12월 11일. 납향(臘享)74)일이다.

十一日. 臘享.

1800년 12월 21일. 입춘일이다.

二十一日. 立春.

1800년 12월 22일. 도정이 있는 날인데 헛되이 지나지는 않을 것이라 생각했지만 마침내 소망에 부응하지 못했으니, 이것은 혹시 운수에 관계되어서 그런 것인가. 탄식한들 어쩌겠는가? 이때 장전은 서매수이고, 아전은 조윤대(曺允大)이며, 삼전은 심상규(沈象奎)이다.

二十二日. 都政, 意謂不虛過矣. 竟不副所望, 是或關數而然歟! 歎之奈何? 長銓徐邁修, 亞銓曺允大, 三銓沈象奎也.

---

74) 납향(臘享) : 한 해 동안 지은 농사 형편과 그 밖의 일들에 대해서 여러 신에게 알리는 제사를 말한다.

1800년 12월 27일. 포천(抱泉)에 가서 정랑 종씨를 만나보았는
데, 경차관이 되어 완도에 내려갔다가 올라왔기 때문이며, 한참동
안 얘기를 나누었고, 지나는 길에 신무문 밖에 사는 감역 홍낙겸
(洪樂謙)과 별검 이윤원(李允源)을 방문하고 왔다.

二十七日.　往見抱泉正郎宗氏,　以敬差官下去莞島而上來,　有頃相晤,
歷訪神武門外居洪監役樂謙李別檢允源而來.

4. 1801년 일기(상)

1801년 1월 1일. 무인일. 새벽에 궐문밖에 나아가 곡반에 참여하고, 돌아오는 길에 도정 최진하(崔鎭夏)의 병을 위문하였는데, 그의 모습을 살펴보니 반신불수인지라 매우 가련하다. 주인집으로 돌아와보니 한사발의 떡국을 내왔다. 그러나 다만 머리털에 서리만 더하였으니, 배나 더 서글프다. 인간의 도리를 생각하면, 과연 멸절하였다고 말할 수 있다.

辛酉正月小初一日. 戊寅. 曉詣闕門外參於哭班, 歷問崔都正鎭夏之病, 而看其形容, 半身不收, 極可矜悶. 還到主家, 則進一盃餠湯, 而只添頭雪, 倍增感愴. 言念人道, 可謂絶矣.

1801년 1월 4일. 영상 심환지에게 가서 절하고, 판서 김조순에게 들러 신병을 위문하였다. 또 신천쉬 김용순과 직산쉬 김명순의 종제(終制)를 위문하고 왔다.

初四日. 往拜領相沈煥之, 歷問金判書祖淳身病. 且問金信川龍淳, 稷山明淳終制而來.

1801년 1월 6일. 승지 박길원이 병조참지로써 출직하기 때문에 잠시 찾아가서 만나보고, 지나는 길에 참판 민태혁과 정언 민치재를 방문하고 왔다. 연전에 정언 심반이 홍원에 제수되었을 때 돈 2민을 보내왔고, 장령 정최성이 수안에 제수되었을 때도 그리했다. 심우가 준 것은 여행 중의 빈주머니에 족히 보탬이 되었으니, 그의 정에 감사하다.

初六日. 朴承旨吉源, 以兵曹參知出直, 故暫往見, 而歷訪閔參判台赫·閔正言致載而來. 年前沈正言鎜除洪原時, 送銅二緡, 鄭掌令最成除遂安時亦如, 沈友之所惠, 足以補旅中之空橐, 可感其情.

1801년 1월 8일. 비.
初八日. 雨.

1801년 1월 10일. 본쉬 홍대연이 상경했다가 다시 내려가는데, 이보다 앞서 찾아가서 대략 본읍의 민정에 대해 얘기를 하고 왔다.
初十日. 本倅洪大淵上京還下去, 前此往見之略說本邑民情而來.

1801년 1월 11일. 큰 눈이 내렸으며, 바람불고 비가 내렸다.
十一日. 大雪, 且風且雨.

1801년 1월 13일. 자암에 가서 참의 박길원을 만나보고 왔다.
十三日. 往見紫巖朴參議吉源而來.

1801년 1월 14일. 비. 대저 금년은 1월 보름전에 동풍이 두 번이나 불고 비가 세 번이나 내렸으니, 훗날 살펴보기 위해 적어둔다. 이날 연전에 보낸 가서를 보게 되었는데, 온 집안이 무고하고, 며느리는 12월 19일 사시에 해산을 하여 손자를 얻게 되었다고 한다. 기쁘기가 뭐라 말할 수 없을 지경이다. 딸의 우귀(于歸)에 대한 일은 같은 달 16일에 치송하였다고 하고, 조카며느리의 신행은 같은 달 19일에 하였다고 한다. 종일토록 구름이 가득하여 월출이 어떤지를 볼 수 없다.
十四日. 雨. 大抵今年元月望前, 東風再吹雨三下, 可以後考次. 是日得見年前所出家書, 則渾家無故, 且婦息十二月十九日巳時解娩, 而兼得男孫云. 欣幸不可言. 女息于歸之行, 同月十六日治送云, 而侄婦新行, 則同月十九日爲之云耳. 終日雲暗, 未見月出之如何.

1801년 1월 15일. 비가 조금 내린 데다 또 구름까지 끼었다.

초저녁에 떠오르는 달을 보았는데 달빛이 희멀겋다.

十五日. 雨小下, 亦雲翳. 初昏始見月, 月色淡白.

1801년 1월 24일. 선달 박증백이 내려가는 편에 가서와 신력 3
건을 부쳐 보냈다.

二十四日. 朴先達增白下去便, 付送家書, 新曆三件.

1801년 2월 1일. 정미일. 초하루부터 초사흘까지 날이 따뜻하고
바람이 없다. 승지 박길원이 참척(慘慽, 자손의 죽음)을 당했기 때
문에 가서 위문을 하고 왔다.

二月大初一日. 丁未. 初一日至初三日暖無風. 朴承旨吉源遭慘慽, 故
往問而來.

1801년 2월 7일. 승지 서욱수가 곡산부사에 제배되었기 때문에
그 형제의 형세가 곤궁함을 민망히 여기던 나머지인지라 기쁘기가
이를 데 없다. 곧 가서 축하하고, 그의 형 참봉 협수를 만나보니
담천(痰喘)이 대단하여 보기에 매우 민망했다.

初七日. 徐承旨郁修除拜谷山府使, 故悶其兄弟勢窮之餘, 喜不可言,
因往賀之, 見其伯氏參奉協修, 則痰喘大端, 見甚可悶.

1801년 2월 9일. 읍인 김원복(金元福)이 내려가는 편에 송자 1
되를 산지기 최대성에게 부쳐 보냈다. 동향의 선비 민백의가 찾아
왔기 때문에 남쪽 고향의 일에 대해 대략 듣게 되었다. 근래 치통
이 대단하여 여러 날 동안 신음하고 있는데, 박의양(朴義養)이 와서
보고 매우 민망히 여기며 가서 당귀연시음(當歸連翅飮) 2첩을 지어
왔기 때문에 달여먹고 차도를 보게 되었다. 그의 정을 살펴보면 매
우 기특하다.

初九日. 邑人金元福下去便, 付送松子一升于山直崔大成處. 同鄉士人閔百儀來見, 故槪聞南鄉事. 近日以齒痛大端, 累日叫呻矣, 朴義養來見, 甚悶而去矣, 製來當歸連翹飮二貼, 故煎服得差. 究其情, 可奇可奇.

1801년 2월 20일. 오늘은 증광 감시를 시행하는 날이다. 일기가 따뜻했다.
二十日. 卽增廣監試也. 日氣和暖.

1801년 2월 24일. 오늘은 한식날이다. 우두커니 여헌(旅軒)에 앉아있자니, 서글픈 생각이 배나 더해졌다.
二十四日. 卽寒食, 而塊坐旅軒, 倍增感愴之意.

1801년 3월 1일. 정축일. 맑음.
三月大初一日. 丁丑. 晴.

1801년 3월 6일. 선비 최진우(崔振宇)가 고향으로부터 시험을 보기 위해 왔다가 도파(渡灞)를 면하지 못했는데, 또 경과(京科)를 보고자 하니, 그의 정성이 귀하다 할 수 있겠다. 또 기쁘게도 천리 먼 곳에서 상면하여 고향 일에 대해 모두 말해주었다. 그 사람은 곧 나의 7촌 생질이다.
初六日. 士人崔振宇, 自鄉試來到, 未免渡灞, 而且欲觀廣於京科, 可貴其誠, 又喜千里之相面, 吐盡鄉事耳. 其人卽余之七寸甥姪也.

1801년 3월 8일. 읍한편에 가서를 부쳤다.
初八日. 邑漢便付家書.

1801년 3월 12일. 동당 대과가 설행되어서 최 조카는 부를 지었는데, 부제(賦題)는 '문왕이 오르내리시니, 상제가 좌우에 계시는 듯하다[文王陟降在帝左右]'이다.

十二日. 設東堂大科, 而崔侄作賦, 賦題則文王陟降在帝左右也.

1801년 3월 11일. 비. 고향 편지를 보았는데 별고가 없다고 하지만 집사람이 앓고 있는 고질병이 때때로 다시 재발한다고 하니, 염려스런 마음이 느슨해지지 않는다.

十一日. 雨. 見鄕書則別無它故, 而室人所患苦疾時時復發云, 慮念不弛.

1801년 3월 14일. 백종석(白宗石)이 고향으로 내려가는 편에 또 가서를 부쳤다.

十四日. 白宗石下鄕便, 又付家書.

1801년 3월 24일. 비. 삼일제(三日製)[75]를 설행했다.

二十四日. 雨. 其日設三日製.

1801년 3월 27일. 소과 회시를 설행하였는데, 민백의와 이명집이 모두 떨어졌으니, 그들이 누차 파교를 건넌 것이 민망하다.

二十七日. 設小科會試, 而閔百儀李命檝皆見屈, 可悶其累次之渡灞.

1801년 3월 29일. 명동에 가서 진사 서유순을, 섬정동에 가서 진사 서옥수를, 차동에 가서 진사 이우재를 축하하였다. 오는 길에 판서 한용구와 참의 박길원을 방문하고 왔다. 그때 최진우와 함께

---

75) 삼일제(三日製) : 매년 3월 3일에 성균관에서 시행하는 절일제(節日製)의 하나로, 우수한 성적을 거둔 유생에게 초시를 거치지 않고 회시에 응시할 수 있는 직부회시(直赴會試), 초시나 복시를 거치지 않고 전시를 치를 수 있는 직부전시(直赴殿試), 또는 초시에 가산점을 주는 급분(給分)의 특전을 주는 특별시험이자 권학책이었다.

다녀왔다.

二十九日. 往賀明洞徐進士有恂, 蟾井洞徐進士沃修, 車洞李進士愚在. 歷訪韓判書用龜·朴參議吉源而來. 其時與崔生振宇偕往耳.

1801년 4월 1일. 정미일.
四月小初一日. 丁未.

1801년 4월 3일. 청동에 가서 진사 심능종(沈能種)을 축하하고, 또 영상에게 축하를 드리고 왔다. 올 때는 참판 오재소(吳載紹)와 한림 오연상(吳淵常)에게 들렀지만 길이 어긋나 만나지 못했다.

初三日. 往賀淸洞沈進士能種, 而又獻賀於領相而來. 來時歷訪吳參判載紹·吳翰林淵常, 而有違未面.

1801년 4월 6일. 서방(書房) 임정발(任廷發)이 무과 초시에 합격해서 상경할 때 가지고 온 사위 내외의 서간을 받아보았는데, 무고하고 본제 또한 대단한 우고는 없다고 하니, 매우 기쁘고 다행이다. 그편에 버선 1건을 부쳐왔는데, 딸의 손길을 보는 듯하다.

初六日. 任書房廷發參武初試上京時, 得見外甥內外書簡, 則無故而本第亦無大端憂故云. 欣幸. 其便兼付襪子一件, 如見女息之手痕.

1801년 4월 9일. 오늘은 돌아가신 어머니의 기일이다. 지난해에는 집에 있었지만 올해는 제사에 참석하지 못하니, 자식된 도리가 멸절한 것이다. 눈물이 저절로 굴러떨어지며 한갓 서글픔만 더할 따름이다. 집안에서는 별탈없이 제사를 지내고 있겠지?

初九日. 卽先妣諱日也. 去年在家, 而今年不參祀, 子道絶矣. 涕淚自零, 徒增感愴而已. 未知家內無故行祀耶?

1801년 4월 18일. 백종석 편에 가서를 얻어보았는데, 집사람이 앓고 있던 고질병이 다 나았다고 하니, 매우 다행이다. 그러나 소가 죽었다고 하는데, 이 또한 물건을 잃어버리는 운수에 관계된 것이어서 그런 것이니, 무슨 방해가 되리?

十八日. 白宗石便得見家書, 則室人所患苦疾快却云, 欣幸, 而牛隻致斃云, 是亦關於失物之數而然, 何妨乎?

1801년 4월 21일. 생원 신오현(愼五顯)이 찾아와서 한참동안 얘기를 나누다가 갔다. 그 사람은 곧 인척이 되는 사람이다.

二十一日. 愼生員五顯來見, 而有頃相晤而去. 其人卽連姻者也.

1801년 4월 22일. 정종대왕이 세실(世室)에 들어가는 것으로서 정시(庭試)를 설행하여 10인을 취하였다. 본현 선비 최진우는 25일에 내려가는데, 파교를 건너는 일을 면하지 못하게 되었으니 한탄스럽다.

二十二日. 設正宗大王入世室庭試, 科取十人. 本縣士人崔振宇, 二十五日下去, 而未免渡灞之行, 可歎.

1801년 4월 23일. 학교(鶴橋)에 가서 새로 급제한 한긍리(韓兢履)를 축하하고, 사재동(司宰洞)의 이회상(李晦祥)과 안동(安洞)의 김명순(金明淳)도 축하하였으며, 오는 길에 정랑 김석현(金碩鉉)과 진사 국현 형제를 방문하고 왔다. 이날 또 명동에 가서 진사 서유순의 합격을 축하하였다.

二十三日. 往賀鶴橋新及第韓兢履, 司宰洞李晦祥, 安洞金明淳, 而歷訪金正郞碩鉉·進士國鉉兄弟而來. 是日又賀明洞徐進士有恂登第.

1801년 4월 26일. 강리(姜吏)가 내려가는 편에 가서를 부치고 겸하여 이불 2건을 보내어 본제에 전하게 했다. 덕호리의 임생이 내려가는 편에는 답장편지를 부치고 겸하여 붓 한 자루와 묵 1개 및 침 1봉을 보냈다.

二十六日. 姜吏下去便, 付家書兼送衾次二件, 使之傳于本第. 德湖任生下去便, 付答書, 而兼送筆一枝墨一笏針一封.

1801년 5월 1일. 병자일. 햇빛이 쨍쨍하기만 하여 모맥이 저절로 말라가는데, 남쪽은 4월에 큰비가 내려서 들판에 물빛이 가득하고 보리도 평년이라고 하니, 다행이다. 그러나 경기지역은 걱정스럽다.

五月大初一日. 丙子. 日出杲杲, 牟麥自枯, 而聞南土四月大雨, 滿野水色, 麥亦平平云, 可幸, 而圻邑則可悶.

1801년 5월 7일. 생원 심노현에게 가서 하제(下第)76)를 위로하고, 지나는 길에 흥양쉬 윤함과 승지 박길원을 방문하고 왔다.

初七日. 往慰沈生員魯賢下第, 歷訪尹興陽涵·朴承旨吉源而來.

1801년 5월 8일. 영백(嶺伯) 김이영(金履永)이 편지를 쓰고, 겸하여 새 부채 4자루를 보내왔으니, 그의 잊지 않은 정에 감사하며, 곧바로 답장편지를 작성하여 보냈다. 이날 저녁때 뇌성이 우르릉우르릉 하더니 빗방울이 혹 떨어졌는데 생각기에 다른 곳에도 반드시 쏟아졌을 것이다.

初八日. 嶺伯金履永修書, 而兼送新扇四柄, 可感其不忘之情, 卽爲成送答書. 是日夕時, 雷聲轟轟, 雨鈴或下, 意必他處有沛然之雨矣.

1801년 5월 10일. 자전께서 일에 혹시 빠트리거나 실정이 있어서 이처럼 가뭄의 재앙이 있는 것이라고 자책하셨는데, 이날 단비

---

76) 하제(下第) : 성적 평가에 있어 하등을 맞은 것을 말한다.

가 갑작스레 쏟아지니, 이것은 바로 말이 끝나지 않았는데 큰비가 수천리에 내린 것이다. 나는 마침 재동에 갔다가 비 때문에 막혀서 승지 오정원의 집에서 유숙했다.

初十日. 慈殿以事或有闕失致, 此亢旱之災自責, 而是日甘霈遍下, 此所謂言未已大雨方數千里也. 適到齋洞爲雨所滯, 留宿於吳承旨鼎源家.

1801년 5월 11일. 식후에 돌아오는 길에 승지 김근순을 방문하고, 또 승지 김재익의 외간상을 위문했으며, 이어서 후현(後峴)을 넘어가서 청동대신에게 절하고 왔다. 비가 아직 흡족하지 않으니, 백성은 이앙할 방도가 없다.

十一日. 食後歷訪金承旨近淳, 又問金承旨載翼外艱, 仍越後峴拜淸洞大臣而來. 雨猶未洽, 民無移秧之道矣.

1801년 5월 17일. 또 비가 내렸지만 흡족하지 않다. 이날은 곧 돌아가신 아버지의 기일이다. 몸이 천 리 밖에 있으면서 다만 그리운 마음만 더해져서 나도 몰래 눈물 콧물이 흘러내렸다.

十七日. 又雨亦未洽. 是日卽先考諱日也. 身在千里, 徒增感慕, 不覺涕泗之交頤.

1801년 5월 19일. 비가 일리(一犁) 남짓 내렸다. 영백(嶺伯) 김이영(金履永)이 절선 4자루를 보내왔다. 그가 멀리에서 잊지 않은 정에 감사하다.

十九日. 雨來一犁餘. 嶺伯金履永, 送節扇四柄, 可感其遠外不忘之情.

1801년 5월 29일. 선달 박증백이 올라오는 편에 가서를 얻어보게 되었는데 무고하다고 한다. 비록 다행이기는 하지만 비가 흡족히 내리지 않아서 이앙을 끝마치지 못했다고 한다. 이 또한 한 가지 걱정거리이다.

二十九日. 朴先達增白上來便, 得見家書, 則無故云. 雖幸而雨猶未洽, 移種未畢云, 是亦一慮事也.

1801년 6월 1일. 병오일. 맑음.
六月小初一日. 丙午. 晴.

1801년 6월 4일. 가서를 족인 김현(金鉉)이 내려가는 편에 부쳤다.
初四日. 付家書于族人金鉉下去便.

1801년 6월 28일. 대행대왕의 소상일이기 때문에 27일에 밤새도록 궐문밖에서 곡반에 참여하였고, 제사가 파한 후에는 장령 김규하(金圭夏)의 주인집에서 잠깐동안 눈을 붙인 후, 다음 날 아침에 돌아왔다.
二十八日. 大行大王小祥, 故二十七日達夜于闕門外參於哭班, 祭罷後暫爲假寐于金掌令圭夏之主家, 明朝歸來.

Ⅲ
자여도찰방 시기

1. 1801년 일기(하)

1801년 7월 1일. 을해일.
七月大初一日. 乙亥.

1801년 7월 22일. 도정에서 경상도 자여찰방(自如察訪)의 수망에 들어 다행히 임금의 낙점을 입게 되었으니 황감하기 그지없다. 부망은 이경윤(李卿尹)이고, 말망은 이근오(李覲吾)였다.
二十二日. 都政, 以慶尙道自如察訪首望, 幸蒙天点, 惶感無地. 副望李卿尹, 末望李覲吾.

1801년 7월 24일. 새벽에 궐내로 나아가서 사은숙배를 한 후에 나왔다.
二十四日. 曉詣闕內, 肅謝後出來.

1801년 7월 25일. 관례에 따라 이때 직임을 맡고 있는 대신들과 이조와 병조 당랑 등을 찾아봐야 하기 때문에 연일 가서 만나보았다. 그리고 인마는 신영인마(新迎人馬)가 미리 와서 기다리고 있었다. 지장(支裝)77)하고 지응(支應)78)하는 각종 물건은 모두 안동지 집으로 출급해주었다.
二十五日. 例見時原任大臣吏兵曹堂郞, 故連日往見, 而人馬, 則新迎人馬預爲來待矣. 支裝支應各種物件, 盡爲出給于安同知家.

---

77) 지장(支裝) : 신임(新任) 수령을 맞을 때 그곳 군아(郡衙)에서 주는 그곳의 산물(産物)이다.
78) 지응(支應) : 관원이 공무 출장 중에 소용되는 물품을 현지에서 대어주는 일을 말한다.

1801년 8월 1일. 을사일. 궐내의 곡반에 참여하여 신하의 정과 예를 조금 펼칠 수 있게 되니, 더욱 견복(甄復)의 기쁨을 깨닫겠다.

八月大初一日. 乙巳. 參於闕內哭班, 少伸臣子之情禮, 尤覺甄復之喜幸.

1801년 8월 2일. 새벽에 궐내로 나아가 사폐(辭陛)79)를 한 후에 나왔다. 이날 길을 출발하였는데, 동향에 사는 부장 이의홍과 함께 했다. 점심은 신원까지 30리를 가서 하고, 유숙은 오천까지 30리를 가서 했다.

初二日. 曉詣闕內, 辭陛後出來. 是日發行, 而與同鄉李部將宜弘偕行. 中火于新院三十里, 留宿于梧川三十里.

1801년 8월 3일. 길을 출발하여 금영까지 50리를 가서 점심을 먹고, 좌찬까지 30리를 가서 말의 먹이를 먹였으며, 진리까지 30리를 가서 유숙했다.

初三日. 離發, 中火于金永五十里, 秣馬于左撰三十里, 留宿于鎭里三十里.

1801년 8월 4일. 길을 출발하여 태곡까지 20리를 가서 말을 먹이를 먹였다. 그날 비가 내리고 바람이 불어서 전진을 할 수가 없기 때문에 광리원까지 20리를 가서 유숙했다.

初四日. 離發, 秣馬于太谷二十里. 其日雨且風, 不得前進, 故留宿于廣里院二十里.

1801년 8월 5일. 길을 출발하여 진천까지 40리를 가서 점심을

---

79) 사폐(辭陛) : 지방에 수령(守令)이 되어 가는 신하, 또는 외국에 사신으로 가는 신하가 임금에게 하직 인사를 드리는 일.

먹고, 오공창까지 30리를 가서 말의 먹이를 먹였으며, 청주까지 30리를 가서 유숙했다.

初五日. 離發, 中火于鎭川四十里, 秣馬于蜈蚣倉三十里, 留宿于淸州三十里.

1801년 8월 6일. 길을 떠나서 문의까지 30리를 가서 점심을 먹고, 주원까지 30리를 가서 말의 꼴을 먹였으며, 옥천삼거리까지 30리를 가서 유숙했다.

初六日. 離發, 中火于文義三十里, 秣馬于周園三十里, 留宿于沃川三巨里三十里.

1801년 8월 7일. 길을 떠나 접동까지 40리를 가서 점심을 먹고, 영동까지 30리를 가서 말의 꼴을 먹였으며, 황간까지 30리를 가서 유숙했다.

初七日. 離發, 中火于接洞四十里, 秣馬于永同三十里, 留宿于黃澗三十里.

1801년 8월 8일. 창리까지 40리를 가서 점심을 먹고, 금천까지 20리를 가서 말의 먹이를 먹였으며, 부상까지 30리를 가서 유숙했다.

初八日. 中火于倉里四十里, 秣馬于金泉二十里, 留宿于扶桑三十里.

1801년 8월 9일. 지저까지 40리를 가서 점심을 먹고, 조원까지 30리를 가서 말의 먹이를 먹였으며, 대구 감영까지 20리를 가서 유숙했다.

初九日. 中火于池底四十里, 秣馬于俎院三十里, 留宿于大丘監營二十里.

1801년 8월 10일. 객사의 전패(殿牌)에 연명(延命)을 한 후에 순사(巡使)를 알현하였는데, 순사는 승지 김이영(金履永)이다. 일찍부터 친분이 있기 때문에 수작이 은근했다. 해가 저문 후에 출발하여 화원(花園)까지 30리를 가서 유숙했다.

初十日. 延命于客舍殿牌後, 現謁于巡使, 巡使卽金承旨履永也. 曾有雅分, 故酬酢慇懃, 日晩後離發, 留宿于花園三十里.

1801년 8월 11일. 길을 떠나서 현풍(玄風)까지 30리를 가서 점심을 먹고, 수정지(水晶旨)까지 30리를 가서 유숙했다.

十一日. 離發, 中火于玄風三十里, 留宿于水晶旨三十里.

1801년 8월 12일. 길을 떠나 심천(深川)까지 50리를 가서 점심을 먹고, 반월(半月)까지 30리를 가서 말의 먹이를 먹였으며, 둔지촌(芚旨村)까지 30리를 가서 유숙했다. 구기(拘忌, 좋지 않다고 하여 꺼리는 일)하는 바가 있기 때문에 그 마을에 머물렀는데, 아침저녁 식사제공은 본역(本驛)[80]에서 담당해서 가져왔다. 대저 둔지에서 본역까지의 거리는 2리에 불과하기 때문이다.

十二日. 離發, 中火于深川五十里, 秣馬于半月三十里, 留宿于芚旨村三十里. 有所拘忌, 故留于其村, 而朝夕供饋則自本驛來當之. 大抵自芚旨去本驛, 不過二里許故也.

1801년 8월 15일. 도임을 하였는데, 모든 의절(儀節)은 오히려 잔읍보다는 나았다. 또 다담상은 성찬이라고 말할 수 있었는데, 조금 젓가락질을 한 후에 본역 및 각역 사람들과 상경할 하인들에게 내주었다.

---

80) 본역(本驛) : 자여역(自如驛)을 말한다. 창원도호부에 있다. 승(丞)이 있다. 본도(本道)에 소속된 역이 14개이니, 근주(近珠)·창인(昌仁)·대산(大山)·신풍(新豊)·파수(巴水)·춘곡(春谷)·영포(靈浦)·금곡(金谷)·덕산(德山)·성법(省法)·적항(赤項)·안민(安民)·보평(報平)·남역(南驛) 등이다.

十五日. 到任, 而凡干儀節, 猶勝殘邑. 且茶啖床, 可謂盛饌, 少爲下箸後, 出饋于本各驛上京下人處.

1801년 8월 17일. 이우(李友)와 함께 창원본부(昌原本府)에 가서 신병사(新兵使) 조계(趙啓)를 만나보고 왔다. 그 사람은 수백(水伯)을 거치지 않고 곧바로 진주병사(晉州兵使)에 제배된 사람이다.

十七日. 與李友往昌原本府, 見新兵使趙啓而來. 其人未經水伯而直拜晉州兵使也.

1801년 8월 20일. 오늘은 나의 생일날이다. 이방과 작청(作廳)의 아전들 및 관하(館下)의 노리배(老吏輩)들이 각각 다담상을 내오는데, 하루에 3번을 내왔다. 이우 앞에도 또 그렇게 하니, 이우가 웃으면서 말하길, "그대의 생일날에 나도 생일을 지내는 것 같구려."라고 했다. 조금 젓가락을 댄 후에 하인들과 비자(婢子)들에게 내주었다.

二十日. 卽余之生日也. 吏房及作廳諸吏, 與館下老吏輩, 各進茶啖床一日凡三進. 李友前亦然, 李友笑言曰, "君之生日, 我亦過生日云." 少爲下箸後, 出給于諸下人及婢子等處.

1801년 8월 21일. 관청에 분부를 하여 대략 술과 떡 및 반찬을 준비하게 하여 여러 아전과 통인 및 비자들에게 나누어주었다.

二十一日. 分付于官廳, 略備酒餠饌物, 分饋于諸吏及通引婢子等處.

1801년 8월 22일. 이부장이 고성 통영으로부터 이리저리 들러서 해남에 돌아가고자 하기 때문에 이방에게 분부를 하여 개인 말을 빌려서 보내주었다. 헤어질 때 임해서 서운한 마음을 이길 수 없었고, 또 그가 늙도록 하나의 관직도 얻지 못한 채 영원히 돌아가는 모양을 보니, 더욱 민망했다.

二十二日. 李部將欲自固城統營逶迤歸海南, 故分付吏房, 借得私馬而送之, 臨分不勝薪悵, 且看其老不得一官而大歸之狀, 尤爲可悶.

1801년 8월 27일. 경상우도 고령(高靈)에서 실시하는 문과 동당시의 참시관(參試官)으로서 길을 출발하여 수다리까지 40리를 가서 점심을 먹고, 오후에 출발하여 영산 읍내까지 30리를 가서 유숙했다. 주관(主官) 안홍적(安弘迪)이 먼저 전갈을 하였다. 공궤(供饋)하는 모든 일은 각 고을에서 관례대로 담당했다.

二十七日. 以右道高靈文科東堂參試官, 發行至水多里四十里中火, 午後離發至靈山邑內三十里留宿. 主官安弘迪, 先爲傳喝. 供饋凡節各邑例當之.

1801년 8월 28일. 일찍 출발하여 창녕현(昌寧縣)까지 30리를 가서 점심을 먹었는데, 주관 박철원(朴喆源)이 찾아왔다. 오후에는 현풍현(玄風縣)까지 40리를 가서 유숙했는데 주관 이정병(李鼎秉)은 곧 나오는 동방(同榜)인데다 동릉별검(東陵別檢)을 지낼 때의 이웃 동료였다. 오랫동안 보지 못했는데 객지에서 상봉하게 되니, 식청(拭靑)[81]하며 서로 기뻐함이 피차 어찌 다르겠는가?

二十八日. 早發至昌寧縣三十里中火, 主官朴喆源來見. 午後至玄風縣四十里留宿, 主官李鼎秉, 卽與我同榜, 而爲東陵別檢時隣僚也. 積阻顔面萍水相逢, 拭靑交欣, 彼此何殊?

1801년 8월 29일. 아침 일찍 출발하여 고령현까지 40리를 가니, 상시관인 도사 강준흠(姜俊欽)과 부시관인 하양현감 유현장(兪鉉章)은 아직 도착하지 않았기 때문에 사처에서 조금 쉬었다. 해가

---

81) 식청(拭靑) : 푸른 눈을 부빈다는 뜻이다. 진(晉)나라 완적(阮籍)이 반가운 사람을 만나면 청안(靑眼)을 뜨고 미운 사람을 만나면 백안(白眼)을 떴던 고사에서 나온 말이다. 『晉書 卷49 阮籍傳』

기울어질 때 상시관이 들어오기 때문에 함께 시소(試所) 객사에서 유숙했다.

二十九日. 早發至高靈縣四十里, 則上試官都事姜俊欽, 副試官河陽縣監兪鉉章, 尙不來到, 故少憩于下處矣. 斜陽時上試入來, 故同爲留宿于試所客舍.

1801년 8월 30일. 『주역』과 『논어』의 각 1장을 강하게 하였는데, 경(經)에 으뜸인 사람이 많이 있었다.

三十日. 捧易論講各一章, 而雄經多有之.

1801년 9월 1일. 을해일. 꼭두새벽에 객사에 나아가 제복(祭服)과 굴관(屈冠, 굴건)을 착용하고 망곡례를 행하였다. 이어서 또 사모관대를 갈아입고 망하례를 행하였다. 예를 마친 후에 자리를 열어 시험장을 설하고, 연3일 동안 시험을 실시해서 15인을 취하였다.

九月小初一日. 乙亥. 曉頭詣客舍, 着祭服屈冠, 行望哭禮, 仍又改着帽帶, 行望賀禮, 禮畢後開坐設場, 連三日設試, 取十五人.

1801년 9월 1일. 밤에 탁방(擢榜)을 하였다.

初四日. 夜, 擢榜.

1801년 9월 5일. 일찍 출발하여 대구 화원창까지 50리를 가서 점심을 먹고, 느즈막이 출발하여 영문(營門)까지 30리를 가니, 날이 이미 저물었다. 남문의 문지기 군졸에게 분부하여 문으로 오고 가게 하지 말라고 하였다.

初五日. 早發, 至大丘花園倉五十里中火, 晚後離發, 至營門三十里, 則日已昏矣. 分付南門門直軍, 使之勿爲門去來.

1801년 9월 6일. 아침에 들어가 순사를 뵙고 안부인사를 수작한 후에 본역 농사가 참담하게 흉년인 것을 크게 말하고, 다음으로 성소(省掃)하고자 하는 개인 사정을 말하니, 순사가 옥사(獄事) 때문에 아직까지 순행을 떠나지 못했는데도 휴가를 주었다. 과연 타인의 마음을 헤아린 것이라고 말할 수 있다. 이날 출발하여 화원까지 30리를 가서 유숙했다.

初六日. 朝, 入見于巡使, 寒暄酬酢後, 大言本驛民事之慘歉, 次言省掃之私情, 則巡使以獄事尙未發巡而給由, 可謂忖度他人之有心矣. 是日離發至花園三十里留宿.

1801년 9월 7일. 평명에 출발하여 현풍까지 30리를 가서 조반을 하고, 식후에 출발하여 창녕까지 40리를 가서 점심을 먹었으며, 오후에는 영산(靈山)까지 30리를 가서 유숙했다.

初七日. 平明發, 至玄風三十里朝飯, 食後至昌寧四十里中火, 午後至靈山三十里留宿.

1801년 9월 8일. 이른 아침에 출발하여 수다리(水多里)까지 30리를 가서 점심을 먹고, 오후에는 본역까지 40리를 왔다.

初八日. 早發, 至水多里三十里中火, 午後到本驛四十里.

1801년 9월 12일. 본역에서 출발하여 창원 읍내에 이르러 본부사(本府使) 이문철(李文喆)과 잠깐 만났다가 헤어지고, 근주역(近珠驛)까지 30리를 가서 점심을 먹었으며, 오후에는 동문령을 넘어서 춘곡역(春谷驛)까지 50리를 가서 유숙했다.

十二日. 自本驛離發, 至昌原邑內, 與本府使李文喆, 霎面而分, 至近珠驛三十里中火, 午後踰東門嶺, 至春谷驛五十里留宿.

1801년 9월 13일. 함안의 어속치를 넘어서 이천(耳川)까지 50 리를 가서 점심을 먹고, 오후에는 반성치(班城峙)·쌍치(雙峙)·속소이령(束小伊嶺)·이현(梨峴)·마치(馬峙)를 넘으니, 곧 진주 땅이다. 읍내까지 30리를 가서 유숙했다.

十三日. 踰咸安於束峙, 至耳川五十里中火, 午後踰班城峙雙峙束小伊嶺梨峴馬峙, 卽晉州地, 而至邑內三十里留宿.

1801년 9월 14일. 길을 출발하여 영양(英陽)의 앞뒤 두 고개를 넘어서 봉계(鳳溪)까지 40리를 가서 점심을 먹고, 오후에는 하동의 횡보(橫補) 시장터 아래까지 이르렀는데, 중도에서 평덕(坪德)의 종형을 만나 대략 본제의 안부를 묻고 함께 동행을 하였다. 그때 부장 이의홍도 동행했다. 황치(黃峙)와 공도령(孔道嶺)과 우치(牛峙)를 넘어서 부내(府內)까지 50리를 가서 유숙했다.

十四日. 離發踰英陽前後二峙, 而至鳳溪四十里中火, 午後至河東橫補市基下, 中路逢坪德從兄, 槪問本第安否, 而偕與同行. 其時李部將宜弘, 亦同行. 踰黃峙孔道嶺牛峙, 至府內五十里留宿.

1801년 9월 15일. 신지영(新只永) 주막까지 20리를 가서 조반을 한 후에 산치(山峙)와 수달치(水達峙) 및 아마후령(阿馬後嶺)과 반송치(盤松峙)를 넘으니 곧 광양 땅이다. 읍전의 주막까지 40리를 가서 말의 먹이를 먹이고, 오후에 순천까지 30리를 가서 유숙했다. 본부사 심수(沈銖)는 곧 본래부터 잘 알고 지내는 사람인데, 그때 신병으로 신음하고 있었으며, 병세가 지리한 것 같아 매우 민망하였다. 조석의 공궤는 본관이 담당했다.

十五日. 至新只永酒幕二十里, 朝飯後, 踰山峙水達峙阿馬後嶺盤松峙, 卽光陽地, 而至邑前酒幕四十里秣馬, 午後至順天三十里留宿, 而本府使沈銖, 卽素所親知之人也, 其時以身病呻吟, 而症勢似支離, 悶悶. 朝夕供饋則本官當之.

1801년 9월 16일. 길을 출발하여 가라곡(加羅谷)까지 50리를 가서 점심을 먹고, 오후에는 불치(佛峙)와 백사치(白沙峙) 및 여라치(余羅峙)를 넘으니 곧 낙안 땅이다. 보성의 조성원(鳥城院)까지 20리를 가서 말의 먹이를 먹이고, 군모리(君毛里)까지 20리를 가서 유숙했다.

十六日. 離發, 至加羅谷五十里中火, 午後踰佛峙白沙峙余羅峙, 即樂安地也. 至寶城鳥城院二十里秣馬, 至君毛里二十里留宿.

1801년 9월 17일. 길을 출발하여 대산(垈山)까지 40리를 가서 조반을 하였으며, 안치(鴈峙)와 고곡현(古谷峴) 및 장흥 운치(雲峙)를 넘어서 부내(府內)의 천변막까지 30를 가서 말의 먹이를 먹이고, 오후에는 강진읍까지 30리를 가서 유숙했는데, 본관 이안묵(李安黙)은 곧 알고 지낸 사람이기 때문에 조석의 공궤를 담당해주었다.

十七日. 離發, 至垈山四十里朝飯, 踰鴈峙古谷峴長興雲峙, 至府內川邊幕三十里秣馬, 午後至康津邑內三十里留宿, 而本官李安黙, 即所親知, 故朝夕供饋當之.

1801년 9월 18일. 해남의 비곡면(比谷面) 당산리(堂山里)에 이르러 생원 민치빈(閔致彬)을 만나보고, 잠시 그 동네 사람들을 방문한 뒤 곧이어 출발하여 청계 방죽내(防竹內)에 이르러 외척들을 방문하였으며, 외조부의 사당을 참알하고 유숙했다.

十八日. 至海南比谷面堂山里, 見閔生員致彬, 暫訪其洞內之人, 仍發至淸溪防竹內, 歷訪外戚, 參謁于外祖父祠堂而留宿.

1801년 9월 19일. 여수동(麗水洞)과 사창(射倉)과 덕정리(德井里)의 친한 사람들을 방문하였다.

十九日. 歷訪麗水洞射倉德井里諸親知之人.

1801년 9월 20일. 본가까지 30리를 가니, 족인들이 모두 모여 있었다. 또 지난해 4월에 상경할 때 복중에 있던 손자를 이제 무릎 위에 안아주고 있자니, 금의환향의 다행일 뿐만이 아니라 가장 기쁜 것은 이 두 손자의 모골이 귀하게 생긴 것이다. 여독으로 인해 끙끙 앓았다.

二十日. 到本家三十里, 則諸族皆會. 且去年四月上京時, 在腹之孫兒, 抱在膝上, 非徒錦還之幸, 最可喜者, 此兩孫子毛骨有貴格耳. 以路憊呻吟故.

1801년 9월 28일. 주과를 가지고 산일면 여의교(如意橋) 친산의 양위(兩位)에 성소(省掃)하니, 슬픔과 기쁨이 교차하여 눈물이 저절로 흘러내리며 슬픈 감정을 이길 수 없었다. 돌아오는 길에는 소마포(小馬浦) 위의 조부 산소와 돌방산(乭房山)의 조모 산소에 성소를 하고, 저녁때는 주과를 가지고 종가 사당의 열위 앞에 참알하였다.

二十八日. 以酒果省掃于山一面如意橋親山兩位, 悲喜交發涕淚自零, 不勝感愴. 回路省掃于小馬浦上祖父主山所, 乭房山祖母主山所, 夕時以酒果參謁于宗家祠堂列位之前.

1801년 9월 29일. 여정리(女井里) 안산에 있는 중부(仲父)의 산소에 성소를 하고 이어서 내송리(內松里) 족숙 집으로 향해가서 잠시 대화를 하고 왔는데, 주찬으로 접대함이 자못 은근한 정으로 대해주어서 감사했다. 그때 날이 저물어서 송천(松川)의 벗들을 방문하지 못하고 다만 급창을 보내 전갈하였으며, 지나는 길에 덕호리의 조상인(曺喪人) 형제를 위문하니, 날이 이미 황혼이었다.

(二)十九日. 省掃于女井里案山仲父之墳墓, 仍向內松里族叔家, 暫話而來, 酒饌接待, 頗有慇懃之情厚可感. 其時以日暮, 未訪松川諸友, 而但送及唱傳喝, 歷問德湖里曹喪人兄弟, 日已黃昏矣.

1801년 10월 1일. 갑진일.
十月大初一甲辰.

1801년 10월 2일. 주과를 가지고 신산(蒜山) 아래에 있는 선산의 열위와 월변(越邊)의 선산에 성소를 하고, 오후에는 출발하여 송정에서 유숙하였는데, 이추성(李秋成)이 은근하고 정성스레 대접해주었다.

初二日. 以酒果省掃于蒜山之下, 先山列位與越邊先山, 午後發至松汀留宿, 而李秋成殷勤款待.

1801년 10월 3일. 아침에 벗 이의엽(李宜燁)을 만나보니 병으로 신음하고 있어서 가련했다. 지나가면서 원진(院津)의 벗 이의협(李宜協)을 방문하고, 곧바로 화산 노하촌(路下村)을 향해가서 진외척인 박생원 등을 방문하였다. 저녁때는 산 아래 연화동(蓮花洞) 민촌에서 유숙하였는데, 족인 10여명도 와서 산지기 집에서 유숙했다.

初三日. 朝見李友宜燁, 則以病呻吟, 可悶. 歷訪院津李友宜協, 直向花山路下村, 訪眞外戚朴生員諸人, 夕時至山下蓮花洞民村留宿, 而諸族十餘人亦來, 留宿于山直家矣.

1801년 10월 4일. 오늘은 세일제(歲一祭)를 설행하였는데, 때문에 겸해서 성소를 하고 왔다. 지나는 길에 용정리(龍井里) 서원에서 말의 먹이를 먹였다.

初四日. 卽歲一祭設行, 故兼爲省掃而來. 歷路秣馬于龍井里書院.

1801년 10월 5일. 동네의 족인들을 찾아보고 왔다.

初五日. 往見洞內諸族而來.

1801년 10월 8일. 길을 출발해서 본 고을의 성안에 이르러 본 쉬 홍대연(洪大淵)을 찾아보고, 잠깐동안 수작할 즈음에 가을비가 추적추적 내리며 끝내 그치지 않기 때문에 그대로 유숙했다.
　初八日. 離發至本邑城中, 見本倅洪大淵, 少頃酬酢之際, 秋雨霏微, 終不止, 故仍爲留宿.

1801년 10월 9일. 아침에 동문 밖의 친구들을 찾아갔고, 식후에 출발해서 송산(松山)에 이르러 백상인(白喪人) 3형제를 위문하였으며, 이어서 강진을 향하여 40리를 가니, 해가 이미 서쪽으로 향하고 있는 데다 주관 또한 만류하기 때문에 유숙했다.
　初九日. 朝, 往見東門外諸友, 而食後發至松山, 問白喪人三兄弟, 仍向康津四十里, 則日已向西, 而主官亦挽止故留宿.

1801년 10월 10일. 이른 아침밥을 먹은 후 출발하여 금천(錦川) 신기리에 이르러 생원 최갑흥(崔甲興)을 방문하고, 이어서 과부로 살고있는 처제와 그 아들을 만나서 몇마디 말을 한 후 곧바로 출발하여 장흥까지 30리를 간 후에 점심을 먹고, 대산(垈山)까지 30리를 가서 말의 먹이를 먹였으며, 보성까지 20리를 가서 유숙했다.
　初十日. 早食後, 發至錦川新基里, 訪崔生員甲興, 仍見寡居妻弟與其子, 而數語旋發, 至長興三十里中火, 至垈山三十里秣馬, 至寶城二十里留宿.

1801년 10월 11일. 길을 출발하여 조성원까지 40리를 가서 점심을 먹고 가라곡까지 20리를 가서 유숙했다.
　十一日. 離發至鳥城院四十里中火, 至加羅谷二十里留宿.

1801년 10월 12일. 길을 출발하여 순천까지 50리를 가서 본부사 심수를 만나보니 신병이 쾌복한 데다 또 그 아들도 연방에 합격하였으니, 친하게 지낸 사람도 이처럼 기쁘고 다행인데, 하물며 당사자임에랴? 그때 아들과 사위가 동행하였기 때문에 심우를 청하여 만나보며 아들과 사위를 만나보게 했다. 3인의 식사제공은 본관이 감당했다. 또 나에게 그가 읊은 칠절시 2수를 보여주었으니, 그 시는 다음과 같다.

可喜吾兒登榜日	기쁘게도 우리 아이가 합격한 날은,
適符先祖上庠年	마침 선조가 상상한 나이와 딱 맞네.
人於樂處須存戒	사람이 즐거운 곳에선 반드시 경계함 있으니,
勿墜儒家古法傳	유가에 예부터 전해오는 법 떨어뜨리지 말라.

祖子孫相承進士	할아비와 아들손자가 서로 이어 진사가 되니,
乙丁辛適値酉年	을년 정년 신년이 마침 유년에 놓였네.
吾何福力能如此	나의 어떤 복력으로 이와 같을 것인가,
積善餘休屢世傳	선을 쌓은 나머지의 경사를 세세토록 전하리.

오후에 출발하여 광양현 주막까지 30리를 가서 유숙했다.

十二日. 離發至順天五十里, 見本府使沈銖, 則身病快復, 且其子又參蓮榜, 親知之間猶且喜幸, 況當者乎? 其時與子婿同行, 故沈友請見, 仍使子婿見之焉. 三人供饌, 本官當之. 且示余以其所詠七絶二首, 其詩曰, 可喜吾兒登榜日, 適符先祖上庠年. 人於樂處須存戒, 勿墜儒家古法傳. 祖子孫相承進士, 乙丁辛適値酉年. 吾何福力能如此, 積善餘休屢世傳. 午後發, 至光陽縣酒幕三十里留宿.

1801년 10월 13일. 길을 출발하여 신지영까지 40리를 가서 점심을 먹고, 오후에는 두치강을 건너서 본도의 하동 횡보막까지 40

리를 가서 유숙했다.

十三日. 發至新只永四十里中火, 午後渡斗峙江, 至本道河東橫補幕四十里留宿.

1801년 10월 14일. 길을 출발하여 봉계막까지 30리를 가서 점심을 먹고, 오후에는 소촌역까지 60리를 가니, 찰방 이영효(李英孝)가 기쁘게 맞아주고, 전에 서울에 있을 때 남산제관으로 눈속에서 함께 고생한 일을 기억하여 말할 줄을 아니, 그 사람은 과연 지난 일을 잊지 않은 자라고 말할 수 있겠다. 조석의 공궤를 모두 감당해주었다.

十四日. 發至鳳溪幕三十里中火, 午後至召村驛六十里, 則察訪李英孝欣然迎接, 能記前者在京時南山祭官雪裡同苦之事而言之, 其人可謂不忘往事者也. 朝夕供饌皆當之.

1801년 10월 15일. 길을 출발하여 노변의 부다역(富多驛)까지 30리를 가서 점심을 먹고, 오후에는 춘곡역까지 30리를 가서 유숙했다.

十五日. 離發至路邊富多驛三十里中火, 午後至春谷驛三十里留宿.

1801년 10월 16일. 꼭두새벽에 출발하여 근주역까지 50리를 가니, 해가 겨우 늦은 아침밥을 먹을 때였다. 점심을 먹은 후 창원부에 도착하여 본관과 잠깐동안 수작을 하고, 본역까지 30리를 갔다. 말 위에서 멀리 평야를 바라보니 베어놓은 곡식단을 모두 곳곳의 밭머리에 둔 채 갈무리하지 않았기 때문에 물어보니, 원체 낱알이 들지 않아 입에 올릴 것이 없기 때문에 들판에 버려두었다고 했다. 듣고 보니 매우 한심하고, 보이는 것이 매우 참혹하다.

十六日. 曉頭離發, 至近珠驛五十里, 則日纔爲晚朝飯時矣. 中火後至昌原府, 與本官少頃酬酢, 而到本驛三十里. 馬上遙望前坪, 則所刈禾穀

皆置於處處田頭, 而不爲藏置, 故問之, 則元無粒米掛齒之穀, 故棄置於
野中云. 聞極寒心, 見甚慘悶.

1801년 10월 17일. 각 역에 전령을 보냈다.
十七日. 傳令于本各驛.

1801년 10월 18일. 창고를 열고 환곡을 받아들였는데, 납부할
나락으로 만약 알찬 것만을 받아들인다면 다만 봉상(捧上)이 어려
울 뿐만이 아니라 백성들이 장차 도산(逃散)할 형세가 있기 때문에
그 사정을 참작하여 한 사람도 알찬 곡식만을 가리거나 거친 곡식
을 퇴짜하는 일이 없도록 하니, 백성들도 관의 마음을 알고 감히
빈껍데기의 나락으로 납부하지 않았다. 연일 창고에 앉아서 거둬들
인 숫자가 400여 석에 이르렀는데, 22일이다.
十八日. 開倉捧糴, 而所納之租, 若以精實捧之, 則非但捧上之難, 民
將有逃散之勢, 故參酌其事情, 而一無擇精退麤之道, 民亦知官之心, 而
不敢以空殼之租來納矣. 連日坐倉所, 捧之數至四百餘石, 而日則念二矣.

1801년 10월 23일부터 26일까지 거둬들인 것이 1600여 석이
다.
二十三四五六日. 所捧至於一千六百餘石而.

1801년 10월 27일. 순영(巡營)행을 출발하여 30리까지 가서 진
변막(津邊幕)에서 점심을 먹고, 오후에는 영산현까지 40리를 가서
유숙했는데, 본관 안홍적이 정성스럽게 대접하고 음식을 제공했다.
二十七日. 治發巡營行, 至三十里津邊幕中火, 午後至靈山縣四十里留
宿, 本官安弘迪款接供饋.

1801년 10월 28일. 아침 일찍 출발하여 50리를 가서 주막에서

점심을 먹고, 오후에는 화원창 주막까지 50리를 가서 유숙했다.

二十八日. 早發至五十里酒幕中火, 午後至花園倉酒幕五十里留宿.

1801년 10월 29일. 새벽에 출발하여 대구 감영까지 30리를 가니, 해가 3간(竿)에 올라 있었다. 식전에 들어가 순사 김이영을 뵙고 한참동안 수작을 한 후에 나와서 영주인(營主人)[82] 집으로 왔다. 조반을 한 후에 다시 선화당으로 들어가 환곡을 거두는 일의 시급함을 말하고 인사를 하고 나왔다. 그날 곧바로 출발하여 화원창까지 30리를 가서 유숙했다.

二十九日. 曉發至大丘監營三十里, 則日上三竿矣. 食前入見巡使金履永, 有頃酬酢後, 出來營主人家. 朝飯後復入宣化堂, 語以捧還之急, 拜辭而出. 其日卽發至花園倉三十里留宿.

1801년 10월 30일. 이른 아침에 출발하여 50리를 가서 점심을 먹고, 오후에는 창녕현감 박철원을 방문하니, 그 사람이 율무죽으로 대접해주었는데, 비록 만류를 할지라도 마음이 공무에 급하여 잠깐동안 얘기를 하고 곧바로 출발하여 영산현까지 50리를 가서 유숙했다. 조석의 공궤도 또한 올라갈 때와 같이 해주었는데, 그 사람은 과기(瓜期, 임기)가 이미 차서 말미를 얻어 서울로 돌아간다고 한다. 마음이 매우 섭섭했다.

三十日. 早發至五十里幕中火, 午後歷訪昌寧縣監朴喆源, 則其人待以薏苡粥, 雖欲挽止, 而心急於公務, 霎語旋發, 至靈山縣五十里留宿. 朝夕供饌, 亦如上去之時, 其人以瓜期已滿, 得由歸洛云, 心甚悵然.

1801년 11월 1일. 갑술일. 주관 안홍적과 함께 제복을 입고 객

---

82) 영주인(營主人) : 각 감영에 속하여 감영과 각 고을 사이의·연락을 맡아보던 아전을 말한다. 영저리.

사에서 망곡례를 행하였다. 예를 마친 후에 사모관대를 바꾸어 입고 망하례를 행하였으며, 예를 마친 후에 문을 나와서 서로 헤어졌다. 그날 출발하여 대산역(大山驛)까지 50리를 가서 점심을 먹고 오후에 본역까지 30리를 가서 도착했다.

十一月小初一甲戌初一日. 與主官安弘迪, 着祭服行望哭禮于客舍. 禮畢後改着帽帶, 行望賀禮, 禮畢後出門相別. 其日發至大山驛五十里中火, 午後到本驛三十里.

1801년 11월 2일. 창고에 앉아서 환곡을 거두었는데, 날마다 이처럼 하여서 매일 거둔 것이 항상 100여 석이 되었다.

初二日. 坐倉捧糴, 日日如是, 每日所捧, 常爲百餘石.

1801년 11월 6일. 편지를 써서 서울의 각처에 보냈다. 김해 하계에 사는 석사 어용서(魚用書)가 찾아왔다가 갔다.

初六日. 修書送于京中各處. 金海下界居魚碩士用書來見而去.

1801년 11월 8일. 밤중 꿈속에서 죽은 막내동생을 보았는데 그의 형용을 살펴보니 비록 매우 초췌하기는 하지만 기쁜 낯으로 고별을 하고 갔다. 그 나머지 알지 못하는 사람들이 분분이 물러났는데, 일이 매우 괴이하기 때문에 뒷날 상고하기 위해 기록해둔다.

初八日. 夜夢見亡季弟, 而看其形容, 雖極憔悴, 似有喜色告別而去. 其他不知何許之人, 紛紛而退, 事甚怪異, 故後考次記之.

1801년 11월 9일. 거두어들인 환곡의 수효를 계산해보니, 2800여 석이 된다. 이날 소촌찰방 이영효(李英孝)가 찾아왔기에 어느 곳으로 향하는가를 물어보니 답하길 '참의 조득영(趙得永)이 부산첨사에 외보(外補, 외직에 보임)되었기 때문에 이를 위해 부득이 간다'고 했다. 잠깐 말하고 곧바로 헤어졌다.

初九日. 計其所捧還租數爻, 則爲二千八百餘石矣. 是日召村察訪李英孝來見, 而問其向何處, 則答云, 趙參議得永外補于釜山僉使, 故爲此不得已之行云. 霎語旋分.

1801년 11월 12일. 본제에 종을 보내고 겸하여 약간의 짐을 부쳤다. 이날 장동의 종씨인 진사 국현의 서간과 고동의 참봉 서협수의 서간이 경저리편을 통해 내려왔다. 그래서 그 사의를 살펴보니 모두 간절하게 구하는 말인지라, 이처럼 미관인 사람에게 이와 같은 편지들이 있다는 것은 이 또한 하나의 호사이다. 만약 정으로 친한 사이가 아니라면 어찌 이와 같은 일이 있을 것인가? 구주인 안인집(安仁集)에게도 편지를 보내고 겸하여 신력 3건을 부쳤다.

十二日. 送夫奴于本第, 而兼付如干卜物. 是日壯洞宗氏進士國鉉書簡, 雇洞徐參奉協修書簡, 自邸便下來, 而審其辭意, 皆求懇之語, 以此微官有如許等書, 是亦一好事也. 若非情親間, 豈有此事耶? 舊主人安仁集, 亦送書而兼付新曆三件.

1801년 11월 13일. 거두어들인 환곡 수효를 계산해보니 3400여 석이고, 거두지 못한 것이 600여 석이다.

十三日. 計其所捧還租數爻, 則爲三千四百餘石, 而未收者六百餘石矣.

1801년 11월 14일. 오후에 말을 달려 본부 읍내에 가서 부사 이문철과 잠깐 수작을 한 후에 관사로 나왔다. 이날 밤은 찬바람이 매섭게 불었다.

十四日. 午後馳往本府邑內, 與府使李文喆, 少焉酬酢後, 出來于舍館. 是夜寒風栗烈.

1801년 11월 15일. 동녘이 밝아올 때 본부사와 함께 객사에서 망곡례를 행하고, 예를 마친 후에 사모관대를 바꾸어 입고 망하례를 행하였다. 그때 바람이 아직도 그치지 않았다. 조석의 공궤는 본관이 감당했다. 식후에 즉시 관으로 돌아왔다가 곧바로 진창(賑倉)에 도착하여 종일토록 환곡을 거두었다.

十五日. 開東, 與本府使行望哭禮于客舍, 禮畢後改着帽帶, 行望賀禮. 其時風猶不休. 朝夕供饋則本官當之. 食後即爲還官, 而直到賑倉, 終日捧糴.

1801년 11월 16일. 초저녁에 눈이 내렸다.

十六日. 夜初雪來.

1801년 11월 17일. 오늘은 동짓날이다. 망곡례를 행하고 칠절시를 읊었다.

夜分初動地中雷	밤중에 처음으로 땅속의 우레가 울리니,
識得今宵造化開	오늘이 바로 조화가 열리는 것을 알겠네.
遙望蒼梧哭且拜	멀리 창오산을 바라보며 곡하고 절하나니,
吾王聖壽祝如來	우리 임금의 장수를 빌고 오노라.

대저 동짓날에는 외역의 병방과 이방이 모두 알현을 하기 때문에 관에서는 관례대로 백미와 적두를 내려주어서 죽을 끓이게 하고 본역과 각역의 하속들에게 나누어주니, 이것이 유래해온 규례인지라, 무슨 방해가 되랴? 이날 밤에도 눈이 내렸다.

十七日. 即冬至也. 行望哭禮, 聊吟七絶.
夜分初動地中雷, 識得今宵造化開. 遙望蒼梧哭且拜, 吾王聖壽祝如來.
大抵至日, 則外驛兵吏房皆來現, 故自官例下白米赤豆煮粥分饋于本各驛下屬, 此是流來之規例也. 庸何妨乎? 是夜又雪來.

1801년 11월 20일. 열흘 동안에 거두어들인 환곡 수효를 적어서 성책을 한 후 순영에 보장(報狀)을 보냈는데, 거둬들이지 못한 것이 311석이다. 이날 겸하여 순영(巡營)의 좌막(佐幕)에 있는 첨지 윤준(尹浚)에게 편지를 부쳤는데, 그 사람은 곧 서울에 있을 때 낙동의 서판서 집에서 본 사람이지만 그동안 영영(嶺營)으로 내려와 있는지를 모르고 있다가 천만뜻밖에도 본역에 도착하여 만나게 되었다. 때문에 어느 곳으로부터 이곳에 도착하게 되었는지를 물어 보니, 지난해에 와서 영영의 좌막에 머물고 있다고 했다. 옛날에 알던 사람을 갑자기 객지의 타향에서 만나게 되니, '남아가 어디선들 서로 만나지 않을손가'라는 말이 이것을 말한 것이다. 이미 감영으로 돌아가고자 하기 때문에 술 한 병을 편지와 함께 보냈다. 이것은 옛정 때문에 그런 것이지 실로 망상하는 바가 있어서 그런 것은 아니다.

二十日. 修送間十日捧糴數爻成冊, 報狀于巡營, 而未捧爲三百十一石矣. 是日兼付書于巡營佐幕尹僉知浚, 其人卽在京時見於駱洞徐判書家, 而不知下來于嶺營矣, 千萬夢外來到于本驛見之, 故問其自何到此, 則答曰去年來留嶺營佐幕云. 舊日顔面, 忽逢於萍水之鄕, '男兒何處不相逢者', 此之謂也. 業已意者歸營, 故以一壺酒伴簡而送之. 此則以故情而然, 實非有所妄想而然也.

1801년 11월 21일. 작은 비가 내렸다.
二十一日. 小雨.

1801년 11월 22일. 본현의 선비 민치대(閔致大)가 지난 갑인년 (1794)의 흉년에 유리걸식하며 김해의 가조산촌(加助山村)에 와서 우거하고 있으면서 재차 찾아오기 때문에 그가 어떻게 살아가고 있는지를 물어보니, 지금은 안생 집에서 우거하고 있는데 그 사람은 부요한 데다 아들이 있기 때문에 교수하는 힘에 힘입어 연명하고 있으며, 첩을 두었는데 또 해남에서 함께 데려온 아들까지 있어서 식구가 3명이 되기 때문에 경비를 조달하기가 매양 어렵다고 했다. 그가 유락하는 모양을 보면 매우 가련하다. 그 사람의 문학은 과거에 합격할 재주로 족한데도 아직까지 이런 상태이니, 더욱 가련하다.

二十二日. 本縣士人閔致大, 去甲寅凶年流離漂泊, 來寓於金海加助山村, 而再次來見, 故問其何以資生, 則答曰今寓於安生家, 而其人饒富且有子, 故以教授之力賴以延命, 而有妾又有海南所共來之子食口爲三, 故調度每艱云. 看其流落之情狀, 極爲矜悶. 其人文學足以決科之才, 而猶且如此, 尤爲悶悶.

1801년 11월 25일. 윤첨지의 답서가 왔다.

二十五日. 尹僉知答書來到.

1801년 11월 26일. 날이 차고 바람이 불었으며, 눈발이 잠시 날리다가 그쳤다. 서울의 각처에서 답장편지가 왔는데, 이판은 판서 김관주(金觀柱)가 되고, 병판은 판서 이득신(李得臣)이 되었다고 한다. 신력 8축을 사와서 각방의 하인들에게 나누어 주고, 또 본향의 각처에도 나누어 보냈다.

二十六日. 日寒且風, 点雪暫下而止. 京中各處答書來到, 而吏判金判書觀柱兵判李判書得臣爲之云耳. 新曆八軸賀來, 而分給于各房下人處, 又分送于本鄕各處.

1801년 11월 28일. 황혼 무렵에 23일자의 가서를 받아보게 되었는데, 집사람이 신병과 뱃속의 상충증(上冲症) 때문에 신음하고 있다고 한다. 염려하는 마음이 느슨해지지 않는다. 그밖에는 아이들이 병없이 잘 지내고 있다니 다행이다.

二十八日. 黃昏時, 得見念三日所出家書, 則室人以身病與腹中上冲之症, 呻吟云. 慮念不弛. 其外兒輩無病云, 幸幸.

1801년 12월 1일. 계묘일. 신병 때문에 자리에 몸져누워 신음하느라 곡반과 하례에 참여할 수 없어서 하루의 정과 예를 펼치지 못했으니, 매우 황송하다.

十二月大初一癸卯. 初一日. 以身病委席叫痛, 未參哭班與賀禮, 未伸一日之情禮, 伏切惶悚.

1801년 12월 6일. 사위 계첨(季瞻)을 보냈는데, 석달동안 함께 머문 끝에 홀연히 고별을 하게 되니, 헤어짐에 임했을 때는 서글프고 텅 빈 것 같은 마음을 이길 수 없었다. 약간의 잡물을 주고 겸하여 본제로 보내는 짐을 부쳤다. 지난달 28일에는 아우가 질녀의 혼례를 송산의 백생원가로 정했는데, 사윗감은 올 때 이미 보았지만 그밖의 여러 가지 일은 어떻게 준비할 것인가? 혼례를 치를 방도를 대략 이미 지휘하고 온 것이 있지만, 과연 가르쳐준 대로 거행했는지 모르겠다. 계첨이 돌아갈 때의 노정이 순천부를 경유하기 때문에 부사 심수에게 편지를 부치고 겸하여 차운시로 칠언절구 2수와 서문도 부쳤다.

내가 우연히 자여도(自如道)[83] 우관에 제수되어 9월에 고향의 선

---

83) 자여도(自如道) : 경상도 창원의 자여역(自如驛)을 중심으로 한 역도(驛道). 중심역은 역승(驛丞)이 소재하였으나 뒤에 찰방(察訪)으로 승격되었다. 관할범위는 함안-창원-김해-밀양-양산 방면에 이어지는 역로와 창원-웅천-칠원 방면에 이어지는 역로이다. 이에 속하는 역은 창원의 근주(近珠)·신풍(新豊)·안민(安民), 칠원의 창인(昌仁)·영포(靈浦), 김해의 대산(大山), 함안의 파수(巴水)·춘곡(春谷)·금곡(金谷, 김해)·덕산(德山, 김해)·성법(省法, 김해)·적항(赤項, 김해)·남역(南驛, 김해), 웅천의 보평(報平) 등 14개 역이다. 뒤에 덕산역은 황산도(黃山道, 梁山)로 편입되고, 양동역(良洞驛)이 자여도로 편입되어 왔다. 자여도 소속 역들은 모두 소로(小路 또는 小驛)에 속하는 역들이었

산에 성묘를 갈 때 순천부의 수령을 방문했는데, 군은 곧 평소에 친하게 지낸 사이이다. 그런데 병을 앓은 지 여러 달이 되었고 아직 낫지를 않고 있어서 매우 민망하였다. 돌아가는 길에 들렀을 때 다시 만나보니 병이 거의 완쾌되었고, 또 현윤이 연방에 합격하는 경사가 있었으니, 이것은 실로 근심은 흩어지고 기쁨이 생겨나는 지점에 교묘히 화협한 것이다. 이수(二豎)가 이미 물러가고 사마(司馬)가 이어서 이르니, 과연 선한 자에게 복이 온다는 이치가 진실로 헛말이 아닌 것이다. 무릇 사물을 접함이 정성스럽고, 다른 사람을 위한 모충(謀忠, 꾀를 내주는 것)이 곧 공이 평상시에 행하는 여사이니, 어찌 찬미할 필요가 있을 것인가? 출발에 임했을 때 훌륭한 칠절시 2수를 나에게 보여주었는데, 내가 비록 문장은 짧지만 어찌 감히 차운하길 사양하겠는가? 이에 다만 졸렬한 구절로 삼가 다음과 같이 차운한다.

積德君家知有自	덕을 쌓은 그대의 집안 유래 있음을 아노니,
蓮榜三世一酉年	연방한 3대가 모두 유자 들어간 해였네.
綿綿餘祿豈止此	면면히 이어진 복록이 어찌 여기에서 그치리,
將使無窮永代傳	장치 무궁토록 대대로 전하게 하리.

看公接物持身事	공께서 사물을 접하고 몸가짐 하는 일을 보니,
家訓元來已積年	원래부터 가훈으로 이미 쌓여온 것이었네.
賀律兼呈謙卦箴	축하시와 함께 겸괘의 잠언을 드리며,
願貽君子有終傳	군자에게 원컨대 종신토록 전해지기를.

그편에 또 강진쉬와 해남본관 및 덕정리 임휘서와 국서씨에게도 편지를 썼다.

初六日. 送婿郎季瞻, 而三朔共留之餘, 忽然告別, 臨分之時, 不勝悵

다. 이 역도는 1894년 갑오경장 때까지 존속하였다.

缺, 贈以若干雜物, 兼付本第卜物. 去月二十八日, 舍弟定行姪女婚禮于松山白生員家, 而郎子則來時已見之, 其他凡節, 何以辦備耶? 過婚之道, 略已有所指劃而來矣, 果未知如敎應擧否? 季瞻去時路由順天府內, 故付書于府使沈銖, 而兼付次韻七絶律二首與序文.

余偶除自如道郵官, 菊秋楸行時, 歷訪順天府使君, 君卽平日親厚之間也. 吟病累朔, 尙未勿藥, 見甚可悶. 復路之際, 更爲承接, 則病幾蘇完, 又有賢胤蓮榜之科慶, 此實巧協于憂散喜生之占也. 二豎旣去, 司馬繼至, 果知福善之理, 信非虛矣. 凡其接物之款曲, 爲人之謀忠, 乃是公常行之餘事, 何足贊美? 臨發之時, 以瓊律七絶二首, 出示于余, 余雖文短, 安敢辭其次乎? 聊以拙句謹次于左.

積德君家知有自, 蓮榜三世一百年. 綿綿餘祿豈止此, 將使無窮永代傳.
看公接物持身事, 家訓元來已積年. 賀律兼呈謙卦箴, 願貽君子有終傳.
其便又修書于康津倅, 海南本官與德井里任輝瑞國瑞甫.

1801년 12월 7,8일. 날이 따뜻하고 바람이 없어서 봄과 다름이 없으니, 이는 실로 길가는 자의 이로움이다. 새벽녘에 홀연히 꿈을 꾸었는데, 꿈속에서 돌아가신 아버지와 중부 및 숙부님들을 보았으니, 단란하게 한 방에 모여서 수작하는 것이 평상시와 같았다. 깨어나자 눈물이 저절로 흘러내렸다. 일이 매우 괴이하기 때문에 잠시 기록해둔다. 이날 환곡창고를 봉하였다. 진주 병영주인이 와서 인도(印刀) 1자루와 교도(交刀) 1개, 도자(刀子) 1자루를 바쳤다. 이것은 곧 그들이 관례대로 바치는 일이기 때문에 물리치지 않고 받았다. 저리(邸吏) 박중신이 그의 부친상을 당했다고 하니, 매우 참담하다. 중력 3건과 서초 2근을 바쳤다.

初七八日. 日暖無風, 無異於春, 此實行者之利也. 曉頭忽然做夢, 夢見先考與仲父諸叔父主, 則團會一室, 酬酢如常時. 覺來涕淚自零, 事甚怪異, 故暫記之. 是日封賑倉庫. 晉州兵營主人來獻印刀一柄, 交刀一介, 刀子一柄, 此乃渠輩例納之事, 故不爲退却而捧之. 邸吏朴重身遭其父之喪云, 慘慘. 獻中曆三件, 西草二斤.

1801년 12월 10일. 오시에 비가 내리기 시작하여 저물도록 그치지 않았다. 생각기에 임랑(任郎)은 순천부 내에서 유숙할 것이다.

初十日. 午時始雨至昏不止. 意者任郎之行留宿于順天府內耳.

1801년 12월 11일. 맑음. 조금 바람기가 있었다.

十一日. 晴, 少有風焉.

1801년 12월 14일. 오후에 출발하여 본부에 도착해서 본관과 한참동안 수작을 하고, 저녁밥을 먹은 후에 관사로 나왔다. 이날 추위가 매우 심하여 잠을 이룰 수 없었다. 꼭두새벽에 세수를 하고 제복을 입은 후 객사에 이르러 망곡례를 행했다. 예를 마친 후에 사모관대를 다시 갈아입고 망하례를 행하였고, 예를 마친 후에 나왔다.

十四日. 午後發至本府, 與本官有頃酬酢, 夕飯後出來舍館. 是日寒甚酷烈, 寢不成寐. 曉頭盥洗着祭服, 至客舍行望哭禮, 禮畢後改着帽帶, 行望賀禮, 禮畢後出來.

1801년 12월 15일. 식후에 본역에 이르렀는데, 이날도 어제처럼 추웠다.

十五日. 食後, 至本驛, 是日亦如昨日之寒.

1801년 12월 16일. 감영에 보낼 것을 돈으로 만들고 겸하여 보장을 썼다. 이날 오시에 하리가 와서 포폄등제(褒貶等題)를 바치기 때문에 펼쳐보니 '사마사장(斯馬斯藏)'의 제목으로 최(最)를 맞았다. 부끄럼과 감사함이 교차했다. 그러나 몸에 돌이켜서 스스로 헤아려보면 실수한 바가 없는 것 같다. 이 네 글자는 노송(魯頌)에서 나온 것으로, 장(藏)은 선(善)을 뜻하니, 그 말이 성한 것을 말한 것이다. 거중(居中)을 맞은 곳은 열 고을이다.

十六日. 收送監營作錢, 而兼修報狀. 是日午時下吏來獻褒貶等題, 故披見, 則以斯馬斯藏爲題居最, 愧感交切. 然而反躬自量, 似無所失矣. 此四字之句, 出於魯頌, 而藏善也, 言其馬之盛也. 居中者十邑耳.

1801년 12월 19일. 저채(邸債)를 짐말에 실어 보내고, 저리에게는 답패를 써서 보냈다. 또 안인집에게 편지를 보냈다. 이날 저녁 때 가는 비가 조금 내렸다.

十九日. 馱送邸債, 而邸吏處修送答牌. 又送書于安仁集. 是日夕時細雨少來.

1801년 12월 22일. 가서를 보았는데 집사람의 신병이 아직 쾌복하지 못한 데다 또 이질까지 있다고 하니, 어찌 그리도 병이 많단 말인가? 염려스럽기 끝이 없다. 그 나머지 손자들은 모두 병이 없다고 하니 다행이다. 재종제의 답장편지도 왔는데, 본증 때문에 아직까지 서행(西行)을 하지 못했다고 하니, 민망하다. 금릉쉬 이안묵(李安黙)도 답장편지를 보내왔는데 우선 평안하다고 하니 다행이다. 사위 계첨이 편지를 써서 보내왔는데, 15일에 해남 본제에 도착했고 16일에 그의 집으로 갔다고 한다.

二十二日. 見家書, 則室內身病尙未快復, 而又有痢漸云, 何其多病若是耶? 慮念不已. 其餘孫兒輩, 俱無病云, 幸幸. 再從弟答札亦來, 而本症尙爾未得西行云, 悶悶. 金陵倅李友安黙, 亦送答書, 而姑平安云, 幸耳. 婿郞季瞻修書送之, 而十五日到海南本第, 十六日往渠家云.

1801년 12월 28일. 아침에 각방의 하리들에게 고기를 나누어주고, 고기를 주지 못한 하인들에게는 약간의 백미를 나누어주었으며, 그 나머지 급창, 사령, 방자, 통인, 비자, 각색장인, 마부, 차사들에게도 또한 쌀을 준 것은 대저 본역이 흉년을 당한 것이 더욱 심하여서 물정을 묵묵히 생각해보면 과세의 방도가 없을 것 같기 때문에 이처럼 쌀을 주는 일이 있는 것이다. 그러나 월급이 너무 박하여 뜻한 바를 이룰 수 없으니, 마음이 저절로 한탄스럽다. 그렇지만 하속들의 말이 모두 '전후로 없던 성대한 일'이라고 하였다. 또 본역과 각역은 남녀를 막론하고 70세 이상인 사람에게는 또한 쌀과 물고기를 주었는데, 노인의 명수는 77명이다. 그리고 관속은 124명이다. 본역은 촌려가 즐비하여 1·2·3·4동이 있기 때문에 각 동수와 집강들에게도 고기를 주었다. 또 어육을 김해 하계촌에 사는 석사 어용서와 가조산에 우거하는 석사 민치대에게 보냈는데, 한 사람은 서울로부터 이곳에 와서 살고있는 사람이고, 한 사람은 해남으로부터 떠돌다가 영남에 붙여 살고있는 사람이다. 대저 사람이 표박하는 것은 이상한 일이 아니니, 두 사람이 궁향에 칩복하고 있는 것이 어찌 애석한 일이 아니겠는가?

二十八日. 朝, 頒肉于各房下吏處, 而未給肉下人等處, 分給若干白米, 其餘及唱使令房子通引婢子各色匠人馬夫差使等處, 亦給米者, 大抵本驛被歉尤甚, 默想物情, 則似無過歲之道, 故爲此餽米之擧, 而俸廩太薄, 未得逐所意, 心自歎歎. 然而下屬之論皆曰, 前後所無之盛事云. 且本各驛勿論男女七十以上人等處, 亦給米魚, 老人名數則七十七名, 而官屬則一百二十四名耳. 本驛村閭櫛比, 有一二三四洞, 故各洞首與執綱等處, 亦給肉斤. 又送魚肉于金海下界村魚碩士用書, 加助山寓居閔碩士致大, 一人則自京來居此土者也, 一人則自海南流接于嶺南者也. 蓋人之漂泊, 不是異事, 而兩人之蟄伏窮鄕, 豈不嗟惜哉?

1801년 12월 29일. 술과 반찬을 각색 하인들에게 나누어 주었다. 정원과 옥당 및 도총부 제원들의 서간이 도착했는데, 원래 그 사의는 성후(聖候)의 평상 회복으로 인해 욕의(縟儀, 화려한 의식)를 장차 거행하려면서 계병채(禊屛債)[84]를 청구한 일이다. 장동의

종씨인 진사 국현씨가 또 편지를 보내왔는데, 그의 아우인 정언 석
현은 실록청에 막 차임되었다고 했다.

二十九日. 以酒饌, 分餽于各色下人等處. 政院玉堂都摠府諸員書簡來
到, 而原其辭意, 則以聖候平復縟儀將擧禊屛債求請事也. 壯洞宗氏進士
國鉉甫又送書, 而其弟正言碩鉉, 則方差於實錄廳云.

1801년 12월 30일. 출발하여 본부에 이르렀는데, 크게 바람이
불고 추워서 갓을 쓰고 있기가 힘들었다. 곧바로 동헌에 이르러서
부사 이문철과 종일토록 수작을 하였는데, 부사가 웃으면서 말하
길, "집사께서 이곳에 도착할 때면 매양 일기가 불순하여 바람이
불기도 하고 비가 내리기도 하니, 용신에게 아뢰지 않아서 그런 것
이리다."라고 하여 서로 웃고 파하였다.

三十日. 發至本府, 而大風且寒, 笠難堪着. 直至東軒, 與府使李文喆,
終日酬酢, 而府使笑而言曰, "執事之到此, 每每日氣不順, 或風或雨, 無
乃稟龍神而然歟!" 相笑而罷.

---

84) 계병채(禊屛債) : 계병(禊屛)은 왕실의 행사를 기념하여 제작하는 계
    화(禊畵)를 병풍 형태로 만든 것이다. 이것을 만들기 위해 돈을 거둔
    것으로 보인다.

2. 1802년 일기

1802년 1월 1일. 계유일
壬戌正月小初一癸酉.

1802년 1월 1일. 새벽에 일어나서 세수를 한 후 본관과 함께 객사로 나아가 제복을 입고 먼저 망곡례를 행하고, 예를 마친 후에는 사모관대로 갈아입고 망하례를 행하였으며, 또 '천세'라는 것을 외쳤다. 삼례를 마친 후에 관사로 나오니, 본부에서 세찬으로 떡국을 내왔는데, 이날이 곧 새해의 원일이다. 거느리고 있는 하속들이 대부분 부모가 있을 것이기 때문에 식전에 말을 달려 본역까지 20리를 와서 동헌에 앉아있으니, 하속들이 각자 명배장(明拜狀)을 내고 절을 올린 후 물러갔다. 가만히 앉아서 이 관직의 신세를 생각해보니, 매년 새해를 객중에서 보내고 맞이하기 때문에 제사에 거의 참여할 수가 없었다. 이곳에 도착한 후에는 비록 서울에 있을 때보다 조금 낫기는 할지라도 사당에서 몸소 향불을 올릴 수가 없으니, 자식된 도리를 제대로 못한 것이 관직이 없는 것과 무엇이 다르겠는가? 서글픈 마음이 배나 더하여 나도 몰래 눈물이 흘러내려 옷깃을 적신다. 그러나 조금 위로가 되는 것은 아들이 와서 함께 지내면서 때때로 회포를 누그러뜨리는 것이다.

얼마 후 이방이 와서 다담상 두 쟁반을 바쳤는데 과연 성찬이라고 말할 수 있다. 조금 젓가락질을 한 후에 하속들에게 내주었다. 이날은 관청에 일이 없어 홀로 동헌에 앉아서 전년에 기록해둔 일을 찬찬히 열람해보니, 신유년(1801) 2월 8일 밤에 꿈속에서 지은 오언시 세 구절이 있는데 이르길, "구만리 붕새가 박차고 날아오르니, 백리 아래가 봄이로다. 가장 기쁜 것은 사당앞의 국화이니, 꽃잎이 뜨락에 가득하네. 하물며 또 달 밝은 밤에 가을바람이 향기를 불어옴에랴."라고 했다. 대가 이 꿈은 관직에 제수되기 전에 읊은 것인데, 지금와서 생각해보니, 이 관직에 견복된 것이 과연 신유년 7월 22일 도정에서이고, 동년 9월에 휴가를 얻어 귀향을 하고 선영에 성소하고 사당에 참알하였으니, 그날 밤 꿈속에서 지은 것이 구구절절 이것을 징험한 것이다. 일이 매우 기이하기 때문에 일기 속에 추기한다.

初一日. 曉起盥洗, 與本官詣客舍, 着祭服先行望哭禮, 禮畢後改着帽帶, 行望賀禮, 又呼千歲者. 三禮畢後出來舍館, 則自本府進歲饌餠湯, 是日卽新年之元日也. 所率下屬, 想多有父母者, 故食前馳到本驛二十里來坐東軒, 則下屬各進明拜狀獻拜而退. 坐思此官之身世, 則每年新歲客中送迎, 故罕得參祀. 到此之後, 雖少勝於在京之時, 未得陪奉祠堂躬行香火, 其爲子道之蔑如, 與無官何異哉! 倍增感愴, 不覺涕淚之沾襟, 而但所稍慰者, 家兒來到, 同爲經過, 時時寬懷耳. 俄爾吏房來獻茶啖床二盤, 可謂盛饌, 少爲下箸後出給下屬. 是日官庭無事, 獨坐東軒, 考閱前年所錄之事, 則辛酉二月初八日夜, 夢中作五言詩三句曰, "九萬鵬始搏, 百里脚有春. 最喜祠前菊, 花葉滿庭陰. 況又月明夜, 秋風吹香來." 蓋此夢未官之前所做, 而到今思之, 則甄復此職, 果是辛酉七月二十二日都政, 而同年九月得由歸鄕, 省掃先塋, 參謁祠堂, 則其夜夢中之作, 句句可驗於此矣. 事甚奇異, 故追記于日記中耳.

1802년 1월 2일. 오늘이 입춘이다. 날이 매우 온화하여 봄기운이 있는 것 같다.

初二日. 卽立春也. 日甚溫和, 似有春氣.

1802년 1월 3일. 외역(外驛)의 이방과 병방 및 도장배들이 모두 와서 명배례(明拜禮)를 바치기 때문에 또 각자에게 떡국을 주었고, 또 본청 하속들에게도 나누어주었다. 이날 새벽 꿈속에서 백미 400석을 얻었는데, 이는 실로 신년의 길몽이다. 훗날 상고하기 위해 기록해둔다. 식후에 이방이 각 하인의 소임망기(所任望記)를 바치기 때문에 차출하였고 외역도 그렇게 했다.

初三日. 外驛吏兵房都長輩, 皆到獻明拜禮, 故各饋餠湯, 又分饋于本廳下屬. 是日曉夢得白米四百石, 此實新年之吉夢也. 後考次. 食後吏房獻各下人所任望記, 故差出, 而外驛亦然.

1802년 1월 4일. 밤중 꿈속에서 또 목화 2섬을 얻었는데, 그 속에 금이 숨겨져 있었으니, 이 또한 길조의 꿈이다. 과연 어떤 길한 일이 있어서 이처럼 연일 겹쳐서 꿈을 꾼 것이 이와 같은 것인가? 훗날 상고하기 위해 적어둔다.

初四日. 夜夢又得木花二石, 而藏金於其中, 此亦夢兆之吉也. 果未知有何吉事而連夜疊夢如是耶? 後考次.

1802년 1월 7일. 순영행을 출발하였는데, 본부사 이문철과 영산읍내에서 만나기로 하였다. 말을 달려 무난 주막까지 50리를 가서 점심을 먹고, 오후에 영산현까지 20리를 가니, 날이 아직 저물지를 않았지만 이미 본관과 만나기로 했기 때문에 머물러 기다렸다. 황혼이 질 때 본관이 도착하여 함께 유숙했다.

初七日. 治發巡營行, 而與本府使李文喆相期于靈山邑內, 馳到無難酒幕五十里中火, 午後至靈山縣二十里, 則日猶未暮, 而旣與本官期會, 故留待之矣. 黃昏時本官來到, 同爲留宿.

1802년 1월 8일. 평명에 출발하여 50리를 가서 주막에서 점심을 먹고, 오후에는 대구 화원창 주막까지 50리를 가서 유숙했다.

初八日. 平明發至五十里酒幕中火, 午後至大丘花園倉酒幕五十里留宿.

1802년 1월 9일. 평명에 출발하여 감영까지 30리를 갔다. 조반을 한 후에 들어가서 순사를 뵙고, 한참동안 수작을 한 후에 나왔다.

初九日. 平明發至監營三十里, 朝飯後入見巡使, 有頃酬酢而出來.

1802년 1월 10일. 식전에 또 징청헌(澄淸軒)에 들어가서 순사에게 절을 하고 나왔다. 본관과 함께 길을 가서 현풍현까지 60리를 가니 날이 이미 저물었다. 곧바로 동헌에 도착하여 본관 이정병(李鼎秉)과 잠시 상면하고 곧바로 작별을 하려고 하는데, 주관이 굳게 만류하고 저녁밥을 권하기 때문에 조금 젓가락질을 한 후에 주막으로 나와서 유숙했다. 대저 현풍쉬는 동릉에 있을 때 여러 달 동안 이웃 동료로 지낸 사람이다.

初十日. 食前又入澄淸軒, 拜辭巡使而出來, 與本官偕行至玄風縣六十里, 則日已昏矣. 直到東軒, 與本官李鼎秉, 暫面而旋欲作別, 則主官堅挽勸進夕飯, 故少爲下箸後, 出來于酒幕留宿. 大抵玄風倅, 則在東陵時累朔作隣僚者也.

1802년 1월 11일. 평명에 출발하여 창녕현까지 40리를 가서 점심을 먹었는데, 본관 박철원이 아침식사를 권하였다. 식사를 한 후에 무난 주막까지 50리를 가서 유숙했다.

十一日. 平明離發, 至昌寧縣四十里中火, 而本官朴喆源, 勸進朝飯, 飯後至無難酒幕五十里留宿.

1802년 1월 12일. 평명에 출발하여 10여 리를 가니, 이방이 와서 길가에서 기다리고 있기 때문에 그가 반드시 식사를 하지 못했을 것이라 생각하여 물어보니 과연 그랬다. 일행이 갈전촌에 이르렀는데 길의 왼쪽에 하나의 모정이 있어서 소쇄하기 때문에 잠시 말에서 내려 들어가보니, 사람이 없는 빈집으로 다만 논어와 소학 서너 권만 있을 따름이었다. 통인에게 물어보니 이 집의 주인은 김 생원이라는 양반이라고 했다. 얼마 후에 흰수염의 노인이 도복을 입고 나와서 절을 바치기 때문에 물어보니 주인이라고 했다. 그의 용모를 살펴보고 그의 말소리를 들어보니, 자못 양반의 자태가 있었다. 때문에 그의 성관을 물어보니 김해라고 하고, 그의 연세를 물어보니 기사생이라고 하였다. 이 사람의 이름은 성율(聲律)이고 동본과 동갑인지라 일이 매우 기이하기 때문에 그의 팔자를 물어보니 양친은 모두 돌아가시고, 부부는 해로하며, 자녀는 세명의 아들만 있고 딸은 없으며, 손자도 3명이 있다고 했다. 가세는 풍년을 만나면 나락은 100여 석이고, 보리는 6~70석이라고 했다. 그 사람은 비록 나를 부러워하는 모습이 있을지라도 나도 그 사람의 완복이 부럽다. 어느새 닭고기와 술을 내오는데 나는 비록 술을 즐기지는 않지만 만약 일반 사람보다 조금 나은 사람이 아니라면 어찌 이처럼 잠깐 사이에 이러한 것을 준비할 수 있을 것인가? 기특하고 감사하다. 길을 출발하여 본역까지 30리를 왔다.

十二日. 平明離發, 至十餘里, 則吏房來待于路傍, 故想其必不立匙, 問之則果然矣. 行至葛田村, 而路左有一茅軒瀟灑, 故暫爲下馬而入去, 則空廊無人, 只有論語小學數三卷而已. 問于通引, 則此家主人金生員兩班云. 俄爾有白鬚老人着道服出來納拜, 故問之則主人云. 看其容貌聽其言語, 頗有兩班之態, 故問其姓貫, 則曰金海, 問其年歲則曰己巳. 此人之名聲律, 同本同甲, 事甚奇異, 故問其八字, 則兩親則永感, 夫妻則偕老, 子女則只有三子而無女息, 孫子亦有三焉. 家勢得年則租爲百餘石, 牟爲六七十石云. 其人雖有羨我之態, 我亦羨其人之完福矣. 於焉之間, 跪進鷄酒, 余雖不嗜酒, 若非稍勝於常人者, 豈可爲頃刻間辦此之事哉! 可奇可感. 離發至本驛三十里.

1802년 1월 13일. 환곡을 각역의 백성들에게 분급해주었다.

十三日. 分給還租于本各驛民人等處.

1802년 1월 14일. 해가 저물 때 출발하여 본부까지 20리를 가서 본관과 수작을 하고, 저녁밥을 먹은 후에 관사로 왔다. 이날 밤은 달빛이 뜰에 가득하고 하늘빛이 씻은 듯이 맑으니, 속설에 정월보름날이 청명하면 좋다고 하는데 금년의 농사는 풍년일 것인가? 마음속으로 나도 몰래 기뻐했다. 또 달빛이 창문에 밝게 비쳐서 누워도 잠을 이루지 못했다.

十四日. 晚後離發, 至本府二十里, 與本官酬酢, 夕飯後出來于舍館. 是夜月色滿庭, 天光如洗, 俗說云元月望日淸明則好矣, 未知今年年事豊稔耶? 心暗喜之. 又以月光之明窓, 臥不成眠.

1802년 1월 15일. 새벽에 일어나 세수를 한 후에 본관과 함께 객사에 이르러 제복을 입고 망곡례를 행하고, 예를 마친 후에 사모관대로 갈아입고 망하례를 행하였으며, 예를 마친 후에 나왔다. 얼마 후 약밥을 내오기 때문에 조금 먹은 후에 하속들에게 내어주고 곧바로 동헌에 들어가 작별을 고하고, 본역에 도착해보니 아들이 중문 안에서 기다리고 있는데, 때가 아직 일러서 식사시간 전이었다. 이날 순영의 관문(關文)을 받아보니, 대왕대비전이 상의 건강이 평상을 회복한 것으로 인해 각 해당 도의 옛환곡 10만여 석을 탕감해주는데, 본도는 3만 7천여 석이고 본역은 118석 3두가 된다. 이는 실로 종사의 무궁한 큰 경사로, 큰 은택을 8역에까지 널리미치는 것이니, 억조의 생령들에게는 마땅히 어떻겠는가? 촌민의 말을 들어보니 금년에는 달이 조금 아래에서 뜨고 달빛은 거년과 비슷하다고 하는데, 앞으로 장마와 가뭄이 과연 어떨지는 모르겠다.

十五日. 曉起盥洗, 與本官至客舍, 着祭服行望哭禮, 禮畢後改着帽帶, 行望賀禮, 禮畢後出來. 俄進藥飯, 故少食後出給于下屬, 卽入東軒告別, 到本驛, 則家兒候于中門之內, 時則尙早, 猶未食也. 是日卽見巡營關文, 則大王大妃殿以上候平復, 各該道舊還十萬餘石分數蕩減, 而本道則爲三萬七千餘石, 本驛則爲一百十八石三斗零. 此實宗社無窮之大慶, 而沛澤旁流於八域, 億兆之生靈者, 尤當如何哉! 聞村民之言, 則今年月浮少差下, 而月光似去年云, 未知來頭水旱之果何如耳.

1802년 1월 20일. 본역과 각역의 상중하 3등말을 점고하였는데, 상마는 13필이고, 중마는 30필이며, 하마는 93필이다. 대저 본도의 역마는 뛰어남과 아름다움이 호남의 역마와는 달라서 강하고 견실함이 더 낫다. 때문에 비록 험로를 가더라도 치패하는 일이 적다.

二十日. 點考本各驛上中下三等馬, 上馬十三匹, 中馬三十匹, 卜馬九十三匹也. 大抵本道之驛馬, 駿大美良, 不如湖南之驛馬, 而強惡堅實則勝矣. 以故雖行險路而少有致敗之事矣.

1802년 1월 21일. 갈전리의 선비 김성율(金聲律)이 찾아왔다가 곧바로 돌아가기 때문에 술상으로 대접하고, 또 백지 1속을 주어서 보냈다. 이날 장동에 사는 종씨 국현에게 답장편지를 써서 보내고 겸하여 3관의 돈과 2단의 미역 및 2마리의 물고기를 부쳤는데, 박한 상황이 이와 같아서 넉넉히 보내줄 수 없으니 한탄스러울 따름이다. 그편은 방경(邦慶)으로 인해 이조에 대가단자(代加單子)를 써서 보낸 것인데, 아들로써 대신한다는 것으로 '아들 모처에게 전수한다'고 썼다.

二十一日. 葛田士人金聲律來見, 而卽爲還去, 故以酒盃待之, 又贈白紙一束而送之. 是日修送壯洞宗氏國鉉答書, 而兼付三貫銅, 二丹藿二尾魚, 薄況如許, 未得優送, 歎歎. 其便則以邦慶書送代加單子于吏曹, 而以子代之, 書之以子某處傳授.

1802년 1월 24일. 본제에 종을 보내면서 겸하여 약간의 짐을 부쳤다. 사환종은 귀동이고, 그와 더불어 가는 종은 연전 10월에 관으로 돌아올 때 데리고 온 자이다. 김해 퇴촌에 사는 선비 참봉 김상봉(金相鳳)과 화목촌에 사는 선비 참봉 김세묵(金世黙)이 백대의 정의로서 누차 찾아왔다가 갔다. 사고무친의 땅에 있어서 혹 방해가 되진 않겠지? 내가 평소에 경상도의 태수되길 원한 것은 한번 김해부의 왕릉에 배알하고자 한 것이다. 다행히 본직에 제배되었기 때문에 도임한 후에 곧바로 소원을 이루려고 할 때, 동당시관으로서 고령현에 갔는데, 그때 길을 돌아 순영에 도착하여 성소의 말미를 얻게 되었기 때문에 본역에 도착한 지 며칠 되지 않아서 선영에 성묘하는 길을 출발하게 된 것이다. 이로써 평소의 소회를 이루지 못하다가 이번 25일에 아들과 함께 김해부에 가니, 능감허륵(許玏)이 나와서 맞이해주었다. 잠깐 수작을 한 후 흑색 사모 관대를 착용하고 왕릉에 참알하였으며, 사배를 한 후에 재실에 들어가 조금 쉬고, 또 후릉을 향해가서 사배를 한 후에 나왔다. 왕릉으로부터 후릉까지의 거리는 2리 남짓이다. 곧바로 동헌으로 가보니 부사 서유봉(徐有鳳)이 은근하게 잘 대접해주어서 친근하기가 옛날부터 사권 사람과 같았다. 특별히 관청에 신칙하고 성대히 갖추어 차려주었다. 그날 밤에도 관사로 나와서 입골(笠骨)에 고기를 삶으며, 거의 야심할 때에야 파하였다. 과연 사물과 사람에게 대접을 잘한다고 말할 수 있다.

二十四日. 送夫奴于本第, 而兼付如干卜物. 使奴者貴東, 與之同去奴者, 則年前十月還官時率來者也. 金海退村居士人金參奉相鳳, 花木村居士人金參奉世黙, 以百代之誼, 累次來見而去. 其於四顧無親之地, 或者不妨乎? 余之平日所願作宰于慶尙道, 則一欲拜謁于金海府王陵矣. 幸除本職, 故到任之後, 卽欲遂願之際, 以東堂試官, 往于高靈縣, 而其時轉到巡營, 得省掃之由, 故來到本驛, 不多日而治發楸行. 玆以未趁遂平昔之所懷矣. 今二十五日, 與家兒同往金海府, 則陵監許玏, 出軒而迎, 少頃酬酢後, 着黑帽帶, 參謁于王陵, 四拜後入來齋室, 少憩而又向后陵, 四拜後下來. 自王陵去后陵二里許也. 直往東軒, 則府使徐有鳳慇懃款接, 親如舊日之交, 別飭于官廳, 盛備供饋. 其夜出來于舍館, 以笠骨煮肉,幾至夜深而罷. 可謂善於接物待人者也.

　1802년 1월 26일. 아침에 급창을 시켜 허참봉에게 전갈을 하고 부내 근처에 사는 허생원을 방문하고자 하는 뜻을 언급했다. 관청으로 돌아갈 때 다시 재실에 도착해보니, 허생 10명이 미리 와서 기다리고 있었다. 그들의 용모와 행동거지를 살펴보니 자못 사대부의 자태가 있었다. 또 진사 3인이 있는데, 모두 나이가 젊으며, 2인이 찾아왔으나 1인은 작고했다고 하였다. 대저 이곳에서 허씨 성의 본관은 김해이다. 가락국 수로왕에게 아들 11인이 있었는데, 왕후가 항상 근심스런 얼굴을 하고 있기 때문에 왕이 그 까닭을 물어봄에 왕후가 대답하길, '첩의 성을 후대에 전할 방도가 없기 때문에 이로써 슬퍼한다'고 하기 때문에 왕이 왕후의 뜻을 가련하게 여겨 두 아들에게 성을 하사하니, 허씨 본관이 김해인 것은 이로부터인 것이다. 김씨와 허씨 두 성은 성은 비록 같지 않아도 그본은 같다. 출발하려고 할 때 참봉이 우선 잠깐 정지하라고 하기 때문에 잠시 기다리고 있으니, 얼마 후에 각 인원들에게 술상을 내왔다. 내가 어떻게 이처럼 갑작스레 준비할 수가 있느냐고 물었더니 답하길, '도가(都街)에는 모두 이 물건이 있으니, 급하게 준비하여 손님을 대접하는 것은 서울과 다르지 않다'고 했다. 또 정자각과 안향각(安香閣) 및 좌우 익랑과 재실이 모두 일신했기 때문에 물어보니 답하길, "김씨와 허씨 두 성씨가 재물을 모아 새롭게 세웠습니다."라고 했다. 능 앞에는 비석이 세워졌는데 본도 관찰사인 허엽(許曄)이 세운 것으로, 비석의 전면에는 '가락국수로왕릉'이라고 쓰여있다. 평생동안 품어온 것을 마침내 오늘에야 이루게 된 것 또한 군은이 아님이 없다. 석양 무렵에 본역까지 50리를 돌아왔다.

　二十六日. 朝, 使及唱傳喝于許參奉, 以欲訪府內近處所居之許生員之意言及矣. 還官時復到齋室, 則許生十餘員, 預爲來待, 觀其儀容擧止, 頗有士夫之態. 且進士三中, 皆年少, 而二人來見, 一則作故云矣. 大抵此許姓本金海也. 駕洛國首露王有子十一人, 而后常有戚容, 故王問其由, 則后對'以妾之姓無傳後之道, 故是以悲之云', 王憐其后意, 以二子賜姓, 許本金海者, 以此也. 金許兩姓, 姓雖不同, 其本則同. 欲發之際, 參奉姑爲少停云, 故暫遲待矣. 俄爾進盃盤于各員前, 余曰何以猝辨乎? 答以'都街之上, 皆有此物, 急辨待客, 無異於京云.' 且丁字閣安香閣左右翼廊, 齋室皆一新, 故問之則答曰, "金許兩姓鳩財新建云." 陵前所竪碑, 則本道觀察使許曄之所立, 而碑之前面書曰'駕洛國首露王陵', 平生所懷, 竟遂於今日者, 亦莫非君恩也. 夕陽時還到本驛五十里.

1802년 1월 27일. 김해부에 편지를 쓴 것에 대해 답장이 도착하였는데, 종이 가득한 사의가 친권(親眷)의 말이 아닌 것이 없으니, 누가 무인은 문장이 없다고 말하였는가? 이와 같은 사람은 과연 문무를 겸비했다고 말할 수 있다.

二十七日. 修書于金海府矣, 答簡來到, 而滿紙辭意無非親眷之語, 誰謂武無文乎? 如此之人, 可謂文武兼備矣.

1802년 1월 28일. 김해의 효동에 사는 석사 어용서가 찾아와서 반나절 동안 얘기를 나누다가 갔다.

二十八日. 金海孝洞居魚碩士用書來見, 半日相晤而去.

1802년 1월 29일. 김해부사가 편지를 보내왔기 때문에 답장을 써서 보냈다.

二十九日. 金海府使送書, 故修答而送之.

1802년 2월 1일. 임인일. 신병 때문에 본부에 가서 곡반과 하례에 참석하지 못했으니, 죄송스러움을 이길 수 없다.

二月小初一日壬寅. 以身病未得往本府進參於哭班與賀禮, 不勝罪悚.

1802년 2월 3일. 갈전에 사는 선비 김성율이 심부름꾼을 통해 생어 4마리를 보내오니, 기특하고 감사하다.

初三日. 葛田士人金聲律, 專伻送生魚四尾, 可奇可感.

1802년 2월 4일. 마부가 상경하는 편에 백목(白木) 35자와 돈 2민을 저리에게 보내서 청색으로 물들이도록 했다. 순영에서 장용영(壯勇營)의 환곡미를 작전하는 일로 감결(甘結)이 내려왔기 때문에 이미 분급을 해버린 사유로 보장을 만들어 올려보냈다. 그랬더니 회제(回題)85)에 '이미 분급한 것을 다시 거두어들일 것'이라고 제김이 내려졌다.

初四日. 馬夫上京便, 以白木三十五尺, 銅二緡送于邸吏處, 使之染靑. 自巡營以壯勇營還米作錢事, 甘結下來, 故以已爲分給之由, 成報狀上送矣. 回題以'旣已分給還寢事', 題下耳.

1802년 2월 5일. 바람 기운이 불순한 데다 또 봄 가뭄이 너무 지나치니, 모맥이 점차 자라나는 시기에 손상을 입을 염려가 없지 않다. 이날 황혼녘에 본현의 청계에 사는 선비 김낙범(金洛範)이 찾아왔기에 본제의 안부를 물어보니, 아직 무고하다고 하였다. 다행이다. 이 사람은 곧 나의 인제(姻弟)인데, 중도에 상화(喪禍)로 가계가 탕진되어 살아갈 바탕이 없을 정도로 궁색해지자 산넘고 물건너 오게 되었으니, 매우 가련하다. 이날 밤에는 질풍이 지붕을 덜썩거리고 쑥피리 소리가 창문을 쳐대서 누워도 잠을 이룰 수 없었다. 덕정리에 사는 임랑(任郞)이 편지를 보내왔기 때문에 편안하다는 소식을 듣게 되었다.

初五日. 風氣不順, 且春旱太過, 其於牟麥漸茁之時, 不無致損之慮矣.

---

85) 회제(回題) : 감영에 보낸 수령의 문서에 감사가 판결을 적어서 되돌려보낸 것을 가리킨다.

是日黃昏時, 本縣淸溪居士人金洛範來到, 而問本第安否, 則姑無故云. 可幸. 此人卽余之姻弟也, 中以喪禍家計蕩敗, 窮不能資生, 跋涉而來, 極爲矜悶. 是夜疾風動閣蓬籟打窓, 臥不成寐耳. 德汀任郎送書, 故聞其平信.

1802년 2월 10일. 종제와 함께 창리에 사는 서숙(庶叔)이 찾아왔기에 서로 대하고 오랫동안 막힌 회포를 펼치니, 기쁘고 다행이다.

初十日. 從弟與倉里庶叔來到, 相對久阻之面, 喜幸而.

1802년 2월 11일. 친동생이 또 도착하여 편지와 입으로 전하는 소식을 들어보니, 집사람이 뱃병과 상충증이 있는 데다 귀 뒤에 부기가 가득하고 또 손에도 부스럼이 생겨나 종기가 될 우려가 있는 것 같다고 하니, 이 어찌 일신상에 병난 곳이 이처럼 많단 말인가? 멀리에서 걱정이 그치지 않는다.

十一日. 舍弟又到, 見書兼聞口傳, 則室內腹病冲症, 及耳後滿有浮氣, 且手生疔瘇, 似有成瘇之慮云. 是何一身之上病處, 若此其多耶? 遠慮不已.

1802년 2월 12일. 서숙이 돌아가는 편에 가서를 보냈고, 또 당산의 서간도 부쳤다. 이날 장동의 종씨인 진사 국현의 답장편지가 왔는데, 열어보니 종이 가득 쓰여있는 말이 급한 사람을 구해달라는 말이 아닌 것이 없다. 그러나 이러한 잔황(殘況)으로서 어떻게 구하는 자의 마음에 만족하게 해줄 수 있을 것인가? 대저 저 편지에 세세하게 적은 것은 그 정의(情誼)에 사이가 없기 때문이다.

十二日. 庶叔回還便, 付送家書, 又付堂山書簡. 是日壯洞宗氏進士國鉉答書下來, 而披閱則滿紙辭意無非周急之說, 然以若殘況, 安可快足於求者之心乎? 大抵彼書之縷縷者, 以其情誼無間故耳.

1802년 2월 14일. 김처양 편을 통해서 부탁할 일이 있어서 그 사유를 비곡면 당산에 사는 생원 민치빈에게 편지로 써서 함께 검찰(檢察)을 하게 하였다. 종놈편에 가서를 보냈다. 이날 본부로 가는 길을 출발했는데, 중도에 비를 만나서 잠시 길가에 있는 신풍역에서 비를 피하였다. 저녁때 비와 눈이 조금 그치기 때문에 출발하여 본부에 도착하니, 본관 이문철은 조창(漕倉)의 세를 거두는 일로 마산포에 나갔다가 얼마 후에 관으로 돌아오기에 서로 더불어 수작을 했다.

十四日. 金處良便, 有所托事, 而以其由修書于比谷堂山閔生員致彬, 使之同爲檢察, 夫奴便修送家書. 是日離發至本府, 而中路遇雨, 暫避于路傍新豐驛矣. 夕時雨雪少止, 故發至本府, 則本官李文喆, 以漕倉捧稅事, 出去馬山浦, 俄已還官, 相與酬酢.

1802년 2월 15일. 새벽에 일어나 세수를 한 후 본부사와 더불어 객사로 가서 제복을 입고 망곡례를 행하고, 예를 마친 후에 사모관대로 갈아입고 망하례를 행하였다. 식후에는 본역까지 30리를 왔다.

十五日. 曉起盥洗, 與本府使至客舍, 着祭服行望哭禮, 禮畢後改着帽帶, 行望賀禮. 食後至本驛二十里.

1802년 2월 16일. 역인(驛人)이 와서 고하길, "금일 객사에서 위신제를 지내고 또 마당(馬堂)에 기도를 합니다."라고 하기 때문에 전례대로 하라고 허락하였다. 이날 순영에서 감결이 내려왔기 때문에 보니, 순사 김이영이 재차 체직하는 상소를 올렸으며, 신사또의 수망에 참판 남공철이 오르고, 부망에는 참판 한용탁이, 말망에는 참의 김명순이 올랐다.

十六日. 驛人來告曰, "今日客舍慰神, 而又祈禱於馬堂云", 故許以依前例爲之. 是日自巡營甘結下來, 故見之則巡使金履永再次陳疏遞職, 而新使首望南參判公轍, 副望韓參判用鐸, 末望金參議明淳.

1802년 2월 20일. 아들을 보내는데 종제와 인제가 동행하였다. 마음이 매우 쓸쓸하지만, 친동생은 우선 이곳에 머물기로 하여 위로가 되었다. 약간의 짐을 부치고, 진주목사 이원팔(李元八)에게 답장편지를 보냈다. 이날 오후에 비가 내리기 시작했는데, 길가는 사람들은 어느 곳에서 머물고 있을지 모르겠다. 이것은 비록 기쁜 비이기는 하지만 길을 가는 사람에 대해서는 염려가 없을 수 없다. 주룩주룩 비가 내리길 밤중에도 쉬지 않았다. 봄 우레가 우르릉거리기 때문에 홀연히 일어나서 아우와 대화를 나누다가 뇌성이 그친 후에야 취침에 들었다. 성인께서도 우레가 치거나 폭풍이 불 때는 반드시 안색을 바꾸었다는 것이 진실로 이것으로 인한 것이리라.

二十日. 送家兒, 而從弟與姻弟與之同行, 心甚薪悵, 而舍弟則姑留于此, 有可慰懷. 付送如干卜物, 晉州牧使李元八送答書. 是日午後始雨, 果未知行者滯留於何處耶? 此雖喜雨, 而其於行役者, 不無慮念. 霈然下雨, 至夜不休, 春雷轟轟, 故忽然起坐, 與舍弟共話, 雷聲止後, 始乃就寢. 聖人之迅雷風烈必變者, 良以此也.

1802년 2월 21일. 비는 개었지만 습한 안개가 산에 가득하고 가는 비가 내렸다. 대저 본역의 관사(官舍)는 전단산(旃檀山) 아래에 있는데, 이 산은 교악이다. 이곳에 와서 들어보니 지난 임자년에 큰비가 내렸을 때 산허리에 산사태가 남에 암석이 굴러떨어져서 민가 30여 호가 모두 묻히게 되었고, 인명도 많이 흙 속에 묻히게 되었다고 한다. 들어보니 매우 참담했다. 이 산은 원래 수목으로 막아진 곳이 없기 때문에 일찍부터 산사태가 나서 가옥이 파괴되고 사람이 사망하는 근심이 있었다고 하는데, 이미 듣고 난 후에는 예방할 방법을 쓰지 않을 것인가. 곧바로 소나무를 심어서 이후 효과를 보는 방도로 삼고자 하였지만, 봄가뭄이 이와 같아서 과연 생각한 바를 이루지 못했다. 지금은 비가 일리(一犁) 남짓 내려서 토지가 반드시 깊숙이 촉촉할 것이기 때문에 관사 아래의 각 동민들에게 분부를 하여 매 호마다 일꾼을 뽑고 어린 소나무 50그루를 하리들과 함께 감독하고 신칙해서 산에 가득 심게 하였다. 만약 잘 자라게 된다면 다만 산사태를 미리 예방할 방도가 될 뿐만이 아니라, 관민에 대해서는 또한 작은 보탬이 되지 않을 수 없을 것이다. 속칭 2월 20일의 비는 풍년의 징조하고 한다.

二十一日. 雨晴, 濕靄滿山, 細霏絲絲. 大抵本驛官舍在於旃檀山下, 而此山則喬岳也. 來此聞之, 則去壬子年大雨時, 山脊汰落, 巖石轉下, 民戶三十餘家, 皆爲頹圮, 人命多埋於泥沙之中云. 聞極慘然. 此山元無樹木之障蔽, 故曾有山落石轉家破人死之患, 旣聞之後, 可不爲預防之道哉! 意欲業已植松以爲日後責效之道, 而春旱如此, 果未遂所懷矣. 今則雨洽一犁餘, 土地想必深濕, 故分付于館下各洞民人等處, 每戶拔來, 稚松五十株, 使下吏眼同董飭滿種于山. 若善爲長養, 則非但爲預防山汰之道, 而其於官民, 亦不無少補之資耳. 俗稱二月念日之雨, 豊年之兆云.

1802년 2월 23일. 밤중에 작은비가 내렸다. 순사가 이미 체직을 하였으니, 관례상 찾아가보는 것이 예이다.

二十三日. 夜小雨. 巡使旣遞職, 則例有往見之禮故.

1802년 2월 24일. 때문에 감영 행을 출발하여 무난 주막까지 50리를 가서 점심을 먹고, 오후에는 영산 읍내까지 20리를 가서 유숙하게 되었는데, 날이 아직 어두워지지 않았다.

二十四日. 治發監營之行, 至無難酒幕五十里中火, 午後至靈山邑內二十里留宿, 而日猶未暮矣.

1802년 2월 25일. 평명에 출발하여 창녕의 죽현 주막까지 50리를 가서 점심을 먹고, 오후에는 대구 화원창 주막까지 50리를 가서 유숙했다.

二十五日. 平明治發, 至昌寧竹峴酒幕五十里中火, 午後至大丘花園倉酒幕五十里留宿.

1802년 2월 26일. 평명에 출발하여 감영까지 30리를 갔다. 식전에 들어가 순사 김이영을 뵙고 한참동안 수작을 한 후에 나와서 영주인 집으로 가서 아침밥을 먹은 후에 다시 징청헌에 가서 작별을 하였다. 이날 오후에는 화원까지 30리를 가서 유숙했다.

二十六日. 平明發至監營三十里, 食前入見巡使金履永, 有頃酬酢後, 出來營主人家, 飯後復到澄淸軒, 因作闊別. 是日午後至花園三十里留宿.

1802년 2월 27일. 평명에 출발하여 죽현막까지 50리를 가서 점심을 먹고, 오후에는 영산의 심천막까지 60리를 가서 유숙했다.

二十七日. 平明發至竹峴幕五十里中火, 午後至靈山深川幕六十里留宿.

1802년 2월 28일. 평명에 출발하여 김해 갈전리의 생원 김성율 집에 도착하니, 미리 내가 들를 것을 알고 대략 주찬을 준비하고 기다리고 있었다. 전에도 이미 정성스럽게 대접해주었는데 이번에도 이처럼 하니, 그 사람의 마음을 미루어 알 수 있다. 조금 쉰 후에 본역에 이르렀는데 60리를 간 것이고, 해는 막 한가운데 있었다.

二十八日. 平明發至金海葛田里金生員聲律家, 則預知余之歷訪, 略備酒饌待候之. 前已款接, 今又如此, 其人之心, 可推而知矣. 少憩後至本驛六十里, 日方向午矣.

1802년 2월 29일. 해남의 소둔사(小芚寺) 승려인 진기(振基)가 찾아왔기 때문에 물어보니, 도갑사(道岬寺)로부터 본사에 신접하게 되었으며, 유람하기 위해 왔는데, 이 길이 울산으로 향하게 된다고 했다. 대개 그 승려는 전에는 보지 못한 승려이지만 이미 먼 길을 왔기 때문에 유숙하고 가게 했다.

二十九日. 海南小芚寺僧振基來謁, 故問之, 則自道岬寺新接于本寺, 而以遊翫次來到, 此道轉向蔚山云. 蓋厥僧前所未見之釋, 而旣爲遠來, 故使之留宿而去.

1802년 3월 1일. 신미일. 순영에서 돌아온 후 신병이 갑자기 생겨서 본부에 가서 곡반과 하례에 참석하지 못하니, 삼가 죄송스럽기 그지없다.

三月大初一日辛未. 自巡營還後, 身病猝作, 未得往本府進參於哭班與賀禮, 伏不勝罪悚萬萬.

1802년 3월 2일. 본제에서 보낸 답장편지를 받아보았는데, 집사람의 신병이 근래 조금 차도가 있고 아이들도 병이 없다고 하니, 매우 다행이다. 김처양(金處良)도 답장편지를 보내왔는데, 가지고 간 물건을 숫자대로 바쳤다고 했다. 이날 환곡을 본역과 각역의 백성들에게 분급해주었다.

初二日. 得見本第答書, 則室內身病近得少差, 而兒少輩亦無病云, 欣幸欣幸. 金處良亦送答書, 而持去之物, 依數捧上云耳. 是日分給還租于本各驛民人等處.

1802년 3월 1일. 오늘 듣기에 이방의 새로 결혼한 딸이 홀연히 죽었다고 하니, 매우 참담하다. 백미와 곡자 및 지촉을 주면서 위문하였다. 석사 민치대가 찾아왔다가 갔다. 오늘 영주인의 고목(告目)[86]을 보니, 신사또 남공철(南公轍)이 오늘 도임을 했고, 구사또

김이영(金履永)은 1일에 길을 출발했다고 한다.

初三日. 卽聞吏房之新婚女息忽然身死云, 極爲慘然, 以白米曲子紙燭
下問之. 閔碩士致大來見而去. 卽見營主人告目, 則新使南公轍, 今日到
任, 而舊使金履永, 初一日離發云.

1802년 3월 5일. 오늘은 한식날이다. 105일째의 명절에도 또한
몸소 향을 사르는 일을 행할 수 없으니, 누가 관직에 있는 자가
영화롭다고 말하였는가? 배나 더 서글펐으며, 다만 서서 남쪽 구름
을 바라볼 따름이다. 이날 본가에서 보내온 답장편지를 받아보았는
데, 호아(滈兒)가 무사히 집에 돌아갔고, 가내도 평안하다고 하며,
동행한 두 사람도 편안히 돌아갔다고 한다.

初五日. 卽寒食也. 百五佳節, 亦未得躬行香火之事, 誰謂居官之榮?
倍增感愴, 只自立望南雲而已. 是日得見本家答書, 則滈兒無故還家, 家
內亦平康云, 而同行二人亦安歸云耳.

1802년 3월 6일. 밤중에 내린 비가 거의 일리 가량 내렸고, 7
일에 이르러서는 아침에 이슬비가 내리다가 식후에 곧 그쳤다. 밤
낮으로 친동생과 소요하며 적막함을 깨뜨리고, 혹 옛날의 일을 말
하거나 또 현재 족인들 생계에 대한 일을 말하다가 말이 고금의
일에 미치면 감정을 일으키고 탄식을 발하는 뜻이 많이 있었는데,
이는 곧 세태가 그러한 것이니, 어찌 마음에 담아두거나 새겨두는
일이 있을 것인가?

初六日. 夜雨來幾一犁, 至初七日朝霏微, 食後乃止. 日夜與舍弟, 逍
遙破寂, 或語舊時事, 且論當今諸族生計事, 語古及今, 多有興感發歎之
意, 而此乃世態之所然, 何可碍滯於心而有所銘鏤乎?

---

86) 고목(告目) : 행정실무를 맡은 서리·향리 등이 공무에 관한 것을 상
관에게 올린 문서양식이다.

1802년 3월 9일. 순영 행을 출발하여 영산의 무난 주막까지 50리를 가서 점심을 먹고, 오후에는 창녕까지 50리를 가서 유숙했다. 본관 박철원(朴喆源)이 정성스럽게 대접해주었다.

初九日. 發巡營行, 至靈山無難酒幕五十里中火, 午後至昌寧五十里留宿. 本官朴喆源款接之.

1802년 3월 10일. 평명에 출발하여 현풍의 장산령 주막까지 50리를 가서 점심을 먹고, 오후에 화원창막까지 20리를 가서 조금 쉰 후에 대구 감영까지 30리를 가니, 날이 아직 저물지를 않아서 객사의 전패에 연명(延命)을 한 후에 순사 남공철(南公轍))을 알현하였는데, 곧 전날에 친분이 있는 사람이다. 한참동안 수작을 한 후에 나왔다.

初十日. 平明離發, 至玄風長山嶺酒幕五十里中火, 午後至花園倉幕二十里, 少憩後至大丘監營三十里, 則日猶未暮, 延命于客舍殿牌後, 現謁于巡使南公轍, 卽前日有雅分之人也. 有頃酬酢後出來.

1802년 3월 11일. 식전에 하직을 하기 위해 들어가니, 거창부사 윤의후(尹義厚)가 헐소청(歇所廳)에 앉아있기 때문에 서로 막힌 회포를 풀고 함께 순사에게 가서 절을 하고 나왔다. 올 때 본관 박수형(朴壽亨)에게 들렀더니 조반을 공궤(供饋)해 주었다. 식후에 출발하여 화원막까지 30리를 가서 점심을 먹고, 출발하여 수성막까지 60리를 가서 유숙했다.

十一日. 食前以下直次入去, 則居昌府使尹義厚坐于歇所廳, 故相與敍阻, 同爲拜辭巡使而出來. 來時歷訪本官朴壽亨, 則供饋朝飯. 食後卽發至花園幕三十里中火, 離發至樹城幕六十里留宿.

1802년 3월 12일. 미명에 출발하여 영산의 심천 주막까지 50리를 가서 점심을 먹고, 출발하여 갈전까지 40리를 가서 잠시 생원 김성율을 방문하니, 다만 말의 먹이를 줄 뿐만이 아니고 또 술과 안주를 내왔는데 안주는 곧 생선회였다. 그가 어떻게 이처럼 생물 고기를 갑작스레 얻을 수 있는지를 물어보니, 집 앞의 작은 연못에 양어를 하고 있으며, 이 물고기의 이름은 곧 '오수어'라고 했다. 우연히 이 사람을 보게 되었고, 집이 내가 감영을 오고 가는 길가에 있기 때문에 차마 바로 지나가지 못하고 들러본 것인데 매양 이처럼 대해주니, 도리어 마음에 불안하다. 잠시 쉰 후에 본역까지 20리를 왔는데 날이 아직 저물지 않았으니, 봄날이 길다는 것을 미루어서 알 수 있다.

　十二日. 未明離發, 至靈山深川酒幕五十里中火, 離發至葛田四十里, 暫訪金生員聲律, 則非但喂馬, 又進酒肴, 肴乃生魚之膾, 問其何以猝得如此之生魚乎, 答云家前有小池養魚, 而此魚之名乃烏秀魚云. 偶見此人, 而家在往來之路傍, 故不忍直過而歷見, 則每每如此, 旋切不安於心矣. 暫憩後至本驛二十里, 則日猶未暮, 春日之長, 可推而知矣.

1802년 3월 14일. 생각기에 본부에 가서 보름날에는 곡반과 하례에 참석하려고 했다. 그런데 이날 아침부터 기력이 편안치 못하고 또 때때로 한기가 온몸에 들었다. 억지로 조반을 조금 먹은 뒤에는 두통이 크게 일어나고 전신을 찌르는 것 같아 종일토록 인사불성이었다. 한 국자의 물도 입에 들일 수 없었으며, 밤새도록 또 이와 같았다.

　十四日. 意欲往本府, 參於望日哭班與賀禮矣. 自是日朝神氣不平, 且時有寒氣遍身, 而强喫朝飯少許後, 頭痛大發, 全身刺痛, 終日不省人事, 勺水不入口, 達夜又如是.

1802년 3월 15일. 통증이 그치지 않기 때문에 백비탕을 끓여서 복용하고 땀을 내자 두통이 조금 덜해졌다. 그러나 미음을 마시고자 해도 구역질이 나서 모두 토해내니 원기가 크게 손상되어 현기증이 적지 않았다. 때문에 연속해서 계고와 구갱을 복용하자 병증이 조금 물러난 나머지 기운도 따라서 조금 나아졌다. 이 무슨 이 달의 신수가 이처럼 불통한단 말인가? 친동생이 곁에 있으면서 손으로 이마를 덮어주었는데, 손이 뜨거워져서 오래 덮고 있지 못할 지경이니, 매우 아픈 것을 이것을 미루어 알 수 있을 것이다.

十五日. 痛勢亦不止, 故煎服白飛湯, 取汗則頭痛少歇. 然欲飮粥水, 嘔逆還吐, 元氣大損, 眩彙非細, 故連服鷄膏兼以狗羹, 病症少却之餘, 身氣亦隨而差勝矣. 是何今月之身數, 若此其不通耶? 舍弟在傍以手覆額, 手熱不久覆, 則痛者之難支, 推此可知.

1802년 3월 16일. 밤에 비가 조금 내렸다.

十六日. 夜小雨.

1802년 3월 19일. 아침에야 비로소 빗질을 하고 옷을 입은 후 문을 열고 공사에 대해 들었다. 어제 본부사 이문철이 김해의 살옥 (殺獄)을 동추(同推)[87]하는 일로 지나갈 때 찾아와서 담배 한 대를 빤 후에 곧바로 작별을 하였는데, 마음이 매우 서운했다.

十九日. 朝始梳洗着衣, 開閣聽公事. 昨日本府使李文喆, 以金海殺獄 同推事, 過去時來見, 而吸草一竹, 旋爲作別, 心甚悵然.

1802년 3월 20일. 밤에 비가 내리기 시작했다.

二十日. 夜始雨.

1802년 3월 21일. 비록 비가 흡족히 내리지는 않을지라도 종일 토록 부슬부슬 내렸다. 이처럼 파종할 때를 당해 전가에서 비를 기 다릴 때 이러한 단비를 얻으니, 기쁘고 다행함이 다시 어떻겠는가?

---

87) 동추(同推) : 살인 사건이 발생할 경우 초검관(初檢官)과 복검관(覆檢官)이 합동하여 죄인을 신문하는 것.

이날 저녁때 해남의 소둔사 승려 진기가 울산병영으로부터 돌아와서 알현하기 때문에 유숙하게 했다.

二十一日. 雖不沛下, 終日霏微. 當此落種之時, 田家待雨之際, 得此甘澍, 其爲喜幸, 當復如何哉? 是日夕時, 海南小芚寺僧進祺, 自蔚山兵營還來, 來現故使之留宿.

1802년 3월 22일. 진기가 절하고 본사로 돌아간다고 하기 때문에 약간의 노잣돈을 내주며 강진 월남으로 이사하는 일을 부탁했는데, 성사 여부는 모르겠다.

二十二日. 拜辭歸本寺, 故出給若干路資錢, 而托以康津月南移徙事, 果未知事成否.

1802년 3월 24일. 갈전에 사는 선비 김성율이 찾아왔다가 갔다. 통영의 목수와 장인이 일을 끝내고 돌아간다고 고하기 때문에 하인에게 분부하여 공전(工錢) 18냥을 내주게 하였는데, 지나치게 준 것 같지만 그렇다고 무슨 방해가 되겠는가? 술을 먹여서 보냈다.

二十四日. 葛田士人金聲律來見而去. 統營木手匠人, 訖役告歸, 故分付下人出給工錢十八兩, 而似近於過與, 然而何妨乎? 饋酒而送之.

1802년 3월 25일. 새벽에 비가 내리기 시작하여 종일토록 부슬부슬 내렸다.

二十五日. 曉始雨, 終日微霏.

1802년 3월 27일. 친동생의 귀가행을 보냈는데, 여러 달 동안 함께 머문 나머지에 갑자기 돌아간다고 하기 때문에 마음이 매우 허전한 것이 무엇을 잃어버린 것 같다. 비록 다른 사람일지라도 오래 머물다가 서로 헤어질 때는 서운한 마음이 없을 수 없는데, 하물면 동기지간임에랴? 돈 55냥을 주어서 생계에 보태도록 하고, 또 질녀 사위인 송산의 백사회(白思檜)가 살 집이 없다고 하여서 돈 3냥을 주면서 집을 지을 재목에 보태라고 했다. 이러한 관직에 있으면서 권속을 도와주고 싶고, 그밖에도 좌우로 고뇌스런 곳이 한둘에 그치는 것이 아니니, 이것이 이른바 '들고 온 것은 별것 없으면서 바라는 것은 크다'는 것이다. 당혜 장인에게 분부하여 신발 20여 켤레를 만들도록 하고, 지친과 원근의 족인 모모처에게 나누어 보내주었지만, 오히려 모든 사람을 기쁘게 할 수 없다. 비록 마음에는 상쾌하지 않을지라도 그러나 장차 여력이 미칠 수 있을 때면 마땅히 상량할 것이다. 이날 4월 9일의 제수품을 보내고 겸하여 약간의 짐을 부쳤다. 거제도의 선비 김규희(金奎熙)가 찾아왔기 때문의 그의 성관을 물어보니 김해라고 하며, 백대의 정의로서 찾아와 배알한다고 했다. 또 서너마리의 물고기를 올리기 때문에 장차 물러날 때 사람을 대하는 방도가 아닌 것 같아서 웃으면서 받고 만류하여 묵고 가게 했다.

二十七日. 送舍弟歸家, 而累朔共留之餘, 遽爾拜辭, 心甚悵缺, 如有所失, 雖凡他之人久留而相分, 則不無悵然之心, 況同氣之間乎? 以銅五十五兩給之, 使補生計, 且聞姪女婿松山白書房思檜, 無所居之家云, 給錢三兩, 以補構屋之材矣. 以此當官欲救家眷, 而其他左右所惱之處, 非止一二, 此所謂所持者狹而所欲者奢也. 分付唐鞋匠, 造鞋二十餘部, 分送至親與遠近族某某處, 而猶未每人而悅之, 雖不快於心, 然將看餘力之可及, 而當商量耳. 是日送四月初九日祭需, 而兼付如干卜物. 巨濟士人金奎熙來見, 故問其姓貫, 則曰金海, 而以百代之誼委到拜謁云. 且以數三魚種納上, 故將退則似非待人之道, 笑而受之, 挽留止宿而去.

1802년 3월 28일. 밤에 비가 조금 내렸다.
二十八日. 夜小雨.

1802년 3월 29일. 아침에 이슬비가 내리다가 식후에 곧바로 갰다. 길가는 자는 중도에 체류하는 근심이 없을 것 같으니, 이 또한 다행이다. 비의 은택이 비록 흡족하지는 않을지라도 자주 오니, 백성들은 종자를 파종함에 시기를 어기는 염려가 없을 것이라서 다만 전가의 다행일 뿐만 아니다. 관가 또한 이곳이 지난해에 큰 흉년을 당하여 구활할 방도에 대해서 정신과 힘을 고뇌스럽게 쓴 것이 두루하지 않음이 없었기 때문에 금년에 풍년을 원하는 마음이 항상 마음속에 맺혀있다. 그런데 다행히 때에 맞는 비가 내려주니, 그 기쁨이 마땅히 어떻겠는가? 일전에 역졸을 보충하는 일로 김해에 이문(移文)88)하고 겸하여 편지를 썼는데, 그것에 대한 답장이 도착하였다. 그 내용은 '며칠 내로 마땅히 사정(査正)하여 회이(回移, 회답 이문)하겠으니 염려말라'고 한 것이다.

二十九日. 朝微霏, 而食後卽霽. 行者似無中路滯留之患, 是亦幸耳. 雨澤雖未沛然, 頻頻而來, 民無落種愆期之慮, 非但田家之幸, 官亦以此處去年之大歉, 其於救活之方, 惱神費力, 無不周徧, 故今年願豊之心, 常結於方寸之間矣. 幸得時雨之降, 其爲欣喜, 當復如何哉? 日前以驛保充丁事, 移文金海, 而兼修書矣, 答書來到, 而不多日內當査正回移, 勿慮云云.

1802년 3월 30일. 오후에는 내달 1일에 있을 망곡과 하례의 일로 본부에 가는 길을 출발했다.

三十日. 午後以來月初吉望哭與賀禮事, 離發至本府耳.

---

88) 이문(移文) : 서로 예속되지 않는 관청 사이에 전하는 공문서를 말한다.

「일기 4」

1802년 4월 1일. 새벽에 일어나서 세수를 한 후 객사로 나아가서 본부사 이문철과 함께 제복(祭服)으로 갈아입고, 먼저 망곡례를 행하고, 사모관대로 갈아입고서 다음으로 망하례를 행하였으며, 예를 마친 후에 나왔다. 이날 하늘이 잔뜩 흐리더니 빗방울이 간혹 떨어지기 때문에 일찍 밥을 먹은 후에 본역까지 20리를 달려왔다. 정당(政堂)에 앉아서 각방의 하인과 외역의 도장(都長) 무리들을 점고하였다. 날이 저물 때 가는 비가 부슬부슬 내렸다.

壬戌四月初一日. 曉起盥洗, 馳詣客舍, 與本府使李文喆, 着祭服先行望哭禮, 改着帽帶, 次行望賀禮, 禮畢後出來. 是日雨意滿天, 銀鈴或下, 故早食後, 馳到本驛二十里, 坐于政堂, 點考各房下人及外驛都長輩. 日晚細雨絲絲而來.

1802년 4월 2일. 맑음. 웅천현에 사는 생원 임희연(任希淵)을 오게 하였는데, 대개 그 사람은 본디 산수벽이 있는 데다 강산의 풍물을 그릴 수 있기 때문이다. 나 또한 이를 사랑하지만 아직 가보지 못한 곳은 와유(臥遊)[89]의 자료로 삼고자 하여 그림을 8폭에 그려내고, 이어서 병풍으로 만들어 항상 눈으로 본다면, 다리의 힘을 쓰지 않고도 산수 속을 유람할 것이니, 평생동안 너무도 좋아하는 한 가지 소원이 해소될 수 있을 것이다.

初二日. 晴. 邀來熊川縣居任生員希淵, 蓋其人素有山水之癖, 而能畵江山之風物故. 余亦愛此, 而未可遍踏, 欲爲臥遊之資, 畵出於八幅丹靑, 仍作屛風, 常目觀之, 不勞脚力而遊於山水之中, 足以解平生酷好之一願

---

89) 와유(臥遊) : 산수화(山水畵)를 감상하며 유람을 대신하는 것을 말한다. 금(琴), 서(書), 화(畵) 삼절(三絶)로 유명한 남조 송(南朝宋)의 은자 종병(宗炳)이 노년에 병이 들어 명산을 유람하지 못하게 되자, 그동안 다녔던 명승지를 그림으로 그려 걸어 놓고는 누워서 감상하며 노닐었던[臥以游之] 고사가 전한다. 『宋書 宗炳傳』

矣.

1802년 4월 3일. 맑음. 환곡을 본역과 각역의 백성들에게 분급해주는데, 각역의 병방이 권농관을 차출하고 그들을 각별히 신칙하여 농형보장(農形報狀)을 올리도록 하되 10일을 기한으로 하게 했는데, 과연 실효가 있을 것인지는 모르겠다. 연일 앉아서 그림 그리는 일을 보는데, 그중 조수(鳥獸)와 어별(魚鼈)을 잘 그려내니, 과연 기교와 재주가 있다고 말할 수 있다.

初三日. 晴. 分給還穀于本各驛民人等處, 以各驛兵房差出勸農官, 使之各別申飭, 修呈農形報狀, 而以間十日爲之, 果未知有實效耶? 連日坐看繪畵之事, 而其中鳥獸魚鼈, 善爲摸出, 可謂巧且才矣.

1802년 4월 8일. 날씨가 흐리다가 가는 비가 살짝 내리기 때문에 임노인이 작별을 하고 문을 나섰다가 되돌아와서 다시 유숙을 하고 갔다. 비는 겨우 먼지를 적실 정도로 내리다가 그쳤다.

初八日. 天陰而微雨乍下, 故任老人告別而出門還來, 更爲留宿而去. 雨纔浥塵而止矣.

1802년 4월 9일. 오늘은 곧 돌아가신 어머니의 제삿날이다. 이 관직을 비록 외직이라고 칭할지라도 관례상 사당에서 모시지 못하기 때문에 다만 재계만 행하고, 몸소 작헌례를 행할 수 없으니, 누가 외직이 좋다고 말했던가? 배나 더 쓸쓸해지고 눈물이 저절로 떨어져서 나도 모르게 옷깃을 적셨다. 임노인이 갈 때 사람을 대접하는 일이 없을 수 없기 때문에 돈 3민과 각종 물고기 묶음을 주어서 여행 중의 자료로 삼게 했다.

初九日. 卽先妣諱日也. 所謂此官雖稱外職, 例未奉陪祠堂, 故只行齋戒, 而未得躬行酌獻之禮, 誰謂外任之好? 倍增感愴, 涕淚自零, 不覺沾襟. 任老去時, 不可無待人之道, 故以銅三緡各種魚束, 以爲行中之資耳.

1802년 4월 10일. 오후에 김해 하계에 사는 생원 어용서의 집에 가서 한참동안 수작을 하였는데, 주인은 내가 올 것을 알고 미리 주찬을 준비했다가 대접해주었고, 데리고 간 하속들에게도 또 술을 먹여주었다. 그러나 그 궁한 집에 폐가 되지 않을 수 없으니, 되려 편안치 못했다. 또 그 선세의 문집을 살펴보니, 다만 작위가 청고할 뿐만 아니라 그 지절(志節)은 숭상할만하게 높아서 미치기 어려우니, 후대사람들이 흠앙하며 탄식하는 것이 어찌 그 다함이 있을 것인가? 하계는 본역과는 땅은 비록 둘이지만 들판은 하나이고, 그 사이의 거리가 3리가량에 지나지 않는다. 석양 무렵에 돌아왔는데, 올 때 문집을 빌렸다. 문집은 곧 직제학 변갑(變甲)과 문효공 판충추부사 효첨(孝瞻), 그리고 문정공 좌의정 세겸(世謙)의 행장과 소장(疏章) 및 시문이다. 이처럼 잠영의 후예로서 하향(遐鄕)에 유락하여 궁함으로 살아갈 방도가 없으니, 어찌 개탄스럽지 않겠는가? 문집 중에 대제학 교은 정이오(鄭以吾)가 꿈속에 얻은 시를 말했는데 이르길, "세 층계 바람 뇌성은 어변갑이요, 한 달 봄 풍경은 마희성이네. 비록 대우(對偶)가 원래 서로 꼭 맞는 것이라 하나, 어찌 용문 상객의 이름에야 미치랴."라고 하였다. 공은 과연 전시에서 1등을 하였고, 마희성은 무과에서 1등을 하였다고 한다. 일이 매우 기이하기 때문에 기록해 둔다.

初十日. 午後, 往金海下界居魚生員用書家, 有頃酬酢, 而主人知余之來, 預備酒饌待之, 所率下屬亦以酒餽之. 其於窮家不無有弊, 旋爲不安. 又考其先世文集, 則非但爵位之淸高, 其志節之可尙卓乎難及, 後人之欽仰嗟嘆者, 庸有其極哉! 下界之於本驛, 地雖二而野則一, 其間相距, 不過三里許也. 夕陽時還來, 來時借其文集, 文集卽直提學變甲·文孝公判中樞府事孝瞻·文貞公左議政世謙之行狀及疏章詞律也. 如許簪纓之後裔, 流落遐鄕, 窮不能聊生, 豈不慨然者乎? 文集中云大提學郊隱鄭以吾夢得詩曰, "三級風雷魚變甲, 一春烟景馬希聲. 雖云對偶元相敵, 那及龍門上客名." 公果中殿試第一, 而馬希聲則以武亦居魁云, 事甚奇異故記之.

1802년 4월 11일. 본가에서 보내온 답장편지를 받아보았는데, 가내는 모두 평안하고 손자들도 무병하다고 하니, 기쁘고 다행스럽다. 그러나 냉리 사람이 알 수 없는 급한 증세로 사망을 하게 된 일이 있다고 하니, 이 또한 멀리에서 걱정스런 일이다. 친동생 또한 별 탈 없이 집에 돌아갔으며, 약간의 짐은 숫자대로 바쳤다고 한다. 임서방 또한 편지를 보내어 무고하다고 하니, 매우 다행이다.

十一日. 得見本家答書, 則家內俱平吉, 而孫兒輩亦無病云, 欣幸, 而冷里之人以無何急症, 或有死亡之患云, 是亦遠慮之事也. 舍弟亦無故還第, 而如干卜物依數捧納云耳. 任郎亦送書而無故云, 幸幸.

1802년 4월 12일. 손복룡(孫福龍)이 이곳에 와서 이틀을 머물다가 갔는데, 갈 때 돈 6민과 청어 1두름을 준 것은 이 사람이 곧 서울 구서부동에 사는 안동지의 처남이기 때문이다. 내가 안가의 집에 있을 때 손복룡도 그의 처를 데리고 그 누이집에 와서 살고 있었기 때문에 내가 항상 마음속으로 가련하게 여겼는데, 그 사람이 홀연히 찾아와서 인사를 하고, 그 누이의 언문편지를 받아가지고 왔다. 때문에 그 말뜻을 살펴보니, "오라비가 태인 읍내에 내려 갔는데 아직까지 작은 집도 얻지 못했으니, 바라건대 급한 상황을 구해주어서 용신할 방도로 삼게 해주신다면 아모 때에 마땅히 되 갚겠습니다."라고 했다. 다른 날에 갚을 것인지 말 것인지는 우선 그만두고라도 옛날 내가 서울 있을 때 안주인이 나에게 관대하게 대한 정은 잊기 어렵다. 또 그 사람이 집이 없다는 말을 듣고는 그 사정이 불쌍하기 때문에 약간의 물건을 주어서 보낸 것이지만, 마음속에는 흡족하지 못한 탄식이 있다. 이날 어석사가 찾아준 것에 대해 사례하기 위해 와서 반나절 동안 얘기를 나누다가 갔다.

十二日. 孫福龍來此留二日而去, 去時以錢六緡靑魚一級贈之者, 蓋此人卽京中舊西部洞安同知之妻娚, 而余之在於安哥家時, 孫也率其妻, 來接于其妹家, 故余常心憐之, 其人忽然來謁, 而受來其妹之諺簡, 故審其辭意則曰, "其娚下去于泰仁邑內, 尙未得斗屋, 幸望救急, 使爲容身之道, 則某時當還報云." 他日之報否姑舍之, 舊日余之在京時, 內主之於我款待之情, 難可忘矣. 且聞其人無家之說, 情勢可矜, 故以若干物給而送之, 然而心有未洽之歎矣. 是日魚碩士以回謝來見, 半日相晤而去.

1802년 4월 14일. 신검리의 생원 정원주(鄭元冑)가 먼저 여러 차례 찾아왔었는데, 오늘 또 와서 한참동안 얘기를 나누다가 갔다. 대저 이 사람은 이곳에서는 글씨로 이름이 났는데, 그가 쓴 이 객관의 편액 '증심헌'의 글자를 살펴보면 과연 명불허전이다. 나 또한 당호를 벽에 쓰고 책에 쓰는 일로 부탁을 했다.

저번에 백성의 사정이 매우 급한 것으로 인해 환곡을 더 나누어 주라는 문서를 영문에 올렸는데, 그것에 대한 회답이 내려오길, '백성의 사정이 이와 같으니 마땅함을 헤아려 더 나누어주라'고 하였다.

十四日. 新檢里鄭生員元冑, 前此累次來見, 而今又來到, 有頃相晤而去. 蓋此人以筆名于此土, 而觀其此館之扁額證心軒字劃, 則果是名不虛得也. 余亦以堂號壁書及圖書事托之. 向以民情之窘急, 呈還穀加分狀于營門矣, 回題下來, 而'民情如此量宜加分云'故.

1802년 4월 15일. 때문에 환곡을 본역과 각역의 백성들에게 나누어주었고, 기타 촌민들도 소장을 올려 환곡을 받겠다고 하기 때문에 그 소원에 따라 주었다. 어제 오후에는 아들이 도착했는데, 얼굴을 보고 말을 들으니 기쁘기 한량없다. 그러나 부자가 서로 의지하며 비록 멀리에서 외로움을 면했다고 할지라도 이처럼 농사일이 한창일 때 집안에서 바깥주인이 주장해가는 것이 없다면, 전가

(田家)의 여러 일을 감독해가는 방도에 대해서는 어찌 소홀할 것이라는 염려가 없을 것인가? 또 듣기에 본촌 인근에 사는 족인이 알수 없는 병으로 갑자기 별세했다고 하니, 놀랍고 참담하기 그지없다. 또한 집을 위해 멀리에서의 걱정이 없을 수 없다.

十五日. 分給還穀于本各驛民人等處, 而其他村民輩呈訴受還云, 故亦從其願而給之. 昨日午後, 家兒來到, 見面聞語, 欣喜難量. 父子相依, 雖免遠外之孤寂, 當此農務方張之時, 家無外主張, 其於田家凡事董飭之道, 豈無疎忽之慮耶? 且聞本村近隣族人以無何急症, 奄然別世云, 驚慘不已, 亦不無爲家之遠慮矣.

1802년 4월 16일. 이른 아침에 감영 행을 출발한 것은 대개 순사가 순찰을 나갔다가 감영에 돌아오면 각읍의 수재(守宰)들이 관례로 가서 찾아뵙는 것이 예라고 하기 때문이다. 점심을 무난 주막까지 50리를 가서 먹고, 오후에 출발하여 창녕현까지 50리를 가니, 해가 아직 저물지 않았기에 곧바로 동헌에 가서 주관 박철원과 얘기를 나누었다. 조석의 공궤는 주관이 담당했다.

十六日. 早發監營行者, 蓋巡使發巡還營, 則各邑守宰, 例有往見之禮云故也. 中火于無難酒幕五十里, 午後離發, 至昌寧縣五十里, 則日猶未暮, 直到東軒, 與主官朴喆源相晤, 朝夕供饋則主官當之.

1802년 4월 17일. 이른 아침에 출발하여 현풍현의 장산 주막까지 50리를 가서 점심을 먹고, 오후에 출발하여 화원창까지 20리를 가서 잠깐 말의 먹이를 먹인 후에 출발하여 대구감영까지 20리를 가니, 날이 이미 저녁 다듬이질 때가 되었다. 잠시 휴식을 한 후에 들어가서 순사 남공철을 뵙고 한참동안 수작을 하고 나왔다. 그때 산청 현감 김건주(金健柱)도 들어왔다.

十七日. 早發, 至玄風縣長山酒幕五十里中火, 午後離發, 至花園倉二十里, 霎時秣馬後, 發至大丘監營三十里, 則日已夕砧之時矣. 暫爲休息後, 入見巡使南公轍, 有頃酬酢而出來. 其時山淸縣監金健柱, 亦爲入來.

1802년 4월 18일. 아침에 선화당에 들어가서 물러간다고 고할 때 비가 퍼붓듯이 내리기 때문에 갑자기 나오지 못하고, 거의 한식경 가량을 대략 본역과 각역의 폐막을 아뢰었으며, 이아(貳衙)로 나와서 주관 박수형(朴壽亨)과 더불어 잠깐 말을 하고 헤어졌다. 식후에 출발하고자 하였으나 습기 머금은 구름이 하늘에 가득하고 빗방울도 간혹 떨어졌다. 그러나 가만히 앉아서 영주인의 형세를 생각하면, 집안이 매우 협착하여 수많은 인마는 군속한 폐단이 있을 것 같기 때문에 곧바로 출발하였는데, 겨우 서문을 나왔을 때 풍우가 크게 일었다. 그렇지만 이미 순사에게 인사를 하였으니, 관례상 성내에서는 유숙할 수가 없기 때문에 비를 맞고 화원창까지 30리를 갔다. 그 사이의 어려운 상황은 말하지 않아도 알 수 있을 것이다. 이날 가는 비가 종일토록 오락가락 내리기에 주막에서 유숙했다.

十八日. 朝, 入去宣化堂, 告以辭退之時, 雨下如注, 故未得遽出, 幾至一食頃, 略陳本各驛弊瘼, 而出來于貳衙, 與主官朴壽亨, 乍語而分. 食後欲發而濕雲滿天, 雨鈴或下. 然而坐想營主人之勢, 則家甚狹窄, 數多人馬似有窘速之弊, 故卽爲離發. 纔出西門, 風雨大作. 然而旣辭巡使, 則例未得留宿于城內, 故冒雨至花園倉三十里, 其間艱狀, 不言可想. 是日微雨, 終日霏霏, 留宿于酒幕.

1802년 4월 19일. 아침 일찍 출발하여 죽현막까지 50리를 가서 점심을 먹고, 오후에 출발하여 영산현까지 50리를 가서 유숙했다. 조석의 공궤는 주관인 윤영열(尹永烈)이 담당했는데, 그의 말에 그의 부친이 풍단에 걸려서 마음이 타들어 간다고 하기 때문에 오랫동안 얘기를 하지 못하고 곧바로 객사로 나왔다.

十九日. 早發, 至竹峴幕五十里中火, 午後離發, 至靈山縣五十里留宿,而朝夕供饋, 則主官尹永烈當之, 而言內以其親風丹焦慮云, 故未得久話, 卽爲出來于舍館.

1802년 4월 20일. 평명에 주관이 나왔기에 만나보고 잠시 얘기를 한 후 헤어졌다. 출발하여 무난 주막까지 20리를 가서 점심을 먹고, 출발하여 갈전까지 30리를 가니, 생원 김성율이 내가 지나가다 방문할 것을 알고 미리 술과 음식 및 말먹이를 준비하고 기다리고 있었다. 때문에 내가 웃으면서 말하길, "아는 사이에 문을 지나면서 들어가지 않으면 박정한 것에 가깝기에 이렇게 들어온 것인데, 그대의 정성스런 접대가 매양 이와 같으니, 내가 관의 행차를 하는 것으로서 어찌 한사(寒士)의 집안에 폐를 끼칠 수 있단 말이오? 이후로는 마땅히 들어오지 않을 것이오."라고 하자, 주인도 웃으면서 말하길, "관의 행차가 한 번 돌아봐주는 것은 그 오두막에 빛이 나는 것이니, 값으로 경중을 따질 수가 없는 것입니다. 어찌 이 말을 하는 것인지요?"라고 하여 서로 웃으면서 헤어졌다. 출발하여 본역까지 20리를 오니, 날이 이미 정오를 지났다. 나주 금안동에 사는 석사 홍관주(洪觀周)가 순창으로부터 돌아서 이곳에 온 지 이미 5일이 되었다. 뜻밖에 문득 오랫동안 못 보던 얼굴을 보게 되어 매우 기뻤다.

二十日. 平明, 主官出來而見, 暫晤而分. 發至無難幕二十里中火, 離發至葛田三十里, 則金生員聲律, 知余之歷訪, 預備酒食及馬粥而候之, 故余笑而言曰, "知面之間, 過門不入, 近於薄情, 玆以入來, 則尊之款接, 每每如此, 余以官行, 豈可貽弊於寒士之家乎? 此後當不入見云." 則主人亦笑言曰, "官行一顧, 其爲蔀屋之生光, 不可以價論其輕重, 胡爲發此言乎云." 相笑而分. 離發至本驛二十里, 則日已過午矣. 羅州金鞍洞居洪碩士觀周, 自淳昌轉到至此已五日矣. 意外忽見久阻之面, 欣喜欣喜.

1802년 4월 21일. 노적된 환곡을 창고에 들이는 일로 창고에 머물렀다.

二十一日. 以露積還穀入倉, 留庫.

1802년 4월 22일. 석사 어용서가 넘어와서 반나절 동안 얘기를
나누다가 갔다.

二十二日. 魚碩士用書, 越來半日相晤而去.

1802년 4월 23일. 날이 맑아서 비 올 뜻이 없다. 이날 밤에 새
벽이 되려고 할 때 체기가 치받아 올라 호흡하기 어렵기 때문에
급히 소합환 자금정을 사용하니 충증(沖症)이 조금 내려갔지만 뱃
속은 아직 불편했다.

二十三日. 晴無雨意. 是夜將曉, 滯氣上沖, 呼吸難通, 急用蘇合丸紫
金井, 則沖症少下, 而腹中猶不平矣.

1802년 4월 26일. 인종(姻從)인 홍관주가 돌아간다고 고하기 때
문에 내가 말하길, "이곳 영외까지 오는 일이 반드시 쉽지 않을 것
이니 조금 더 머물게."라고 하자 답하길, "집에서 나올 때 그믐 사
이에는 집에 돌아갈 것이라는 뜻을 어버이께 고하였습니다. 지금
만약 더 머물게 된다면 반드시 의려(倚閭)의 기다림이 있을 것이
고, 또 어버이께 근심을 끼쳐드리게 될 것입니다. 아침저녁으로 나
오는 식사가 비록 모두 진미일지라도 마음은 항상 편안치 못하고
도리어 집에서 푸성귀를 먹는 것만 못하니, 오늘 일찍 출발하겠습
니다."라고 했다. 때문에 나는 "그대의 말이 옳다."라고 하고, 송별
할 때는 마음이 매우 서운해서 돈 5민과 건포 10조각 및 공책 1
권을 주어서 보냈다. 이날 저리가 고목을 보내왔고 겸하여 고친 관
대를 부쳐왔다. 그러나 청람(靑藍)은 아직 나오지 않아서 후염(後
染)을 하지 못하였기 때문에 장복의 변색된 곳이 이전처럼 그대로
남아있으니, 이것이 흠이로다. 재종 성연(聖演)이 상경해서 안동지

의 집에 우거하고 있으면서 편지를 보냈기에 말의 뜻을 자세히 살펴보니 바야흐로 급한 일이 있다고 했다. 서울에 들어온 지 얼마되지 않았는데 행낭은 어찌 그리 쉽게 말라버리는 건가? 이러한 관황(官況)으로는 고뇌스러움이 많으니, 웃을 뿐이로다.

二十六日. 姻從洪觀周告歸, 故余曰, "來此嶺外, 想必不易, 少焉加留云", 則答云, "出來之時, 以晦間還家之意, 仰告于親. 今若遲留, 則必有倚閭之待, 而且貽憂於親. 朝夕所供, 雖皆珍味, 心常不寧, 反不如在家而茹菜, 今早發程云." 故余曰, "君之言可矣." 送別之際, 心甚悵然, 以銅五緡, 乾脯十條, 白冊一卷, 給而送之. 是日, 邸吏送告目, 而兼付改造冠帶. 然而靑藍姑未出, 不爲後染, 故章服所渝之色, 依舊尙存, 是可欠耳. 再從聖演, 上京而寓于安同知家, 亦送書, 而細究辭意, 則方有窘急之事云, 入洛屬耳行橐豈易渴乎? 以若官況, 所惱多端, 笑矣哉!

1802년 4월 27일. 오후에 비가 내리기 시작하여 밤이 되도록 그치지 않았지만, 이슬비만 부슬부슬 내리며 쏟아지지 않아서 오히려 일리에도 미치지 않았다.

二十七日. 午後始雨, 至夜不止, 而霏微無如注之來, 猶未至一犁矣.

1802년 4월 28일. 갬. 관아의 문에 오리가 물러가고 송사하는 관청에 새들이 내려앉는다. 조용히 증심헌에 앉아서 비 온 뒤의 풍경을 두루 살펴보니, 산빛은 비 온 뒤의 봄색이 더해지고, 보리색은 서리 오기 전의 가을 모습을 가득 띠고 청색과 황색이 원근에 섞여 있다. 봄과 가을이 산야에 나뉘니, 눈에 들어온 광경은 적막한 가운데 하나의 기쁜 일이 아님이 없다.

二十八日. 晴, 公門鶩退, 訟庭鳥下. 靜坐證心軒, 徧觀雨後之景, 則山光添得雨後之春, 麥色滿帶霜前之秋, 靑黃雜於遠近. 春秋分於山野, 觸目景光, 無非涔寂中一喜事也.

1802년 4월 29일. 오후에 본부에 도착하여 주관 이문철과 수작을 하는데, 그의 말에 '통병영(統兵營)에서 오늘 관에 돌아왔는데 아들의 병이 아직도 낫지 않고 있다'고 했다.

二十九日. 午後到本府, 與主官李文喆, 相酬酢而言內, 自統兵營今日還官, 而子病尙不差云.

1802년 5월 1일. 경오일. 새벽에 일어나 세수를 한 후에 객사로 나아가서 제복을 입고 먼저 망곡례를 행하고, 예를 마친 후에 백색의 사모관대로 갈아입고서 다음으로 망하례를 행하였는데, 전후로 두 번의 사배를 하고 예를 마친 후에 나왔다. 식후에 본역까지 20리를 와서 각방 하인들을 점고하는데, 두 아전은 이앙하는 일로 집궐(執闕)했다고 하기 때문에 특별히 분간(分揀)90)을 하였다.

五月大初一日庚午. 曉起盥洗, 進詣客舍, 着祭服先行望哭禮, 禮畢後改着白帽帶, 次行望賀禮, 前後再四拜, 禮畢後出來. 食後來到本驛二十里, 點考各房下人等, 而二吏以秧事執闕云, 故特爲分揀.

1802년 5월 2일. 효동의 어석사가 넘어와서 바둑을 두며 날을 보냈는데, 등급이 서로 비슷하다. 김해부사 서유봉이 병풍 틀을 만들어 보냈으니, 과연 말을 실천했다고 말할 수 있다. 본역 소속인 우곡사(牛谷寺)의 화상(和尙) 스님이 와서 산중의 반찬을 바쳤다. 이것은 내가 미천한 신분일 때 산방에서 독서하는 날에 즐기던 물건이다. 본부의 양사재 장의(掌議) 김익룡(金翼龍)이 찾아와서 소매 속에서 본관의 편지를 바치면서 말하길, "향중의 선비들이 바야흐로 회접(會接)을 하면서 문제를 내어 시험을 볼 뜻을 성주께 아뢰었더니, 그의 말에 '등과한 사람이 있으니, 비록 문자를 대략 알지

---

90) 분간(分揀) : 죄상(罪狀)을 보아서 용서하는 쪽으로 처결(處決)하는 일을 말한다.

라도 어찌 고관(考官)을 감당할 수 있겠는가?'라고 하고, 이 편지를
써서 저에게 전하게 하며, 또 몸소 찾아가서 직접 청하라고 하였습
니다. 때문에 매양 한 번 찾아뵙기를 원했다가 지금에야 비로소 이
것을 겸하여 왔습니다."라고 했다. 내가 웃으면서 말하길, "나는 비
록 문관이라고 칭하지만 소견이 대단치 못하고, 또 나의 소관도 아
닌데 어찌 타관의 수고를 입을 것인가?"라고 하며 힘써 사양하길
그치지 않자, 김생이 굳게 청하면서 말하길, "만약 그리해주시지
않는다면 파접(罷接)하는 것 외에는 달리 방법이 없습니다."라고 하
기 때문에 어쩔 수 없이 시부(詩賦)의 문제를 내주었다.

初二日. 孝洞魚碩士越來, 着博消日, 而手則相敵. 金海府使徐有鳳,
造送屏機, 可謂能踐言矣. 本驛所屬牛谷寺和尙僧, 來獻山饌, 此是微時
山房讀書之日, 所嗜之物也. 本府養士齋掌議金翼龍, 來見而袖來本官書,
獻之曰, "鄕中多士, 方爲會接, 而以出題考試之意, 仰稟于城主, 則言內
'以有登科之人, 雖或粗知文字, 何可當考官乎?' 云而作此書, 使余傳之,
且躬往面請云, 故每願一番進見, 而今始兼此而來云." 余笑而言曰, "吾
雖稱以文官, 所見不大端, 且非余之所掌, 而豈可服他官之勞乎?" 苦辭不
已, 則金生固請曰, "若不許施, 則罷接之外, 無他道理云." 故不得已出給
詩賦題矣.

1802년 5월 3일. 새벽에 가는 비가 실처럼 내리다가 아침이 되
자 곧 그치더니 식후에는 햇빛이 쨍쨍했다. 이처럼 이앙할 때를 당
하여 비를 아끼는 것이 이와 같으니, 백성들이 비록 망예(望霓)[91]
의 탄식이 있지만 하늘이 실로 하는 일이니 어쩔 것인가? 뱃속의
체증이 근래 갑자기 더해져서 연달아 오줌을 받아 구급을 하였다.
갈전의 생원 김성율이 밀양 금암리에 사는 이생원을 보내왔는데,
지금 명의로 칭해지기 때문이다. 중완혈에 2푼짜리 침 8개와 쑥뜸
7장을 사르고, 명치 아래의 구미혈에는 뜸만 7장을 떴다. 다음날에

---

91) 망예(望霓) : 가뭄에 비가 내리기를 몹시 기다린다는 뜻이다.

도 또 뜸을 뜨길 이처럼 7번을 하고 그치면 반드시 효과가 있을 것이라고 했다. 평생동안 쌓여온 쳇병이 어찌 3·7의 뜸과 2푼의 침으로 즉시 효과가 드러나겠는가? 나는 믿지 못하겠다. 그러나 우선 앞으로 차도를 본다면 이의(李醫)의 말을 징험할 수 있을 것이다. 그의 말에 '다른 사람도 병난 곳이 있어서 지금 떠나야 한다'고 하기 때문에 인마를 타게 해서 보냈다. 또 돈 1민을 주어 행중에 쓰게 했다.

初三日. 曉細雨如絲, 而至朝乃止, 食後日光杲杲. 當此移秧之時, 靳霈如是, 民雖有望霓之歎, 天實爲之, 奈何奈何? 腹中滯症, 近忽添劇, 而連以自己水救急矣. 葛田金生員聲律, 薦送密陽黔岩里居李生員, 今稱名醫故. 中完穴八針二分而燃艾七張, 命骨下骶尾穴, 只灸七張, 而來明又灸, 此七數而止, 則必有差效云. 平生積痼之滯病, 豈可以三七之灸二分之針, 卽得顯效乎? 吾未之信, 然而姑觀來頭之差否, 可以驗李醫之言. 言內'他有看病處, 方爲離發云', 故使人馬騎而送之. 又以一緡銅爲行中之資.

1802년 5월 5일. 오늘은 곧 단오날이다. 매양 가절을 만나면 배나 더 쓸쓸하다. 묵묵히 아랫사람들의 정황을 생각해보면 이러한 흉년을 당한 데다 또 시절도 궁한 때인지라 하루도 배불리 먹어볼 수 없을 것이기 때문에 술을 빚고 고기를 삶아 각방의 하인들과 관하의 노리 및 각색 장인들에게 나누어주었는데, 박봉이라 항상 마음처럼 할 수 없는 것을 한탄할 따름이다. 이날 생원 어용서와 생원 정원주가 마침 왔기 때문에 술과 안주로 대접해서 보내니, 거의 허전한 마음이 해소되었다. 순사가 절첩 5자루를 보내오고 겸하여 안부편지도 보내왔는데, 하관의 마음에 있어서 감동하지 않을 수 있겠는가? 3자루는 하리인 이방·호방·예방에게 나누어주었다.

初五日. 卽端午也. 每逢佳節, 倍增感愴. 默想下情, 則當此歉年, 而時又窮節, 似未得一日之飽, 故釀酒烹狗, 分饋于各房下人, 及館下老吏與各色匠人等處, 而自歎薄廩常未能如意耳. 是日魚生員用書鄭生員元胄適來, 故以酒肴待之而去, 庶可解薪悵之心矣. 巡使送節簬五柄, 而兼修問安書簡, 其於下官之心, 能不無感乎? 三柄分給于下吏吏戶禮等處.

1802년 5월 8일. 17일에 쓸 제수를 보내고 겸하여 약간의 짐을 부쳤으며, 또 지촉(紙燭)으로 노송정과 건촌 두 상가(喪家)에 부의를 보냈다. 서재 훈장인 구홍점(具鴻漸)이 찾아와서 말하길, "가세가 빈한하여 본역의 학동을 가르치면서 살아가고 있으며, 이곳에 온 지 오래되어서 이미 30년이 되었습니다."라고 했다. 그의 행동거지를 살펴보면 자못 문인의 자태가 있는데 빈궁함이 이와 같으니, 매우 가련하다. 찾아올 때는 술을 주곤 한다.

初八日. 送十七日祭需, 而兼付如干卜物, 又以紙燭, 問老松亭乾村兩喪家. 書齋訓長具鴻漸來謁而言曰, "家勢貧寒, 以教授本驛學童, 賴而資生, 來此之久者, 已踰三十年云." 看其擧止, 頗有文人之態, 而貧窮如是, 見甚矜憐. 有時而來, 則以酒盃饋之.

1802년 5월 10일. 새벽에 비가 내리기 시작했다.
初十日. 曉始雨.

1802년 5월 11일. 이슬비가 그치지 않고 내렸다. 물을 모아 이미 이앙한 논도 거의 말라갈 즈음에 이 비를 얻게 된 것은 비록 다행이라고 하지만 이앙을 하지 못한 곳은 애초에 심을 방도가 없으니, 농부의 목마른 답답함은 어떻겠는가? 이달 10일은 곧 태종대왕 제삿날이다. 매년 이날이면 하늘이 반드시 비를 내려주기 때문에 이름을 '태종우'라고 한다. 오르내리는 영령께서 하늘과 덕이 합해져서 이처럼 농사일이 한창일 때 매양 비의 은택을 내리고 이 동방의 억조 창생 생령을 살려주시니, 비록 창오(蒼梧)의 만세 뒤일지라도 또한 백성와 토지신에게 보태어 도움되는 바가 있는 것은 과연 무궁한 혜택이라고 말할 수 있다. 아! 성대하도다.

　十一日. 霏微不止. 執水已種之畓, 幾涸之際, 添得此雨, 雖云幸矣, 未移之處, 則初無可種之道, 農夫之渴悶, 爲如何哉? 是月十日, 卽太宗大王忌辰也. 每年是日, 天必下雨, 故名之曰太宗雨. 陟降之靈, 與天合德, 當此農務方張之時, 每降雨澤, 活此東方億兆之生靈, 雖於蒼梧萬歲之後, 亦有所裨益於民社者, 可謂無窮之惠澤. 嗚呼盛哉!

　1802년 5월 12일. 본부의 고을 학교에서 회접한 선비들이 시부를 지어 보냈기 때문에 종일 시험지를 채점하였는데, 문장은 신학(新學)의 저술이 많기 때문에 자못 눈에 들어오는 글귀가 없었다. 그중에 혹 볼만한 작품이 없지는 않으니, 비록 체증에는 조금 해로운 것이 있을지라도 또한 정당에서 일없이 지낼 때 적적함을 깨뜨리는 자료가 될만하다.

　十二日. 自本府邑庠, 會接多士, 製送詩賦, 故終日考試, 而文多新學之所著, 故頗無入眼之句. 其中或不無可觀之作, 雖有少害於滯病, 亦可爲政堂無事之時破寂之資矣.

　1802년 5월 13일. 밤에 비가 내리기 시작했다.

　十三日. 夜始雨.

　1802년 5월 14일. 종일토록 비가 내렸다. 앞에 내린 비가 비록 부족하다고 할지라도 다시 금일의 비가 더해지게 되어 필시 이앙하지 못한 논이 없을 것이니, 국가나 백성에게 어찌 큰 다행이 아니겠는가? 이곳의 백성들은 이미 전년에 흉작을 당한 겁이 있기 때문에 쨍쨍한 햇빛을 쳐다보며 항상 망예의 탄식이 있다. 과연 이번 비는 농민의 마음에 흡족하려나. 이에 칠절시를 지어서 기롱한다.

皇天黙揣下民情　하늘이 묵묵히 백성들의 마음을 헤아리니,
銀浦流雲學水聲　은포는 구름 흘려보내 물소리 배우게 하네.[92]
愚氓那識浩浩意　우매한 백성들 어찌 크나큰 뜻을 알 것인가,
一雨滂沱四野平　한바탕 쏟아지면 사방들판이 평안해지리.

이날 지붕에 빗방울이 어지럽게 떨어지고 새소리가 귀를 시끄럽게 했다. 재일(齋日)이 하루 사이로 다가오니 배나 더 서글퍼져서 이에 칠절시를 읊조리며 심회를 억누른다.

功名自古誤平生　공명은 예로부터 평생을 그릇되게 하니,
況我元無孝子誠　하물며 나는 원래부터 효자의 정성이 없었네.
今日微官雖曰外　금일의 미관도 비록 외직이라고 하지만,
只揮哀涕未伸情　슬픈 눈물만 훔칠 뿐 마음을 펼칠 수 없네.
　十四日. 終日霏注. 前雨雖云不足, 更添今日之雨, 則想必無未移之畲, 於國於民, 豈非大幸耶? 此土之民, 已有前年失稔之恸, 故仰看杲杲之日光, 常有望霓之歎矣. 果然此雨似洽於農民之心. 玆著七絶, 聊以識之.
　皇天黙揣下民情,　銀浦流雲學水聲.　愚氓那識浩浩意,　一雨滂沱四野平.
　是日簷鈴亂落, 鳥聲聒耳. 齋日隔宵, 倍增感愴, 聊吟七絶于以抑懷.
　功名自古誤平生, 況我元無孝子誠. 今日微官雖曰外, 只揮哀涕未伸情.

1802년 5월 15일. 치재(致齋)하는 날이기 때문에 각항의 공무를 일제히 폐각하고 적막하게 우두커니 앉아서 옛날의 일을 묵묵히 생각하니, 느꺼운 눈물이 저절로 떨어지는 것을 금하기 어렵다. 마

---

92) 은포(銀浦)…하네 : 은포는 천하(天河)나 은하(銀河)와 같은 말이다. 당나라 이하(李賀)의 <천상요(天上謠)> 시에 "천하는 밤에 회전하며 별들을 표류하게 하고, 은포는 구름을 흘려보내 물소리 배우게 하네.[天河夜轉漂迴星, 銀浦流雲學水聲]"라는 말이 나온다. 『昌谷集 卷 1』

루에서 방황하며 멀리 앞들을 바라보니, 농부들이 왕왕 물을 대고 있다. 들 빛이 점차 하얘지더니 지금은 이앙을 끝내게 되었다. 연일 비록 비가 내렸다지만 흡족하게 내리지를 않았기 때문에 높고 마른 땅에는 물이 이랑에 차지 못한 탓이다. 과연 보낸 제수품은 비 때문에 막히지 않고 제 때에 올리게 되었는지? 이것이 먼 곳에서의 근심거리이다. 단비가 때맞추어 내려주니, 이는 실로 농가에서 백사가 바쁜 계절이다. 대저 본역은 모두 농사를 지으며 살아가는 사람들이기 때문에 하리에게 분부하여 다만 빠질 수 없는 이예(吏隸)만을 남겨두고 나머지는 모두 말미를 주어서 이앙을 하게 하였으니, 이 또한 농사의 때를 어기지 않게 하는 하나의 단서이다. 공문(公門)이 적적하여 홀로 조용히 앉아있자니 근심이 배나 더 많아져서 스스로 억제하기 어려웠다. 마음을 수고롭게 하지도 않고 칠절시를 읊조렸다.

郵館深深古寺同　우관은 깊고 깊어 오래된 절과 같으니,
方看日出辨西東　바야흐로 해돋는 것 보면서 동서를 분간하네.
雖然地勢居高好　그렇더라도 지세는 높은 데 있어서 좋으니,
遠近風煙入眼中　원근의 풍경이 모두 눈 속에 들어오네.

十五日. 致齋, 故各項公務一幷廢却, 寂然塊坐, 默想舊時之事, 則難禁感淚之自零, 彷徨軒上, 遙看前坪, 則農夫往往灌水, 野色漸白, 今則可以盡移矣. 連日雖雨而無沛然之下注, 故高燥之處, 水不盈畝故也. 果未知所送祭物, 不爲滯雨, 趂期納上耶? 是可爲遠慮也. 甘霈及時, 此實田家百事忙之秋也. 大抵本驛, 皆是力農資生之人, 故分付下吏, 只存不可闕之吏隸, 餘皆給由, 使之移秧, 此亦不違農時之一端也. 公門寂寂, 孤坐渼渼, 愁懷倍多, 難可自抑. 不勞心思, 而偶吟七絶.

郵館深深古寺同, 方看日出辨西東. 雖然地勢居高好, 遠近風煙入眼中.

1802년 5월 16일. 큰비가 퍼붓듯이 내려서 흰 물결이 들판에

넘실거리고 물소리가 귀를 어지럽히니, 풍년의 조짐임을 점칠 수 있다. 아마도 우리 성상께서 새롭게 정치를 시작할 때 하늘이 성덕을 살피고 이처럼 흡족한 비를 내려주어서 억만창생으로 하여금 농작이 시기를 어기지 않게 하는 것이로다. 조화의 무궁한 오묘함을 사람들이 어찌 감히 만에 하나라도 헤아릴 수 있을 것인가? 남자들은 기쁜 소리을 내고 여자들은 기쁜 얼굴빛을 하며, 남쪽 두렁에 심고 서쪽 이랑에 가꾸니, 강구연월이 어찌 이것보다 더하리오? 이것은 어진 하늘의 덕과 성군의 은혜가 아님이 없다.

十六日. 大雨如注而來, 白波漲郊, 水聲亂耳, 可占豊年之兆. 抑未知我聖上新政之初, 天監聖德而降此沛然之澤, 使億萬蒼生不至農作之愆期歟! 造化無窮之妙, 人何敢測其萬一耶? 男聲欣而女顔悅, 南陌種而西疇耕, 康衢之烟月, 何以加此? 此莫非仁天之德聖君之恩也.

1802년 5월 17일. 오늘은 곧 돌아가신 아버지의 제삿날이다. 새벽에 일어나서 잠들지 못하고 촛불을 켜고 앉아있자니, 서글픈 마음을 이길 수 없어서 나도 몰래 눈물이 두 볼을 타고 흘러내렸다. 때는 빗소리가 스산할 때라서 향수가 배나 더해지니, 과연 별탈 없이 제사를 지내겠지? 비가 이른 아침부터 내리기 시작하여 종일 그치지 않았다. 멀리 평야를 바라보니 물색이 하늘까지 닿아서 배를 띄울 수 있기 때문에 통인에게 물어보니 대답하길, "이전에 물이 범람할 때는 저 평야에 넘쳐 문득 큰 강을 이루었고, 둔지촌 앞에서는 배를 띄웠습니다."라고 했다. 둔지는 본역에서 거리가 2리가량 떨어진 곳이다. 이날 서울편으로부터 완영(完營)의 서간과 절선(節扇) 4자루를 보내왔는데, 곧 전라감사 한용구(韓用龜)가 보낸 것이다. 땅이 이미 가깝지 않고, 도 또한 같지 않은데, 이처럼 부채를 보내주는 일은 비록 평일의 친분이 있어서라지만 그가 멀리에서 잊지 않고 생각해주는 그 마음에 더욱 감사하다. 그 물건은 사소한 것이지만 그 정은 많은 것이다. 곧바로 하속들에게 나누어주었다. 재종제도 편지를 보내왔는데, 글의 뜻은 궁핍하다는 말이 아닌 것이 없고, 몸은 아직 별 탈이 없다고 하니, 매우 다행이지만 한편으로는 근심스러운 일이다.

十七日. 即先考諱日也. 曉起無眠, 張燭而坐, 不勝感愴, 不覺涕泗之交頤. 時則雨聲颼颼, 倍添鄉愁, 果未知無故行祀耶? 雨自晨朝至終日不止, 遙望平原, 水色連天, 可以行舟, 故問于通引, 則對曰, "前者水漲之時, 越彼平郊, 便成大江, 而泛舟于屯旨村前云." 屯旨則自本驛相距二里許也. 是日自京便, 送完營書簡節扇四柄, 即全羅監司韓用龜之所送也. 地旣不邇, 道亦不同, 而有此送筆之事, 雖有平日之雅分, 尤感其不忘遠外之情多謝, 其物則些, 而情則多矣. 即爲分給于下屬. 再從弟亦送書, 而辭意無非艱窘之語, 身姑無恙云, 可幸可幸, 而一則愁悶事也.

1802년 5월 18일. 장마비가 언뜻 개어 습기 머금은 구름이 모두 걷히고, 하늘빛이 씻은 것 같았으며, 날씨가 매우 좋았다. 한적하고 일이 없어서 마루 위를 거닐다가 멀리 앞 들판을 바라보니, 곳곳에서 이앙하는 풍경이 족히 볼만한 일이 되었다. 우연히 오언절구시를 읊조렸다.

樹密山藏夏	산은 나무 빽빽하여 여름을 숨기고,
秧移水作春	물은 모내기하여 봄을 만드네.
農夫能造化	농부들은 조화를 부릴 줄 알아서,
畵出野光新	그림을 그려내니 들빛이 새롭구나

十八日. 霖雨乍霽, 濕雲皆捲, 天光如洗, 日氣甚好. 閑寂無事, 步步軒上, 望見前野, 處處移秧之景, 足爲可觀事也. 偶吟五絶.

樹密山藏夏, 秧移水作春. 農夫能造化, 畵出野光新.

1802년 5월 19일. 저녁때 가는 비가 부슬부슬 내리다가 어두워지지 않아서 곧 그쳤다.

十九日. 夕時細雨絲絲, 未暮旋止.

　1802년 5월 20일. 갬. 앞 들판의 이앙은 거의 끝나가는데, 간혹 보리를 심었던 논은 아직 이앙을 하지 못하고 있다. 본역의 중문 밖에 어운루(御雲樓)가 있는데, 누각의 높이가 우뚝하여 다른 것과는 다름이 있기 때문에 이름을 '어운'이라 하였으니, 곧 외대문의 문루이다. 마루의 사방으로는 난간이 있어서 그 위에 앉아있으면 오월에도 덥지 않으니, '맑은 가을인듯하네[疑淸秋]'라는 구절이 이것을 이른 것이다. 누각 위에는 사운율의 현판이 걸려있는데, 곧 호곡 남용익(南龍翼)이 도사로서 이곳을 지날 때 지은 것이다. 그 어구와 기록한 문자를 살펴보면, 일찍이 어사로서 이곳에 왔었고 그 후에 또 도사로서 재차 지나갈 때였으니, 생각건대 반드시 전후의 주인이 모두 동방(同榜)의 사람이었기 때문에 사율시를 지었고, 현판에 새겨서 걸었기 때문이다. 대저 호곡(壺谷)은 곧 본도의 순사 남공철의 고조부이시다. 내가 순영에 도착했을 때 이런 사유를 순사에게 고하였더니 즐겁게 듣고는 말하길, "해가 오래되었으니 현판이 응당 색깔이 바랬을 것인데 다시 채색을 해야 할 것이오."라고 하기 때문에 내가 "감히 말씀하신 대로 시행하지 않을 것입니까?"라고 했다. 나올 무렵에 순사가 말하길, "선조의 친필 여부를 살펴보고 싶으니, 내려가신 후 곧바로 인출해서 올려 보내주십시오."라고 했기 때문에 말씀대로 인출해서 보내주었다. 호곡의 사운율은 기록하지 않을 수 없기 때문에 여기에 써둔다.

高樓千尺入雲危	높은 누각은 천자나 되어 구름 속에 솟았는데,
此地經過又此時	이곳을 지나갔을 때가 또 바로 이때였네.
滕閣落霞仍繞筆	등왕각의 저녁노을은 붓끝을 휘감아 돌고,
竹樓斜日可圍碁	죽루의 넘어가는 해는 바둑을 둘만하네.
雙池引水三山出	두 연못에 끌어오는 물은 삼산에서 나오고,

一雨催春萬樹宜　한바탕 비는 봄을 재촉하여 수풀에 마땅하네.
前後主人同榜好　전후의 주인은 동방한 좋은 사이이니,
醉來忘却客行遲　술에 취해 객의 행차 늦어짐을 잊네.

나도 이미 이곳의 우관이 되었고 그 현판에 기록된 시를 보았으니, 문장이 비록 짧고 졸렬할지라도 어찌 차운하지 않을 수 있겠는가? 이에 거친 시를 읊어서 삼가 왼쪽에 차운하다.

先賢身係國安危　선현의 몸은 국가의 안위에 관계되니,
道德經綸冠昔時　도덕과 경륜은 당시에 으뜸이었네.
瓊律煌煌懸日月　보배로운 시는 찬란하게 일월처럼 걸려있고,
風流寂寂幻仙碁　풍류는 고요하여 신선바둑처럼 변하였네.
每思玉節巡郵蹟　옥절[93]이 역을 순찰한 자취 생각할 때마다,
最喜斯文在此宜　가장 기쁜 것은 사문이 여기에서 마땅함이네.
奉讀華篇多百感　아름다운 글을 삼가 읽자니 만감이 일어나,
不勝追慕下樓遲　추모의 정 이기지 못하고 내려가기 더디네.

二十日. 晴, 前坪秋事, 幾盡移, 而間或有種牟之畓, 尙未移矣. 本驛中門之外, 有御雲樓, 樓之高崔嵬, 與它有異, 故名之曰御雲, 卽外大門門樓也. 軒之四方, 有欄干, 坐于其上, 則五月不熱, 疑淸秋之句, 此之謂矣. 樓上有懸板四韻律, 卽南壺谷龍翼, 以都事過此之時所作, 而觀其句語與所記之文字, 則曾以御史來此, 而其後又以都事再過之時, 想必前後主人皆同榜之人, 故因作四律, 刊錄於懸板故耳. 蓋壺谷卽本道巡使南公轍之高祖也. 余之到巡營時, 以此由告于巡使, 則樂聞之而且曰, "年久, 懸板應爲渝色, 改造粧采云." 故余曰, "敢不依敎施行乎?" 出來之際, 巡使曰, "欲考其先祖之親筆與否, 下去後卽爲印出上送云." 故亦依敎印送矣. 壺谷四韻律, 不可不記, 故書之于此.

---

93) 옥절(玉節) : 옥으로 만든 부절(符節)인데, 천자나 제후의 명령을 받은 자가 지닌 일종의 징표이다. 즉 관찰사를 뜻한다.

高樓千尺入雲危, 此地經過又此時. 滕閣落霞仍繞筆, 竹樓斜日可圍碁.
雙池引水三山出, 一雨催春萬樹宜. 前後主人同榜好, 醉來忘却客行遲.
余旣作此郵之官, 而觀其懸板所記之律, 則文雖短拙, 安可不聯乎? 聊
吟荒詞, 謹次于左.
先賢身係國安危, 道德經綸冠昔時. 瓊律煌煌懸日月, 風流寂寂幻仙碁.
每思玉節巡郵蹟, 最喜斯文在此宜. 奉讀華篇多百感, 不勝追慕下樓遲.

1802년 5월 21일. 어석사가 심부름꾼을 통해 편지를 보내며 이 객의 안부를 탐문하니, 이는 실로 친구의 정인지라 매우 감사하다. 저물녘에 가는 비가 부슬부슬 내리더니 한 시간도 안 되어 곧 그쳤다. 얼마 안 있어 진주병영주인이 와서 알현을 하면서 인도 1자루와 교도 1개를 바치고 갔다. 이것은 비록 관례라고 하지만 하인의 물건이니, 어찌 사소하다고 해서 받을 것인가? 다시 생각해보니 만약 물리친다면 그가 비록 하예이긴 하지만 사람을 대우하는 것이 야박한 것에 가깝기 때문에 우선 그가 바친 것을 받아둔다. 그러나 마음속으로는 매우 찜찜하다. 하리에게 분부하여 어곽을 주도록 했다.

二十一日. 魚碩士專伻送書爲探此客之平否, 此實故人之情, 可感可感. 晚後細雨霏霏, 不踰時卽止. 俄爾晉州兵營主人來爲現謁, 以引刀一柄交刀一箇, 納上而去. 此雖例也, 下人之物, 何以些少而受之乎? 更思之, 若退却, 則渠雖下隷, 近於待人之薄, 故姑受其獻, 而心甚自慊. 分付下吏, 以魚藿給之.

1802년 5월 22일. 오전에는 비가 내리다가 오후에 갰다.
二十二日. 午前雨, 午後晴.

1802년 5월 23일. 또 비가 내렸는데 날이 저물어서야 조금 그쳤다. 이날은 본가의 답장편지를 받아보았는데, 지금은 우선 무고

하지만, 안사람은 저번의 인후병이 더욱 심해져서 여러 날 동안 다방면으로 약물치료를 하였고, 지금은 조금 나아졌다고 한다. 답답하던 중 다행이다. 그러나 손자 용아는 복학(腹瘧)94)이 다시 도져서 아프지 않은 날이 없다고 하니, 염려됨이 끝이 없다. 또 가운이 불행하여 염창(鹽倉)에 사는 종수(從嫂)께서 알지 못하는 병으로 지난달 22일에 별세를 했다고 한다. 부고를 받고 놀랍고 슬픈 마음을 그만둘 수 없다. 가서를 자세히 살펴보니 이웃마을이 비록 전염병으로 평화롭지 못하다고 할지라도 이번 달에는 특별한 일이 없기 때문에 제사를 잘 지냈다고 한다. 편지 끝에 또 쓰길, '전라감사가 존문하고 또 절선을 보내주었다'고 하니, 관직에 있는 사람과 고향에 있는 사람 두 곳에 존문해준 것이다. 관례를 벗어난 배려에 더욱 감사하니, 다만 물건 때문만이 아니다. 귀한 것은 위치가 정경의 대감에 올랐으면서도 외향의 미관에 있는 사람을 잊지 않은 마음이다.

二十三日. 又雨, 日晚少止. 是日得見本家答書, 則今姑無故, 而室內向以咽喉本症孔劇, 累日多方藥治, 時則少差云, 悶中之幸, 而龍孫兒腹瘧更發, 無日不痛云, 慮念不已. 且家運不幸, 鹽倉從嫂, 以無何之症, 去月念二日, 奄然別世, 承訃驚怛不能已也. 細審家書, 則隣里雖不平, 而今月別無它故, 故安行忌祀云耳. 紙尾又書曰, '全羅監司存問, 而又送節扇云', 於官於鄕兩處之問. 尤感其拔例之情念, 非直爲物. 所可貴者, 以位登正卿之台, 不忘外鄕微官之心也.

1802년 5월 24일. 맑음. 고요히 앉아서 책을 보고 있을 때 어생원이 방문하여 그동안 막힌 회포를 정답게 펼치고 이어서 묻길, "긴 장마 끝에 길에 물이 넘쳐난 곳이 많을 것인데, 어떻게 넘어와

---

94) 복학(腹瘧) : 지라가 부어 배 안에 자라 모양의 멍울이 생기고, 열이 몹시 올랐다 내렸다 하는 어린아이의 병을 말한다. 별학(鱉瘧)이라고도 한다.

서 이 외로운 사람을 위로해주는가?"라고 하였다. 그의 두터운 정에 감사하다. 서로 바둑을 두며 잠시 반나절 동안의 근심을 해소하다가 석양 무렵에 헤어지면서 끝냈다.

二十四日. 晴. 靜坐看書之際, 魚生員來訪, 穩敍間阻之懷, 而仍問曰, "長霖之餘, 道上行潦想必多矣, 而何以越來慰此孤寂乎?" 可感其戀戀之情. 相與着博, 暫消半日之憂, 夕陽時相分而罷.

1802년 5월 25일. 맑음. 앞 들판을 바라보니 흰 물결이 모두 파래져서 원래부터 이앙하지 않은 곳이 없는 것 같다. 대저 일반 사람들의 힘은 건강하기가 호랑이 같다. 비 온 뒤 큰물이 넘쳐나서 하류의 옹색한 곳은 물이 역류를 하여 평지가 강이 되었기 때문에 그것을 보면서 흥을 일으켜 읊조렸다.

白浪滔滔勢接天	흰물결 도도하여 그 형세 하늘에 닿을 듯하니,
平原十里可行船	평원의 10리가 배를 타고 다닐만하네.
都緣密邑三湖窄	모두 밀양의 삼호가 좁은 것으로 인한 것이니,
涔水本非厥性然	홍수는 본래 그 성품이 그러한 것이 아니네.

〈又述懷而吟〉 또 회포를 서술하며 읊조리다
人間萬事盡關天	인간 만사가 모두 하늘과 관계되니,
窮達由來已定前	궁달의 유래는 이미 앞서 정해진 것이네.
明時牧馬猶云幸	밝은 때 말 모는 것 오히려 다행이라,
不愧微官古有賢	미관도 안 부끄러우니 예로부터 현인 있네.

二十五日. 晴. 望見前坪, 則白波皆靑, 元無未移之處. 大抵衆人之力, 其健如虎矣. 雨後見大水漲溢, 下流壅塞而水乃逆流, 平陸成江, 故覽之, 起興而吟.

白浪滔滔勢接天, 平原十里可行船. 都緣密邑三湖窄, 涔水本非厥性然.
又述懷而吟. 人間萬事盡關天, 窮達由來已定前. 明時牧馬猶云幸, 不愧微官古有賢.

1802년 5월 26일. 어우(魚友)가 편지를 보내왔는데, 편지 속에 별지로 3장의 부(賦)를 보내왔다. 부는 곧 신학이 지은 것인데 자못 재주가 많고 문체는 볼만한 구절이 없지 않아서 족히 수마를 쫓을 수 있다.

二十六日. 魚友送書, 書中胎送三張賦, 賦則乃新學之所作, 而頗多才, 體不無可觀之句, 足以逐睡魔矣.

1802년 5월 27일. 밤에 비가 내리기 시작하여 늦게야 그쳤는데, 곧 다음 달에도 장마질 조짐이 아니겠는가? 속어에 6월의 장마는 곡식에 많이 이롭고 하는데, 비록 조금은 사람에게 고통을 줌이 있을지라도 곡식에 이롭다면 무슨 방해가 될 것인가?

二十七日. 夜始雨, 至晚乃止, 無乃來月又霖之兆耶? 俗語云六月之霖, 多利於穀, 雖少有苦於人, 利於穀則何妨乎?

1802년 5월 28일. 답장편지를 써서 서학동(西學洞)에 있는 재종의 우소(寓所)에 보내고 겸하여 약간의 돈도 부쳐서 객중에 급함을 구하는 자료로 삼게 하였으며, 또 주인가에는 정을 표현할 물건이 없어서 감곽 몇 단을 보냈다. 또 전라감영에 답장편지를 쓰고, 경주인(京主人)[95] 집에 보내어 전달하도록 했다.

二十八日. 修送答書于西學洞再從寓所, 而兼付如干文, 以爲客中救急之資, 且於主家無物可表, 以甘藿數丹送之, 又修全羅監營答狀, 送于京主人家, 使之轉傳耳.

1802년 5월 29일. 맑음.

---

95) 경주인(京主人) : 지방관아에 속해 있으면서 서울에 머물며 중앙과 지방관아의 연락 사무를 맡아보는 아전을 이르던 말이다. 경저리.

二十九日. 晴.

1802년 5월 30일. 식후에 잠깐 이슬비가 내리다가 곧 그쳤다. 오후에 말을 달려 본부에 가보니, 주관은 어사가 관내인 진해를 사관(査官)하는 일로 어제 이미 나갔다고 하기 때문에 곧바로 연청(椽廳, 아전의 집무장소)으로 가서 하예를 시켜 본관의 아들에게 전갈하도록 하였다. 그러자 곧바로 찾아와서 말하길, "월초에 얻은 병으로 인해 저승을 드나들었는데, 지금은 겨우 양계로 나왔습니다. 그러나 아직은 완쾌되지 않았습니다."라고 하니, 근심스럽다. 한참동안 수작을 하는데 오랫동안 앉아있기가 어려운 모양이 있는 것 같아서 권하여 들여보내고 홀로 빈 대청에 앉아있자니 스스로 가눌 수가 없을 정도로 수마가 엄습하여 잠깐동안 얼핏 자다가 깨어났다. 날이 이미 저녁이 되어 밥을 내왔다.

三十日. 食後乍霋旋止. 午後馳到本府, 則主官以御史關內鎭海査官事, 昨已出去云, 故直到椽廳, 使下隸傳喝于本官之子, 則卽爲來見而言曰, "月初所得之病, 出沒鬼關, 今則僅出陽界上, 而猶未快完云." 可悶. 有頃酬酢, 而似有久坐難安之態, 故勸之入送, 獨坐空廳, 無以自遣, 睡魔來侵, 少焉假寐而覺, 日已夕而進飯矣.

1802년 6월 1일. 경자일. 새벽에 일어나 세수를 한 후 객사로 나아가서 제복을 입고 엎드려서 곡을 하고, 곡을 그친 후에는 4배를 하였다. 예를 마친 후에는 중문 밖으로 나와서 백포로 된 사모 관대로 갈아입고, 배위(拜位)로 들어가서 망하례를 행하였는데, 전후로 두 번의 사배를 하고 예를 마친 후에 나왔다. 아침 식사 전에 출발을 하고 싶었으나 습기 머금은 구름이 사방을 에워싸서 비올 듯이 하늘에 가득하기에 중도에서 옷을 젖게 되는 근심이 있을까 싶어서 출발하지 못했다. 가는 비가 아침이 끝나도록 실처럼 내리다가 식후에는 구름 기운이 더욱 어두워져서 비가 내릴 것 같은 걱정이 있기에 비옷을 입고 출발하였다. 2리 남짓 갔을 때 큰비가 퍼붓듯 내렸지만, 마침 다행스럽게도 바람이 없기 때문에 옷을 적시지는 않은 채 빠르게 달려 본역까지 20리를 왔다. 생각해보니 진흙이 마당에 가득하여 엎드려 절할 곳이 없기 때문에 초하룻날의 예는 모두 제하였다. 이날 내린 비는 혹 그쳤다가 혹 내렸다가 하며 저물도록 그치지 않았다. 우도어사는 교리 정만석(鄭晩錫)으로, 일찍이 이곳의 우관(郵官)을 지냈던 사람이다. 좌도어사는 권준(權晙)이라고 하는데, 두 사람 모두 암행하는 어사이기 때문에 출도를 한 연후에야 비로소 그의 성명을 듣게 되었다.

六月初一日. 庚子. 曉起盥洗, 進詣客舍, 着祭服, 俯伏哭, 哭止後四拜, 禮畢後出于中門之外, 改着白布帽布冠帶, 入就拜位, 行望賀禮, 前後再四拜, 禮畢後出來. 朝前欲爲離發, 則濕雲四塞, 雨意滿天, 慮有中路沾濕之患, 不得治發矣. 微霏終朝絲絲, 而食後則雲氣愈暗, 似有關雨之慮, 故着雨具發至二里餘, 大雨如注, 而適幸無風, 故衣裳不沾, 疾馳到本驛二十里. 思之則滑泥滿庭, 無可拜伏之處, 故初吉之諸禮, 一幷除之. 是日之雨, 或止或作, 終暮不休. 右道御史則鄭校理晩錫, 而曾經本郵官之人也. 左道則權晙云, 而兩人皆暗行之繡衣, 故出道然後始乃聞其姓名耳.

1802년 6월 2일. 새벽에 또 비가 내렸는데 아침이 끝나도록 쏟아지길 그치지 않다가 늦게서야 덜해졌다. 장마가 이와 같으니 단비가 문득 고통이 된다. 그러나 황천이 대공의 마음으로 하는 것을 어찌 소민들의 사사로운 뜻에 적중할 수 있겠는가? 대저 하늘이 여러 날 동안 비를 내려준 것은 사해의 백성들로 하여금 균등하게 적시고 널리 흡족하게 해서 한 사람이라도 그 은택을 받지 못한 사람이 없게 하기 위함 때문이다. 이것은 좁은 소견으로 헤아려본 것이니, 어찌 감히 천지조화의 무궁한 오묘함을 헤아릴 수 있을 것인가?

初二日. 曉又雨, 終朝如注不止, 日晩乃歇. 長霖如此, 甘便作苦, 然而以皇天大公之心, 豈可適中於小民之私意乎? 夫天之累日下雨者, 使四海之民均霑普洽, 無一人之不被其澤故也. 此則管窺蠡酌之測, 何敢根料其天地造化無窮之妙耶?

1802년 6월 3일. 갬. 구름 걷힌 푸른 하늘에 날씨가 명랑하니, 사람들의 정신도 이와 같으리로다. 하늘이 비를 내리고 볕을 내는 것이 마땅함을 얻은 것이 이와 같으니, 백곡이 무럭무럭 자라고 초목이 무성해질 것임은 말로 할 필요가 없다. 그러니 사람도 마땅히 하늘이 하는 바를 본받아서 무릇 일용 상행하는 사이에 희노애락과 선을 좋아하고 악을 미워하는 것과 먹고 마시고 기거하는 것과 어묵동정이 모두 그 절조에 적중하지 않음이 없게 한다면, 이것이 어찌 하늘의 일단을 본받은 것이 아닐 것인가? 그리고 거의 비를 내리든 볕을 쬐든 그 마땅함을 얻는 것에 합함이 있을 것이니, 격물치지와 궁리진성의 도가 이것을 벗어나지 않을 것이다.

初三日. 晴. 雲捲靑天, 日氣明朗, 人之精神亦如是矣. 天之雨暘, 得宜如此, 百穀之苗長, 草木之茂密, 不須言也. 而人亦當體其天之所爲, 凡於日用常行之間, 喜怒哀樂, 善善惡惡, 飮食起居, 動靜語默, 無不中其節, 則此豈非體天之一端? 而庶可有合於或雨或暘之得其宜, 格物致知窮理盡性之道, 不外乎此矣.

1802년 6월 4일. 맑지만 바람이 조금 불었다. 선달 이병복(李秉復)은 본래 이곳 역촌에 사는 사람인데, 무과로 일찍 등과하고서, 때때로 찾아와 인사하면서 지난날 상경하여 벼슬을 구할 때 힘들고 견디기 어려운 일을 모두 말해준 것이 고담(古談)과 같아서 잠시동안 고적함을 위로해주니, 이것은 비록 다행이긴 하지만 듣다보면 불쌍하다. 대저 문무 간에 향곡에서 세가 없는 사람은 심력을 다해 과거 합격자 명단에 이름을 올릴지라도 궁항(窮巷)에서 아사하는 일이 비일비재하다. 하물며 이 사람처럼 본바탕이 낮고 겸하여 세가 없는 자임에랴? 그 사람의 말에 '관직 얻기의 어려움이 등제하는 것보다 어렵기 때문에 집으로 돌아와 농사를 지으며 겨우 기한을 면한다'고 한 것은 과연 보는 바가 있고 세상 물정을 안다고 말할 수 있겠다.

初四日. 晴而少風. 李先達秉復, 素居此郵之人, 而以武早登科, 時時來謁, 以往時上京求仕之時, 艱辛難耐之事, 吐說備陳, 有似古談, 暫慰此孤寂, 是雖幸也, 而聞之可矜. 大抵文武間鄕曲無勢之人, 費盡心力, 托名科榜, 而餓死窮巷者, 比比有之. 況此人之質卑而兼以無勢者乎? 其人言內, '得官之難, 難於登第, 故歸家治農, 僅免飢寒云'者, 可謂有所見而知世情矣.

1802년 6월 5일. 갬. 가는 비가 살짝 내리다가 곧 그쳤으며, 종일토록 바람이 쌩쌩 불어대니, 더위를 견디기에는 또한 방해되지 않았다. 이날 고을 학교의 선비들이 지어서 보낸 시부를 채점하는데, 그중에서 자못 볼만한 작품이 있어서 적막함을 깨뜨리는 자료로 삼기에 족하다.

初五日. 晴, 微霏乍下旋止, 而終日風力蓬蓬, 其於耐暑亦爲不妨. 是日邑庠多士製送詩賦, 其中頗有可觀之作, 足以爲破寂之資矣.

1802년 6월 6일. 석사 민치대가 찾아왔기 때문에 내가 묻길, "멀지 않은 곳에 있으면서 근래에는 어찌 오랫동안 오지 않은 것이오?"라고 하자 답하길, "언양현에 나가서 관아에서 약간 머물다가 조금 전에야 겨우 돌아왔기 때문입니다."라고 했다. 또 말하길, "해남 화내리에 사는 동성 친척 민찬현(閔瓚顯)과 산정리에 사는 생원 윤명은(尹鳴殷)이 제가 살고있는 곳으로 찾아왔기에 함께 관문 밖까지 왔습니다."라고 하기 때문에 하예를 시켜 문을 열어 들어오게 하고 그의 안면을 살펴보니, 자못 전날 접해본 듯하였지만 아직은 확실하지 않았다. 묻길, "지금은 다만 농사일이 한창일 뿐만이 아니라 또 더운 계절이고 길 또한 가깝지 않은데, 어떻게 영외까지 오게 되었는가?"라고 하자, 웃으면서 답하길, "풍경을 감상하는 길에 이곳까지 오게 되었는데, 막 노잣돈이 떨어졌습니다."라고 했다.

初六日. 閔碩士致大來見, 故余問, "在於不遠之地, 近何久不來耶?" 答云, "出去彦陽縣, 少留于衙中, 而頃纔還來故耳." 又言曰, "海南禾內里所居同姓親閔瓚顯, 山井里居尹生員鳴殷來到吾之所寓處, 而偕行到官門外云." 故使下隷開門入來, 而見其顔面, 則頗似前日之所接, 而猶未昭然矣. 問"此時非但農務之方張, 又當炎節道且不邇, 何以來此嶺外耶?" 笑而答曰, "以翫景之行, 轉到至此, 而方乏路資云."

1802년 6월 7일. 두 사람이 간다고 고하며 간청하는 말을 많이 하기 때문에 찬현에게는 돈 1민을 주고, 명은에게는 전에 비록 보지 못한 사람일지라도 이미 동향에 살고 있고 또 내려갈 방도가 없다고 하기 때문에 돈 3민을 빌려주면서 곧바로 본제에다 갚으라고 하였는데, 과연 내 말대로 곧 시행할지는 모르겠다. 이날은 곧 본읍의 장날이다. 본역의 하인이 시장에 갈 일이 있는데, 본관이 불러서 마양(馬樣)을 내주면서 분부하길, '너의 관가에 납부하라'고 하였기 때문에 과연 짊어지고 왔다고 했다. 만든 것을 살펴보니 과연 잘 만들었다고 할 수 있지만, 한 개의 나무에 조금 흠집이 있으니 이것이 흠이로다. 안장은 본부의 하속인 김석기(金錫基)라는 사람이 만든 것이다. 본쉬가 편지를 보내왔는데 편지 끝에 이르길, '일을 살핀 공에 대해서는 반드시 후하게 상을 주어야 한다.'라고 하였으니, 이것은 농담이다. 매우 우습다.

初七日. 兩人告歸, 而多有懇語, 故瓚顯許給文一緡, 鳴殷則前雖未見, 而旣在同鄉, 又無下去之道云, 故貸以三緡銅, 使之趁報于本第, 果未知依吾言卽施耶? 是日卽本邑市也, 本郵下人有往市之事矣, 本官招來出給馬樣, 而分付曰'納于汝之官家云', 故果爲負來云. 見其所造, 則可謂巧且善矣, 而一隻之木少有傷鏵, 可欠可欠. 鞍匠則本府下屬金錫基爲名人也. 本倅送書, 書尾曰, '看役之功, 必須厚償', 此則弄語也. 好笑好笑.

1802년 6월 8일. 잠시동안 이슬비가 내리다가 곧 그쳤다.
初八日. 暫霏旋止.

1802년 6월 9일. 비가 내렸다가 그쳤다가 하면서 종일토록 흐렸다.
初九日. 或雨或止, 終日陰霏.

1802년 6월 10일. 어우가 찾아와서 잠시동안 얘기를 나누고 곧바로 돌아갔다. 비록 얼굴을 보고 말한 기쁨은 있을지라도 도리어 다 펼치지 못한 서글픔이 간절하다. 헤어질 때는 설령 정해진 날에 넘어오겠다고 말을 하지만, 궁가의 온갖 일이 모두 한 몸에 몰려들 것이니, 어찌 기약한 대로 될 수 있을 것인가? 다만 탄식할 뿐이고, 소울음 소리가 들리는 가까운 곳에 살기에 만류할 수도 없다.
初十日. 魚友來到, 暫晤旋歸, 雖有接面之喜, 還切未穩之悵. 臨分時縱曰指日越訪云, 而窮家百事, 摠纏於一身, 何可如期乎? 只歎, 居近牛鳴, 挽留不得也.

1802년 6월 11일, 12일. 언뜻 이슬비가 내리다가 곧바로 볕이 나니, 이것은 백곡이 무럭무럭 자랄 징조이다. 무엇이 해로우랴?
十一日, 十二日. 乍霏旋陽, 此則百穀苗茂之徵也. 庸何傷乎?

1802년 6월 13일. 또 어제처럼 비가 내리다가 볕이 나니, 이것은 이른바 하루도 비가 내리지 않은 날이 없고 하루도 볕이 나지 않는 날이 없는 것이다. 농부들로 하여금 날마다 힘쓰지 않음이 없게 한 것이고 곡식도 따라서 자라는 것이니, 하늘의 뜻이 인심에 딱 맞아떨어지는 것이 어찌 금년과 같은 때가 있을 것인가? 또 이곳에 사는 백성들의 농사짓는 일을 살펴보면 새벽에 나갔다가 저물어야 들어오며, 힘써 농사지으며 조금도 어깨를 펼 겨를이 없으면서도 고생스럽다고 여기지 않고 열심히 농사짓는 법을 보통의 일처럼 보니, 매우 아름답다. 봄철에 힘쓰는 바가 이와 같으니, 가을철에 거두는 바가 반드시 걸맞게 될 것이다. 다른 고을의 농사일에 게으른 향촌에 견주어본다면, 반드시 그들이 부끄럼을 느낄 것이니, 어찌 이곳 농민들처럼 다른 사람보다 배나 일하여 공도 반드시 부합됨을 얻을 수 있을 것인가? 이 때문에 큰 흉년에 이르지 않는다면, 백성들 모두 그 업을 즐기면서 각자 안도하게 될 것이다. 원래 굶주리거나 잇따라 고꾸라지는 근심이 없다고 하는 것도 근농하는 효과가 아님이 없다. 과연 천하의 대본이라고 말할 수 있겠다.

十三日. 又如昨日之雨暘, 此所謂無日不雨, 無日不陽, 而使農夫日不廢務, 穀隨而長, 天意之適符於人心, 豈有如今年者乎? 且觀此土居民農作之道, 則晨出暮入, 服田力穡, 少無息肩之暇, 而不以爲苦, 視若常事勤農之法, 極爲可嘉. 春之所務如此, 秋之所穫, 想必稱是. 比之於他邑懶農之鄕, 則必渠見羞, 而安得如此處農民之事倍於人而功必相符者乎? 是故不至大無之年, 則民皆樂其業各安其堵, 而元無飢餓顚連之患云者, 此莫非勤農之效也. 可謂知天下之大本矣.

1802년 6월 14일. 저녁밥을 먹은 후에 더위가 물러간 틈을 타서 본부로 말을 달려가니, 때는 새들이 어두운 숲으로 들어가고 달이 동쪽 하늘에 떠오를 때이니, 다만 화로같은 더위를 피할 뿐만이 아니라 눈에 들어오는 광경 또한 특별할만 했다. 또 생각해보면 내가 본읍에 도착하여 하룻밤을 묵게 된다면, 인마의 비용이 모두 자장고(資裝庫)에서 나와야 하는데, 지난해는 큰 흉년이어서 창고가 모두 비었기에 장차 외역에서 추렴을 해야 한다. 이 또한 생각하지 않을 수 없고, 데리고 온 하속들도 모두 농사에 힘쓰는 사람들이기 때문에 하루라도 김매는 일을 폐하게 할 수는 없다. 이것은 비록 사소한 일이지만 더위를 피하고 비용을 절감하면서 또 일도 폐하지 않게 하니, 한 번 행차에 세 가지 이득이라, 어찌 적다고 말할 수 있을 것인가?

十四日. 夕飯後, 乘其暑退, 馳到本府, 而時則鳥投暝林, 月上東天, 非但避洪爐之炎, 觸目之景光, 亦可奇也. 且思之, 余到本邑, 一夜經宿, 則人馬浮費, 皆出於資裝庫, 而以去年大歉, 庫儲告罄, 將斂於外驛, 此又不可不念, 而所率下屬, 皆是力農之漢, 故使不廢一日鋤草之務. 此雖些少之事, 避暑而省費, 又不廢務, 一行三利, 豈云少乎?

1802년 6월 15일. 새벽에 일어나 세수를 한 후 객사로 나아가서 본부사 이문철과 함께 제복을 입고 망곡례를 행하고, 4배를 하고 예를 마친 후에 중문 밖으로 나와서 흰색 사모관대로 갈아입고 망하례를 행하였다. 전후로 두 번의 사배를 하고 예를 마친 후에 관사로 나오니, 본관도 따라서 함께 왔다. 더불어 서로 얘기를 나눌 때 내가 주관에게 말하길, "세월이 빠르게 지나서 정종대왕의 상제(祥制)가 이미 가까워졌으니, 신하된 자의 정리에 있어서도 애통망극함이 또한 이와 같은데, 하물며 우리 전하의 마음이랴? 우리 모두가 전조에서 은혜를 받았는데도 티끌만한 것도 보답한 것이 없습니다. 지금 우리들이 매인 관직과 다스리는 백성들도 우리 전하가 내린 것 아닌 것이 없습니다. 모름지기 정성과 마음을 다해서 나라에 보탬이 되고 백성을 편하게 하는 뜻으로, 언제나 이를 생각합니다. 생각은 아랫사람이 되어 윗사람을 받드는 도리를 다하고 싶지만, 재주와 국량이 미치지 못합니다. 비록 나라에 보탬이 되는 길과 백성을 편하게 하는 방도를 지을 수 없지만, 항상 이 뜻으로 일심의 주재를 삼는다면, 신하된 자의 도리에 있어서 부끄럼이 없을 것이고, 거의 국은의 만에 하나라도 보답할 수 있을 것입니다." 라고 하자, 주관이 웃으면서 말하길, "집사의 말은 과연 도리가 당연할 말이라고 할 수 있겠습니다. 그러나 만약 재주가 무엇을 할 수 있을 것인가라고 하면, 저의 뜻으로는 기이한 일을 창설하고자 하지 않고, 다만 옛 규범을 준수할 따름입니다."라고 해서 내가 말하길, "준수해가면서도 마음을 잃지 않고 밖으로 치달리지 않는다면 거의 가까워질 수 있습니다."라고 했다. 얼마 안 되어 관청으로부터 율무죽 한 사발을 내오기 때문에 그것을 먹은 후에 곧바로 출발하여 본역까지 20리를 왔다. 아침밥이 아직 미치지 않았는데 해가 몇 간이나 떠올랐다.

十五日. 曉起盥洗, 進詣客舍, 與本府使李文喆, 着祭服行望哭禮, 四拜禮畢後, 出于中門之外, 改着白帽帶, 行望賀禮, 前後再四拜, 禮畢後出來于舍館, 則本官隨而偕到, 與之相晤之際, 余謂主官曰, "居諸易邁, 正宗大王祥制已近, 其於臣子之情理, 哀痛罔極, 猶且如此, 況我殿下之心乎? 吾等俱受恩於先朝, 而未有涓埃之報, 今此吾等所縻之職, 所治之民, 莫非我殿下之賜也. 幸須殫誠盡心, 以補國便民之意, 念念在玆. 思欲盡爲下奉上之道, 則材局不逮. 雖未能作爲補國之道便民之方, 常以此意爲一心之主宰, 則其於爲臣之道, 可以無自慊, 而庶幾可以報國恩之萬一矣." 主官笑而答曰, "執事之言, 可謂道理當然之說, 而若才能何可爲之乎, 吾之意不欲創奇設異, 而但爲遵守舊規而已云." 余曰, "遵而勿失心, 不外馳則庶可近矣." 俄爾自官廳, 進薏苡粥一盂, 故飮之後卽發到本驛二十里. 朝飯尙未及, 而日上數竿矣.

1802년 6월 16일. 맑음. 우두커니 앉아서 적막하게 보낼 때 어우가 찾아와서 대략 그동안 막힌 회포를 펴고 또 더불어 바둑을 두며 여름날이 긴 것을 망각하니, 이 또한 적적한 가운데 하나의 다행스런 일이다. 석사 김상묵이 백대의 정의로서 이전에도 찾아왔고 오늘도 찾아와서 반나절 동안 얘기를 나누다가 갔다. 이날 저녁 때 생원 임희연이 내방하여 얘기를 나누니 저번에 다하지 못한 회포를 펼 수 있어 매우 다행이다.

十六日. 晴, 塊坐涔寂之際, 魚友來到, 略敍間阻之懷, 而又與着博, 却忘夏日之長, 是亦孤寂中一幸耳. 金碩士相黙, 以百代之誼, 前此來見, 今又來到, 半日相晤而去. 是日夕時, 任生員希淵, 來訪與晤, 足以攄曩者未盡之懷, 可幸可幸.

1802년 6월 18일. 맑음. 임노인이 말하길, "저번에 쓰고남은 화본지가 반드시 있을 것입니다. 여러 날 동안 소반(素飯)을 먹자니 마음에 부끄럼이 있어서 벽에 부칠 그림을 그려서 조금은 은근한 정에 보답하고자 합니다."라고 하기 때문에 내가 웃으면서 말하길, "이처럼 매우 더운 때를 당하여 어떻게 채필을 휘둘러서 심신을 소비할 수 있겠는가?"라고 하자, 임노인이 말하길, "청풍헌에 앉아서 경물을 그려낸다면 비록 덥더라도 마음은 저절로 상쾌해질 것이니, 어찌 피로한 일이 있을 것입니까?"라고 하였다. 이어서 포수지(泡水紙, 백반을 물에 풀어 칠한 종이)를 꺼내어 벽에 부칠 도면을 그려냈다. 용호와 우마 등을 종이 위에 그려내니, 과연 잘 형용했다고 할 수 있다. 그중에 눈이 세 개인 개에 대해서는 임노인의 말에 "강원도 울진현에 어떤 사람이 있어 개를 길러 새끼를 낳았는데 새끼 중에 눈이 세 개인 삼목구(三目狗)가 있기 때문에 집사람이 상서롭지 못한 물건이라고 하여 장차 죽이려고 하니, 그 사람이 말하길, '물건이 비록 괴이하기는 하지만 살아있는 물건을 아무이유없이 죽인다면 불인한 것에 가까우니, 우선 죽이지 말고 기르면서 몇 년 동안 앞으로의 일을 살피자'고 말하였습니다. 이미 큰개가 되자 홀연히 하룻밤 사이에 알 수 없는 곳으로 가버렸기 때문에 그 사람은 마음속으로 의심하며 흉한 개라 사람들에게 맞아죽은 것이라고 여겼습니다. 그 사람이 마침 다른 지역으로 나갔다가 저물녘에 길가를 지나가는데, 수풀 앞에 갑자기 모양이 흉측하고 신장이 8척이나 되는 사람이 숲속으로부터 나와서 앞에 절을 드리기 때문에 모골이 송연해졌습니다. 이어서 묻길, '너는 어떤 사람이건대 이처럼 황혼이 질 때 과객에게 와서 절을 하는 것이냐?'라고 하자 저 물건이 말하길, '소인은 곧 댁의 옛날 노비인데 변하여 이 몸이 되었으며, 바야흐로 여귀(癘鬼)를 주인 삼아서 삼림 속에 잠복하고 있습니다. 그런데 마침 상전님께서 지나가시는 것을 보았기 때문에 감히 이렇게 문안드리는 것입니다.'라고 했습니다. 그 사람은 두려워질 즈음에 정신을 수습해서 곰곰이 생각해 보니, 집에 있던 삼목구가 나가버린 지 이미 수년이 지났고 이 물건은 과연 삼목이 있으며, 또 노비와 주인의 구분이 있음을 칭하고 있으니, 생각기에 지난날 집에서 기르던 삼목구가 확실하여 의심이 없었습니다. 저 물건이 또 말하길, '바야흐로 지금 염병이 크게 치성하여 장차 천지에 가득하게 될 것인데, 댁도 반드시 그 화를 면하지 못할 것입니다. 엎드려 바라건대 그림으로 소인의 모습을 그려내어 벽 위에 부쳐두시면 여귀가 감히 들어가지 못해서 반드시 염병의 근심을 면하게 될 것입니다.'라고 하고 저 물건이 숲속으로 들어가고 갑자기 보이지 않게 되었습니다. 그 사람은 그 귀신의 말을 듣고 급히 집으로 돌아와 그림으로 삼목구를 그려서 벽 위에 걸어두었습니다. 하룻밤은 꿈을 꾸는데 비몽사몽간에 홀연히 남색 얼굴에 귀신 모습을 한 키큰 자 수삼 인이 문 앞에 우뚝서서 두루 사벽을 쳐다보더니 삼목구를 보고선 크게 놀라 물러나면서 말하길, '저 물건이 여기에 있으니 이 집은 우리들이 감히 침입할 수 없다.'라고 하였습니다. 대저 그해에 염병이 크게 치성하여 염병에 걸리지 않은 집이 없고 아프지 않은 사람이 없었는데, 개의 주인집은 홀로 화를 면했다고 합니다."라고 했다. 임노인이 또 말하길, "이미 그 말을 들었기 때문에 비록 미신이라고 하지만 반드시 그런 일이 있었으니, 임자년과 계축년 사이에 염병의 기운이 치성하여 도피할 곳이 없어서 앉아서 기다리는 것 외에는 다른 방도가 없었는데, 저는 이미 대략 그림의 일을 알기 때문에 그름으로 삼목구를 그려내어 벽 위에 붙여두었습니다. 한 마을의 사람들이 집집마다 모두 아팠지만 저의 집은 홀로 그 화를 면했습니다."라고 하기 때문에 내가 웃으면서 말하길, "이 말은 허탄한 말에 가깝소. 집사께서 일찍이 이로써 경험을 했다고 하니 어쩔 수 없지만, 어찌 그것이 진실로 있었던 일이었음을 알겠는가?"라고 하였다. 이 같은 말은 내가 본디 믿지 않지만 이미 물명으로 그림을 그려냈으니, 개 또한 물건이라, 무슨 문제가 있을 것인가? 삼목구를 한 장의 종이에 그려냈을 따름이다.

十八日. 晴, 任老曰, "向日用餘畵本紙, 必有之. 累日素飯, 有愧於心, 欲以付壁丹靑, 少報慇懃之情云." 故余笑曰, "當此極熱, 何可揮彩筆而費用心神乎?" 任老曰, "坐于淸風軒, 畵出景物, 則日雖熱而心自爽矣. 豈有疲勞之事乎?" 因出泡水紙繪畵付壁之圖, 而以龍虎牛馬等物, 摸出紙上, 可謂善形容, 而其中三目狗, 則任老言內, "江原道蔚珍縣有一人, 養狗而生雛, 雛有三目狗, 故家人以不祥之物, 將欲殺之, 則其人曰, '物雖怪異, 說生之物, 無端殺之, 近於不忍, 姑爲勿殺養之, 數年以觀來頭云' 矣. 旣成大狗, 而忽然一夜不知去處, 故其人心以爲訝意, 謂以凶狗被人之打殺矣. 其人適出他境, 而暮過路傍, 林藪之前, 忽有貌狀凶怪身長八尺之人, 自林中出, 納拜于前, 故心骨俱竦. 因問曰, '渠是何人, 而如此黃昏之時, 來拜于過客乎?' 彼物曰, '小人卽宅之舊時奴, 而變化此身, 方主癘鬼, 隱伏山林矣. 適見上典主過去, 故敢此問安云.' 其人悚懍之際, 收拾精神, 潛自思之, 則家之三目狗, 出去已過數年, 而此物果有三目, 又稱有奴主之分云, 則意者往時家之所養三目狗, 灼然無疑矣. 彼物且曰, '方今染疾大熾, 將爲一網乾坤, 而宅亦必不免其禍. 伏願畵出小人之儀形, 付於壁上, 則癘鬼不敢入, 而必免染氣之患云.' 而彼物入于林中, 因忽不見矣. 其人聞其鬼語, 急爲還家, 畵出三目狗, 掛于壁上矣. 一夜做夢, 似夢非夢之際, 忽有藍面鬼色身長者數三人, 突立于門前, 周瞻四壁, 而見三目狗, 大驚而退去曰, '彼物在此, 此家則吾輩不敢來侵云.' 大抵其年染病大熾, 無家不染無人不痛, 而狗之主家, 則獨也免禍云." 任老又言曰, "旣聞其語, 故雖未信其必然, 而壬子癸丑間, 染氣熾蔓, 無可逃避處, 坐而待之之外, 無他計料, 吾已粗知繪畫之事, 故畫出三目狗, 付於壁上矣. 同里之人家家皆痛, 而吾家則獨免其禍云." 故余笑曰, "此言近於虛誕之說, 而執事曾以此驗之云, 無乃開束, 安知其眞有是事耶?" 如此等說, 余素不信, 而旣以物名畫出, 則狗亦物也, 庸何傷乎? 因以畫三目狗於一張紙耳.

1802년 6월 21일. 오늘은 곧 초복날이다. 술을 빚고 개고기를 삶아서 각색 하인들과 관하의 노리(老吏)들에게 나누어주었다. 이날 통인을 효동에 보내어 어우를 오게 하고, 더불어 대화를 나누거나 바둑을 두며 술잔을 함께하고 반나절 동안을 소요하다가 홀연히 헤어졌다. 고요히 생각해보면 인간 세상의 백천만사가 원래 장구한 일이 없으니, 모두가 오늘과 같이 혹은 헤어지기도 하고 혹은 회합하기도 한다. 이것이 실로 뜬세상의 인생이라는 탄식을 그치지 않은 까닭이다. 그러나 평평하기만 하고 기울지 않는 것은 없으며, 가기만 하고 돌아오지 않는 것이 없는 것이 천지의 항상한 이치이니, 무슨 한이 있으리오?

二十一日. 卽初伏也. 釀酒烹狗, 分饋于各色下人及館下老吏等處. 是日送通引于孝洞, 要來魚友, 與之共話着博同盃, 以爲半日之逍遙, 而忽然分袂. 靜言思之, 則人間百千萬事, 元無長久之道, 皆如今日之或離或合, 此實浮世人生發嘆之所以不已也. 然而無平不陂無往不復, 天地之常理也, 何恨之有?

1802년 6월 22일. 임노인이 돌아간다고 하니 여러 날 동안 연침을 한 나머지라 서글픈 마음이 없을 수 없어서 다시 7월로 약속을 잡았다. 저번 16일의 식후에 이방이 와서 포폄등제(褒貶等題)를 바치기 때문에 열어보니, 본도 열읍의 수재(守宰) 중에서 장파(狀罷)[96]된 자가 3명으로, 청송부사 이면제와 의성현령 민치겸, 진해현감 윤회범이고, 거하(居下)를 받은 자가 2명으로, 창녕현감 박철원과 봉화현감 유상두이며, 거중(居中)을 받은 자는 6명으로, 밀양부사 박종우, 순흥부사 한대유, 진보현감 이위빈, 웅천현감 장지원, 안의현감 한계중, 영산현감 윤영열 등이다. 그밖의 수령들은 모두 거상(居上)을 받았고, 나 또한 '봉직각근(奉職恪勤)'이라는 제목으로 거최(居最)를 받았으니, 비록 스스로 돌이켜보아 떳떳하다고 할지라도 어찌 마음에 부끄럼이 없을 수 있을 것인가?

二十二日. 任老告歸, 累日連枕之餘, 不無薪悵之心, 更以秋七月爲期耳. 向者旬六, 食後吏房來納褒貶等題, 故披閱, 則本道列邑守宰中, 狀罷者三, 靑松府使李勉齊 義城縣令閔致謙 鎭海縣監尹範會也. 居下者二, 昌寧縣監朴喆源, 奉化縣監柳相斗也. 居中者六, 密陽府使朴宗羽, 順興府使韓大裕, 眞寶縣監李爲彬, 熊川縣監張趾元, 安義縣監韓啟重, 靈山縣監尹永烈也. 其餘守令, 則皆居上, 而余亦以奉職恪勤, 爲題居最, 雖曰自反而縮, 安得無愧於心乎?

1802년 6월 24일. 본현의 오천에 사는 서방 홍종택(洪宗澤)이 찾아와서 3일동안 머물다가 갔다. 그그저께 올 때 내가 묻길, "이처럼 농사철인 데다 날도 또한 매우 더운데, 어떻게 이처럼 먼 길로 영외까지 오게 되었는가?"라고 하자, 꿇어앉아서 대답하길, "문중의 일로 군위현에 갔다가 지금 막 집으로 돌아가야 하기 때문에 돌아서 이곳에 온 것이고, 문후를 하고 싶어서 온 것입니다."라고 했다. 전날 비록 한 번 보기는 했지만 아직 그가 누구인지를 모르다가 자세히 물은 후에야 비로소 그 사람이 본래 해남에 살던 사람임을 알게 되었다. 갈 때 간청하길, "주머니에 돈 한 푼이 없으

---

96) 장파(狀罷) : 죄를 지은 고을 원(員)을 감사가 임금에게 장계(狀啓)하여 파직시키는 것이다.

니 내려갈 방도가 없습니다."라고 하기 때문에 내가 웃으면서 말하길, "이미 자네의 문중 일로 먼 곳까지 왔는데, 어찌 미리 돌아갈 비용을 계산하지 않았는가?"라고 하였다. 사람은 같은 고향사람이고 말도 이처럼 하니, 괄시하기 어렵기에 1민의 돈을 주어서 보냈다.

二十四日. 本縣烏川居洪書房宗澤, 來謁留三日而去. 三昨日來時, 余問曰, "當此農時日又極熱, 而何以來此遠道之嶺外耶?" 跪而對曰, "以門事往軍威縣, 而今方還家, 故轉向到此, 欲爲問候而來云." 前日雖一見面, 猶未知其誰某矣, 細問之然後, 始乃知其人之本居海南矣. 去時仰懇曰, "囊乏一錢元無下去之道云", 故余笑而言曰, "旣以汝之門事來到遠地, 而何不豫料其往還之費乎?" 人則同鄕, 言又如此, 難可恝視, 以一緡銅給而送之.

1802년 6월 25일. 웅신사의 각수승(刻手僧)이 와서 기다리고 있기 때문에 편지를 생원 정원주에게 부쳤다.

二十五日. 熊神寺刻手僧來待, 故書奇于鄭生員元冑而.

1802년 6월 26일. 그리고 옛 현판에 새겨진 글자를 모사하여 새 현판에 붙이고 새기게 했다. 신구의 자획이 지금 쓴 것인지 옛날에 쓴 것인지를 분간하기 어렵다. 글씨와 새김이 과연 잘했다고 말할 수 있다. 또 내가 차운한 사율시도 현판에 새겨내게 하여 장차 어운루에 매달고자 하니, 행여 후인들의 웃음거리를 면하겠지? 저번 달에 이미 집안에 병우(病憂)가 있음을 들었기 때문에 곧바로 하예를 보내 탐지하게 하고자 했지만 때가 농사일이 한창일 때라 이 또한 생각하지 않을 수 없어서 이에 미루다가 오늘에야 비로소 하예를 보내고 가서를 부치는데, 과연 물약(勿藥)의 효과가 있는지 모르겠다. 멀리에서 근심스러움으로 유유하지 않은 날이 없다.

二十六日. 模寫舊板所刻字, 付于新板而刻之. 新舊字劃難辨今昔之筆

矣. 筆與刻, 可謂善且巧矣. 又以余之所次四律, 刻出于板, 將欲懸于御
雲樓, 幸或免後人之譏笑耶? 頃月已聞家中之有病憂, 故業欲專隷探知,
而時則農務方作, 此亦不可不念, 玆以迁就今日始乃送隷, 而付家書, 果
未知有勿藥之效否? 遠外馳慮無日不悠悠.

1802년 6월 27일. 오후에 아들과 함께 본부에 달려가니, 주관
은 연청(椽廳)으로 옮겼기 때문에 곧바로 그가 지내고 있는 곳으로
들어가서 더불어 얘기를 하며 모든 백성들이 애통함이 망극하다는
말을 하고 다음으로 안부를 말하였다. 얼마 안 있어 통인을 시켜
둥근 외 2개를 내오게 하고 부자 앞에 놔두면서 말하길, "집사께서
오늘 당도하기 때문에 미리 시장에서 사두었습니다."라고 하였다.
수저로 떠먹어보니 다만 열난 창자를 상쾌하게 할 뿐만이 아니다.
그 정감을 살펴보면 진실로 매우 감사함이 많다.

　二十七日. 午後, 與家兒馳往本府, 則主官移次于椽廳, 故直入其所住
處, 與之相語普痛罔極之說, 而次及寒喧. 俄爾使通引進圓苽二箇, 置于
父子之前曰, "執事今日當到, 故預爲買于市." 引匙服之, 非但快爽煩熱
之腸, 究其情味, 誠極多感.

1802년 6월 28일. 밤 4경 1점일 때 제복을 입고 객사로 나아
가서 엎드려 곡을 하며 슬픔을 다하였다. 세월이 빨라서 국상(國
祥)이 오늘로 끝나게 되니, 망극한 슬픔이 평시보다 배나 더하였
다. 곡을 그치고 사배를 한 후에 역복청(易服廳)으로 나와서 천담복
(淺淡服)으로 갈아입고, 오사모와 오각대와 흑피화를 착용하고, 배
위(拜位)로 나아갈 때 좌우를 돌아보니, 대소민은 물론이고 문밖에
서 곡반에 참여한 자가 거의 천여 명이 되었다. 이로써 본다면 사
람들은 모두 병이(秉彝)의 성품이 있음을 미루어 알 수 있다. 복장
을 바꾸고 엎드려 곡을 하는데 슬픔이 더욱 간절하여 눈물이 옷깃
을 적시는 것을 금하기 어려웠다. 사배례를 마친 후에 연청으로 나

와서 주관과 함께 잠깐 수작을 하고, 주관이 동헌으로 들어가자 부자가 함께 한 자리에 누웠다. 아들은 곧바로 잠이 들어서 코고는 소리가 뇌성과 같았지만 나는 자고 싶어도 잠이 오지 않아서 잠을 이루지 못한 채 해가 이미 나왔다. 그때 본역의 하리가 또한 수행하여 문밖의 곡반에 참여하였는데, 식후에 역으로 돌아올 때도 모두 배종하고 왔다. 이날 황혼이 질 때 사내종 귀동이가 들어오기 때문에 창황히 물어보니 대답하길, "강진의 말루하님께서 숙환으로 초상이 났습니다."라고 하였다. 때는 밥상을 대하고 아직 물리지 않을 때인데, 급히 편지 봉투를 열어서 읽어보니 이달 18일 사시에 노병환으로 갑자기 별세했다고 한다. 놀랍고 애통함을 그만둘 수 없다. 그러나 인생 세간에 죽고 사는 것이 명에 달려있어서, 남녀간에 묘령의 나이에 요절하는 자도 간혹 많이 있다. 그런데 이처럼 돌아가신 나이가 이미 86세이고 아들과 손자가 있으며, 가세도 비록 부유하지는 않을지라도 생전에 살아간 것이 원래 기한의 고통이 없었다. 그리고 갑자기 백운향으로 승천하셨으니, 그 팔자를 말하자면 과연 세상에 드문 호상이라고 말할 수 있다.

二十八日. 夜四更一点, 着祭服進詣客舍, 俯哭盡哀, 而日月易邁, 國祥之制, 終於此日, 罔極之痛, 倍於平時. 止哭四拜後, 出來于易服廳, 改着淺淡服, 烏紗帽烏角帶黑皮靴, 入就拜位之際, 顧瞻左右, 則勿論大小民, 來參門外之哭班者, 幾於千餘人. 以此觀之, 則人皆有秉彝之性, 可推而知矣. 變服俯伏哭而哀痛愈切, 難禁涕淚之沾襟, 四拜禮畢後, 出來于橡廳, 與主官少焉酬酢, 主官入去于東軒, 而父子同臥于一席. 兒則卽爲着睡, 鼻聲如雷, 余則欲眠不眠, 因不成寐, 而日已出矣. 其時本郵下吏, 亦隨行而參於門外之哭班, 食後還郵之時, 皆陪從而來. 是日黃昏時, 奴者貴同入來, 故蒼黃問之, 則對曰, "康津抹樓下主, 以宿患喪出云." 時則對飯而姑爲退盤, 急披書封看之, 則今月十八日巳時, 以老病患, 奄忽別世, 驚痛不能已也. 然而人生世間, 死生有命, 而男女間以妙年夭逝者, 間多有之, 而至於此喪年已八十有六, 有子有孫, 且家勢雖不富, 而生前契活, 元無飢寒之苦, 而遽昇白雲之鄕, 論其八字, 則可謂罕世之榮喪矣.

1802년 6월 29일. 아침에 책방에 위패를 설치하고 부자가 모두 통곡한 후에 성복을 하고 이틀간 소찬(素饌)을 행하였다. 또 가서를 받았으니, 집사람의 몸과 얼굴에 부기가 많고 또 체증 때문에 신음하며 날을 보내고 있으며, 손자 용아의 복학은 아직까지 차도가 없는 중에 또 중설(重舌)로 연이어 침과 약을 써서 수척하게 뼈만 남았다고 한다. 멀리에 있는 사람이 비록 집사람의 한 가지 병도 오히려 답답한 근심이 있는데, 하물며 겸하여 손자의 병에 있어서랴? 대저 사람이 세상에 나서 마음과 몸이 화평한 날은 얼마 되지 않을 것이다. 오늘 본부 공형(公兄)의 문장(文狀)을 보니, 부사 이문철이 이달 21일 정사에서 진주병사로 승진하게 되었고, 신부사는 박효진(朴孝晉)이라고 한다. 나와 본관과는 피차 서로 득이 되고 별로 규각(圭角)의 일이 없었고, 갑자기 승진하게 되었다. 이는 비록 저 직종의 계제(階梯)라지만 내가 삭망으로 본부에 갈 때 항상 은근하게 정성스럽게 대접하는 일이 있었으니, 그 정의를 생각하면 어찌 서글프게 텅 빈 것 같은 마음이 없을 것인가? 이에 읍편을 통해 축하편지를 보냈다. 얼마 안 되어 답장이 돌아왔는데, 열어보니 편지 끝에 '이곳을 떠나는 것은 하나도 괘념할 것이 없지만 다만 한스러운 것은 집사와 함께 할 수 없게 되었다는 것입니다'라고 하였다. 이 말은 곧 평일에 수작할 때 항상 하는 말이었기 때문에 그것이 진실로 진정에서 나온 말이고 꾸며서 낸 말이 아님을 알 수 있다.

二十九日. 朝設位于冊房, 父子俱痛哭後成服, 而兩日行素饌. 且見家書, 則室內身上與面, 多有浮氣, 又以滯症呻吟度日, 而龍孫兒腹瘧, 尙未差之中, 又以重舌, 連用針藥, 瘦瘠骨立云, 遠外之人, 雖聞家內之一憂猶有泄鬱之慮, 況兼以孫兒之病乎? 大抵人之於世, 心和身平者, 無幾日矣. 卽見本府公兄文狀, 則府使李文喆, 今月二十一日政, 陞拜于晉州兵使, 而新府使則朴孝晉云. 余於本官, 彼此相得, 別無圭角之端, 而忽爾陞閫, 此雖彼職之階梯, 余之朔望往于本府時, 常有殷勤款接之道, 念其情意, 豈無悵缺之心乎? 玆因邑便修送賀書矣. 俄爾答簡回來, 而披閱, 則書尾曰'去此無一關念處, 而但恨不得與執事同去就也.' 此言乃平日酬酢之時常談, 故知其實出於眞情, 而非矯飾之浮辭矣.

1802년 7월 1일. 기사일. 정당에 앉아서 각방 하인과 외역 도장배들을 점고하고 공사에 대해 비로소 들었다. 하리에게 앞들판의 논물이 있는지 없는지를 물어보니, 대답하길 '높은 곳은 이미 물이 없어져서 거북등처럼 갈라졌고, 아래에 있는 것은 지금 비록 다 말랐다고 하지만 타들어가는 지경에는 이르지 않았다'고 하였다. 여름에 열흘간의 가뭄은 오히려 지나친 것인데, 하늘이 비를 아끼길 20일에 가까워지니, 농부의 갈증은 어떻겠는가?

七月大初一日. 己巳. 坐于政堂, 點考各房下人及外驛都長輩, 始聽公事. 問下吏以前坪畓水之有無, 則對曰'高者業已無水, 至於龜坼, 下者今雖盡涸, 不至焦枯之境云.' 夏月十日之旱, 猶爲過矣, 而天之靳霈, 將近二旬, 則農夫之渴悶, 爲如何哉?

1802년 7월 2일. 매상(昧爽)[97]일 때 하늘이 갑자기 비를 내려주기 때문에 기뻐서 일어나 앉아 백성들의 즐거움을 즐기면서 기쁘게 처마에 빗방울이 어지럽게 떨어지는 소리를 들었다. 얼마 안 있어 비가 겨우 먼지를 적실 정도만 내리고, 구름이 걷히고 푸른 하늘에 햇빛이 쨍쨍 빛나니, 들에 가득한 농부들은 다만 하늘을 우러러 길게 한숨만 쉴 뿐이다. 식후에 종 귀동이를 되돌려보내면서 지촉(紙燭)과 돈으로 종형의 상가에 부의를 하고, 또 지촉으로 건촌과 본리의 두 족인 집에 부의를 하였다. 이 어찌 초상이 거듭되어

---

97) 매상(昧爽) : 날이 새려고 막 먼동이 트는 무렵을 말한다.

가문의 운이 불행한 것이 이와 같단 말인가? 겸하여 집에 답장편지를 부쳤다. 이날 저문 후에 어우가 병든 몸을 부여잡고 넘어와서 먼저 국상이 종제(終制)를 맞은 애통함을 말하고, 다음으로 나의 복제를 위로하였으며, 이어서 안부인사를 하고 반나절동안 얘기를 나누다가 갔다.

初二日. 昧爽之時, 天忽下雨, 故喜而起坐, 樂民之樂, 而欣聽簷鈴之亂落矣. 俄爾雨纔浥塵, 而雲捲靑天日光杲杲, 滿野田夫只自仰天長吁而已. 食後還送奴者貴東, 而以紙燭錢文成賻儀于從兄喪家, 又以紙燭賻問于乾村本里兩族人家, 是何喪變稠疊, 門運之不幸若此耶? 兼付答家書. 是日晩後魚友扶病越來, 先說國祥終制之痛, 次慰余之服制, 而因及寒暄, 半日相晤而去.

1802년 7월 3일. 흐림. 하늘의 모양을 살펴보니 검은 구름이 하늘에 가득하여 비가 내릴 것만 같았지만, 황새는 울지 않고 개미둑의 백성은 들판에서 한탄하고 있다. 김해 용동에 사는 김생과 보성 조양에 사는 김생 두 사람이 찾아와서 말하길, "백대(百代)의 정의로 일찍 찾아뵙고 싶었지만 구애됨이 많아서 지금에야 비로소 여기에 오게 되었습니다."라고 했다. 내가 묻길, "김해는 땅이 멀지 않으니 찾아와서 얘기를 하는 것도 이상한 일은 아니지만, 보성은 타도일 뿐만 아니라 길도 가깝지 않은데 무슨 일로 왔는가?"라고 하자 답하길, "선세(先世)에는 본래 이 도의 김해 땅에서 살았었고, 보성으로 이거한 것 또한 여러 대가 되었습니다. 그러나 자손이 유리표박하면서 가승(家乘)을 잃어버리게 되어 선산이 어느 곳에 있는지를 알지 못했습니다. 지난해 이곳의 동종을 찾아왔다가 수작할 즈음에 말이 선대에 이곳에서 산 일과 묘소를 잃게 된 이유에 미치자, 종인의 말에 '모산에 모묘가 있고 비석이 완연히 서 있지만 필시 주인이 없는 것이다'고 하기 때문에 마음속으로 매우 놀랍고 기뻐서 종인과 함께 가서 묘앞에서 비문을 살펴보니 직함이 딱 맞아 의심할 것이 없었습니다. 과연 여러 대 동안 묘소를 잃은 억울한 마음을 풀게 되었습니다. 이에 올봄에 또 용동의 종씨집에 도착하였고, 그의 자제와 함께 일을 하기 위해 이곳에 왔습니다."라고 했다. 내가 말하길, "난리를 겪은 후로 사람이 혹 그 선조의 묘소를 잃어버리는 일이 있으니, 어찌 수치스럽다고 여길 것이 있겠는가?"라고 하였다. 말을 마친 후에 시 4~5장을 앞에 내놓으며 말하길, "고시(考試)를 하고자 하여 가지고 왔습니다."라고 했다. 그가 지은 글귀를 살펴보니 문장 또한 기특하였다. 오랫동안 얘기를 나누다가 갔다.

初三日. 陰, 仰看天像, 則黑雲滿天, 似有其雨之意, 而鸛不鳴坥民嘆于野矣. 金海龍洞居金生, 寶城朝陽居金生, 二人來見曰, "以百代之誼, 業欲來見, 而自爾多碍, 今始到此云." 余問, "金海則地不相遠, 委到接晤, 不是異事, 而寶城則非但他道, 道且不近, 而何以來此耶?" 答曰, "先世本居此道金海地, 而移居于寶城者, 亦爲累代, 而子孫流離之際, 閪失家乘, 不知先山之在何處矣. 去年來訪此土同宗, 而酬酢之際, 語及先代居此之事, 及其失墓之由, 則宗人言內, '某山有某墓, 而碑石宛立, 必無主云', 故心甚驚喜, 與宗人偕往, 墓前看審碑文, 則職啣吻合無疑, 果伸累代失墓抑鬱之情矣. 玆以今春又到龍洞宗氏家, 與其子弟同爲做工而來此云." 余曰, "亂離之後, 人或有失其先墓之事, 何可爲羞恥之端乎?" 言訖後, 以詩四五張出置于前曰, "欲爲考試而袖來云." 看其作句, 則文亦可奇. 有頃相晤而去.

1802년 7월 4일. 신병사(新兵使) 이문철이 출발할 날이 가까워졌다는 말을 들었기 때문에 여러 달 동안 주선한 나머지라 한 번 가서 작별인사를 하지 않을 수 없기에 본부로 말을 달려가되 전후에서 모시는 하인들을 모두 물리치고 단기로 성에 들어가서 공적인 예로써 보려고 하니, 병사가 그 하예를 시켜 전갈하길, "다만 날이 무덥기가 이와 같을 뿐만이 아니라 친밀한 사이에 어찌 공적인 예를 할 것인가요? 평복으로 들어오시지요."라고 하기 때문에 그의 말대로 들어가서 보았다. 대저 무관의 마음은 혹 약한 부분이 많이 있어서 문관이 낮춰보는 마음이 있다고 성을 내기 때문에 내가 공복차림으로 보려고 한 것도 이것 때문이다. 반나절 동안 얘기를 나누다가 헤어질 때는 서글픈 마음이 없을 수 없었다. 오후에 본역까지 20리를 돌아왔다.

初四日. 聞新兵使李文喆, 發行在近, 故累朔周旋之餘, 不可不一進闕別, 馳往本府, 而盡除前後陪下人, 以單騎入城, 欲爲公禮見之, 則兵使使其下隷傳喝曰, "非但日熱之如此, 親密之間, 豈有公禮乎? 以平服入來云." 故依其言入見, 而大抵武官之心, 或多有弱, 生怒於以文而有低視之心, 故余之欲以公服見之者此也. 半日相晤而臨分之時, 不無悵缺之心. 午後還到本驛二十里.

1802년 7월 6일. 석사 민치대가 찾아왔다가 갔다.

初六日. 閔碩士致大, 來見而去.

1802년 7월 7일. 오늘은 곧 칠석날이다. 속어에 '이날은 견우과 직녀가 1년에 한 번 상봉하는 밤이기 때문에 반드시 이별하는 눈물이 있어서 비가 내린다'고 하고, 또 고시에 '이별의 눈물이 변하여 인간세상에 비로 내리네'라고 하였다. 가뭄을 근심하는 나머지라 속어와 고시의 증거를 들어 흡족한 비가 내려주길 기다리는 마음 더욱 간절하다. 날마다 구름 무지개를 바라지만 원래 한바탕 쏟아질 뜻이 없으니, 어쩌겠는가? 황천은 어찌하여 인간 세상을 살피지 않아서 밭두렁이 거북등처럼 갈라지고 백곡이 타들어가게 하는 것인가? 나라를 걱정하는 마음과 백성을 근심하는 염려가 마음속에 서로 간절한 것이 어찌 잠시라도 느슨해질 것인가?

初七日. 卽七夕也. 俗語云, '此日則牽牛織女, 一年一度相逢之夜, 故必有離別之淚而下雨.' 又古詩曰, '別淚化作人間雨', 悶旱之餘, 據其俗語古詩之證, 待霓愈切. 日望雲霓, 元無沛然之意, 如何? 皇天胡不下監, 田疇之龜坼, 而百穀焦枯乎? 憂國之心, 憂民之慮, 交切于中, 曷嘗頃刻少弛耶?

1802년 7월 9일. 저녁때 유연히 구름이 만들어지더니 자못 소나기처럼 내렸고, 황혼이 되지 못해 그쳤다. 이날 밤 3경에도 또 비가 한바탕 쏟아졌는데, 잠깐동안 퍼붓듯이 내리다가 그쳤다. 주야로 온 비의 양을 헤아려보면 비록 일리에 가깝다고 해도 아직은 가뭄을 입은 논밭에는 흡족치 않다. 그렇지만 다행히 이 단비에 힘입어 타들어 가던 곡식은 거의 소생할 희망이 있게 되었다. 만약 황천이 우로의 은택을 주지 않는다면, 곡식은 어떻게 땅에 의지할 것이며, 사람은 어떻게 세상에 기대 살 것인가? 비가 온 뒤에 멀리 들판 빛깔을 살펴보니, 들판 가득한 백곡이 하룻밤 사이에 푸름을 더했으니, 다만 만물이 기쁘게 꽃을 피울 뿐만 아니라 농부의 기쁜 즐거움이 과연 어떻겠는가? 대저 천지조화의 이치는 근심스런 자를 기쁘게 할 수 있고, 또 누렇게 뜬 것을 푸르게 할 수 있으니, 신묘한 변화와 무궁한 오묘함을 진실로 헤아릴 수 없다.

初九日. 夕時油然作雲, 頗同驟雨之降, 未及黃昏而止矣. 是夜三更, 又下沛然雨, 少焉如注而歇. 量其晝夜所來之雨, 雖近於一犁, 猶未洽於被旱之田, 而幸賴此甘霆, 枯焦之穀, 庶有蘇醒之望. 若非皇天雨露之澤, 穀何以依土, 人何以寄世乎? 雨後遙看野色, 則滿野百穀, 添得一夜之靑, 非但萬物之欣欣發榮, 農夫之喜樂, 果如何哉? 夫天地造化之理, 能使愁者而喜, 又令黃者而靑, 神變無窮之妙, 固不得以測矣.

1802년 7월 10일. 재종의 답장편지가 서울에서 내려왔기에 열어보니, 몸은 우선 무고하지만 방황하는 생활을 감내하기 어렵다고 했다. 이는 멀리 나가 있는 자의 예상된 근심이다. 비록 근심스럽지만 어쩌겠는가? 도정은 6일에 행하였는데, 장전은 이서구이고,

아전은 윤선보이며, 삼전은 임희존이었다고 한다.

初十日. 再從答書, 自京下來, 而披閱, 則身姑無故, 而棲屑難耐云. 此則遠遊者之例患也. 雖悶奈何? 都政則初六日爲之, 而長銓李書九, 亞銓尹先普, 三銓任希存云.

1802년 7월 11일. 오늘은 곧 입추일이다. 빗방울이 잠깐 내리다가 곧 그쳤다.

十一日. 卽立秋, 而点雨乍下旋止.

1802년 7월 12일. 말복날이다. 가을철이 시작되고 삼복더위는 모두 물러가는 때이니, 하늘의 유행하는 기운이 서로 바뀌는 계절이다. 반드시 흡족한 비가 내려주어서 이 농사일에 혜택을 줄 것이라 생각했지만, 연일 구름만 끼다가 끝내는 비를 아꼈다. 저번 날에 비를 맞은 곡식이 비록 다시 자라려고 할지라도 밭 물이 다시 말라감에는 어쩌겠는가? 이날 황혼 무렵에 하예가 와서 본가에서 보내온 답장편지를 바치기 때문에 손을 바삐하여 열어보니, 집사람의 신병이 전에 비해 조금 나아졌지만 아직은 완전히 회복된 것은 아니고, 손자의 복학도 낫지 않아서 살이 수척해졌다고 한다. 그러니 듣는 자가 다만 멀리에서 근심스러울 따름이다. 이날 밤 3경에 바람이 한차례 몰아치더니 비가 잠깐동안 쏟아졌는데, 일리에도 미치지 못하고 그쳤다. 사람이 오랫동안 갈증이 심할 때는 몇 사발의 물을 가득 마셔야만 물리도록 배가 부르고 마음이 윤택해질 수 있는 것인데, 사람에게 단지 한 사발의 물만 주어서 뱃속에 흡족하지 못한 채 조금 타들어가는 갈증만을 해소한 것과 같다. 이것은 비록 물을 준 것이 조금은 갈증을 되돌릴 수 있다고 하지만, 화로에 떨어진 한 점의 눈이나 달군 쇠에 한 방울의 물과 다름이 없어서, 아직은 마음과 기운을 화평하게 하는 데는 미흡한 것이다. 지금 여름 가뭄으로 백곡이 타들어갈 즈음에 비의 은택이 미흡하니, 이것과 무엇이 다르겠는가? 그러나 이것은 곧 득롱망촉(得隴望蜀)[98]의 욕심이다. 만약 어제와 오늘 두 차례의 비가 아니었다면, 곡식은 거의 산 것이 없을 것이고, 백성들도 장차 모두 죽게 될 것이다. 또 듣자하니 우리 고향의 농사는 병해충이 치성하여 벼의 뿌리가 남아있는 것이 한 포기 중 겨우 한두 줄기뿐이고, 또 게다가 심한 가뭄 때문에 가을에 거둬들일 것이 거의 없다고 한다. 병충해와 가뭄의 재해는 연운(年運)이 그런 것으로, 이곳의 농사와 더불어 서로 다름이 없을 것 같다. 또 모르겠지만 근일의 비가 비록 미흡하다고는 하지만 호남에는 균등하게 적셨겠지? 신병사 이문철이 14일에 출발하는데, 연봉(延逢, 고을의 원이 존귀한 사람을 나아가 맞는 짓)할 인마는 본역에서 담당한다. 여러 가지 역폐가 경기도에 비해 거의 절반밖에 되지 않으니, 이것 또한 다행이다.

十二日. 乃末伏也. 秋節始入, 三伏盡去時, 則天之流行之氣, 相換之節. 意必洽降雨澤惠此農功, 而連日雲陰, 終靳霈注. 向日所沾之穀, 雖欲更苗, 其如田水之旋涸何? 是日黃昏時, 下隷來獻本家答書, 故忙手披見, 則室內身病比前少差, 而猶未快復, 孫兒腹瘇, 亦未離却, 肌膚瘦瘠云, 聞之者只庸遠悶而已. 是夜三更, 風颷一陣, 雨須臾如注, 猶未及一犁而止. 如人久渴之甚, 滿飮數盂之水, 則可以厭飫腹飽心潤, 而有人只贈一盂水, 猶未洽於腹腸, 而少解焦煎之渴. 是雖足以爲惠水小反渴, 無異洪爐之点雪煮鐵之鈴水, 猶不快洽使之心平而氣和也. 方今夏旱, 百穀焦枯之際, 雨澤之未洽, 與此何異哉? 然而此乃得隴望蜀之慾也. 若非昨今兩次之雨, 穀幾無生, 而民將盡劉矣. 且聞本鄕農形, 則蟗蟲熾盛, 禾根之存者, 計其一叢僅餘一二薥, 又兼以亢旱, 似無西成之望云. 虫旱致

---

98) 득롱망촉(得隴望蜀) : 사람의 탐욕(貪慾)이란 채우면 채울수록 더하는 것으로서 물릴 줄 모른다는 뜻이다. 후한 광무제(後漢光武帝)가 농서(隴西)의 외효(隗囂)를 격파하고 촉(蜀)의 공손술(公孫述)을 격파하려고 마음먹었는데, 점령지인 영천(潁川) 지방에서 도적 떼가 일어나자, 광무는 자기가 만족할 줄 모르는 것을 한탄하여 한 말이다. 『後漢書』

災, 年運之所然, 與此處農形, 想無異同矣. 且未知近日之雨, 雖云未洽, 均霑於湖南耶? 新兵使李文喆, 十四日發行, 而延逢人馬, 自本驛當之. 凡干驛弊, 比之於京畿減太半, 是亦幸耳.

1802년 7월 15일. 각방의 하인과 외역의 도장배들을 점고하였는데, 외역은 칭탈(稱頉, 사고가 있다고 말함)로 정소한 것이 비록 많다고는 하지만 농번기가 아직 끝나지 않았는데 날이 이처럼 가무니 반드시 물을 대는 일이 있을 것이기 때문에 그것이 허탈(虛頉)임을 번히 알면서도 예제(例題)99)로 모두 분간(分揀, 죄의 유무를 분별하여 용서함)해주었다.

十五日. 點考各房下人及外驛都長輩, 而外驛則稱頉呈訴, 雖云多矣, 農務時尙未畢, 而日旱如此, 必有灌水之役, 故灼知其虛頉, 而以例題皆爲分揀矣.

1802년 7월 16일. 아침 일찍 순영 행을 출발한 것은 국상의 종제 이후 도리에 있어서 한 차례 달려가서 망극한 애통함을 펼치지 않을 수 없는 것이고, 또 전최가 있은 후에는 관례상 찾아가서 뵈어야 하기 때문이다. 중도에 갑자기 소나기를 만나 비록 옷이 흠뻑 젖는 일은 면하지 못했을지라도 오랫동안 가문 나머지에 이런 단비를 얻은 것이니, 옷이 젖는 것은 아까울 것이 없다. 어렵사리 무난 주막까지 40리를 가니, 해가 겨우 정오를 지났고 비도 조금 그쳤다. 그러나 민정을 생각하면 때가 비록 여름철이라고 해도 의복이 모두 젖어서 출발하기는 어려울 것 같기 때문에 그곳에서 유숙했다.

十六日. 早發巡營行者, 國祥終制之後, 其於道理, 不可不一番馳進以陳罔極之普痛, 而且殿最之後, 例爲進見故也. 中路忽逢驟雨, 雖未免沾

---

99) 예제(例題) : 관아에서 백성들의 소장을 처리함에 있어서 그 내용에 따라 일정한 판결례(判決例)를 만든 것이다.

濕之患, 久旱之餘得此甘霈, 衣沾不足惜也. 艱到無難酒幕四十里, 則日才過午, 雨且少止, 而言念下情, 則時雖炎節, 衣服渾濕, 似難離發, 故留宿于其店.

1802년 7월 17일. 미명일 때 출발하여 창녕현까지 60리를 가서 점심을 먹고, 오후에 출발하여 현풍현 향산점까지 70리를 가서 유숙했다.

十七日. 未明之時, 發至昌寧縣六十里中火, 午後離發, 至玄風縣香山店七十里留宿.

1802년 7월 18일. 늦게 출발을 하였는데 때는 달빛이 대낮 같아서 주점의 횃불을 사용하지 않아도 되었다. 말을 달려 대구 감영까지 50리를 가니, 겨우 밥때가 지났을 뿐이었다. 천담복으로 갈아입고 오사모와 흑각대를 착용한 채 순사가 있는 곳으로 들어가서 먼저 국상이 종제를 맞는 애통함을 펼치고, 다음으로 안부인사를 하고서 한참동안 수작을 한 후에 내일 다시 들어와서 작별인사를 올리겠다는 말을 하자, 순사가 말하길, "오늘 해도 아직 저물지 않았고 또 심회를 다시 펼칠 것도 없으니, 어찌 전례를 따라 내일을 기다릴 필요가 있을 것인가? 곧바로 작별을 하는 것이 좋겠소."라고 하기에 그 말대로 곧이어 절을 하고 나왔으며, 밥을 먹은 후에 출발을 하여 화원점까지 30리를 와서 유숙했다.

十八日. 晚離發, 而時則月明如晝, 不費店炬. 馳到大丘監營五十里, 則纔過食時矣. 着淺淡服烏沙帽黑角帶, 入見于巡使, 而先陳國祥終制之痛, 次及寒暄, 而有頃酬酢後, 告以來明復入辭退之由, 則巡使曰, "今日日猶未晚, 且無所懷之更陳, 則何必援例以待明日乎? 卽爲作別似好云." 故依其言, 因爲拜辭而出來, 飯後還發, 至花園店三十里留宿.

1802년 7월 19일. 새벽에 출발을 하여 죽현점까지 50리를 와서 점심을 먹고, 오후에 출발하여 영산현 심천점까지 60리를 와서 유숙했다.

十九日. 曉發至竹峴店五十里中火, 午後離發, 至靈山縣深川店六十里留宿.

1802년 7월 20일. 아침 일찍 출발하여 갈전리까지 40리를 가니, 해가 3간이나 올랐다. 갈 때 하예를 시켜 올 때 들리겠다는 뜻을 생원 김성율에게 전갈하게 했었다. 과연 미리 기다리고 있으면서 닭고기와 술 및 원고(圓薑) 등의 물건으로 정성스럽게 대접하기 때문에 내가 웃으면서 말하길, "서로 아는 사이에 그냥 지나치고 들어오지 않으면 박정함에 가까울 것 같아서 잠시 들어온 것인데, 어찌 매양 이렇게 하는 것이오? 주인이 객을 대접하는 예는 이상한 일이 아니지만, 객의 마음에 있어서는 편안할 수 있겠소?"라고 하자 주인이 답하길, "때가 궁한 때라서 별로 대접할만한 것이 없으니 도리어 겸연쩍습니다."라고 했다. 한참동안 얘기를 나눈 후에 출발하여 본역까지 20리를 오니, 해가 아직도 정오가 되지 않았다. 지나오면서 길가의 논들을 보니 혹은 쩍쩍 갈라지고 가라지 풀만 꼿꼿하니, 가뭄까지 겸한 초곡들은 어찌 자랄 수 있을 것인가? 농부들은 그 모가 자라지 않은 것을 근심하여 자주 메마른 논의 풀을 호미로 매는 일이 많이 있으니, 보기에 매우 민망하다.

二十日. 早發至葛里四十里, 日上三竿矣. 去時使下隷, 以來時歷訪之意, 傳喝于金生員聲律矣. 果爲預待而以鷄酒圓薑等物, 款接殷勤, 故余笑曰, "相知之間, 憂過不入, 似近薄情, 暫爲入來, 則何可每每如此乎? 以主待客之禮, 不是異事, 而於客之心, 其能安乎?" 主人答曰, "時當窮節, 別無可待之道, 還爲慊然云." 有頃相晤後, 發至本驛二十里, 則日猶未午矣. 所經之路傍畓, 或龜坼, 稂莠驕驕, 被旱兼草穀, 豈可長乎? 農夫悶其苗之不長, 往往手鋤渴畓之草者, 間多有之, 見甚可悶.

1802년 7월 21일. 어떤 다행으로 오후부터 비로소 이슬비가 내리기 시작하여 밤이 되어서는 퍼붓듯이 쏟아졌다. 다만 백곡의 말라가는 뿌리를 적셔줄 뿐만이 아니고, 또 농부들의 갈증난 마음을 해갈해줄 수 있으니, 이것은 고목에 봄이 오고 죽어가는 사람이 소생한 것과 다름이 없다. 이날 보성의 석사 김상민(金相民)이 귀향할 때 인사를 고하고 가려고 했는데, 비 때문에 이곳에서 체류하며 날이 개기를 기다렸다가 떠나려고 하니, 이 또한 적막한 가운데 하나의 다행이다. 때로 더불어 시를 말하였는데, 시 또한 기특하니 더욱 기쁜 일이다.

二十一日. 何幸, 午後始降霏微之雨, 至夜而沛然如注. 非但沾潤於百穀之焦根, 又足以快解農人渴悶之心, 此無異於枯木之生春, 死人之得甦也. 是日寶城金碩士相民, 歸鄕之時, 將欲告辭而來, 爲雨所關, 因以滯留于此, 待其日晴而發, 是亦孤寂中一幸, 而時與論詩, 詩且可奇, 尤所喜也.

1802년 7월 22일. 또 비가 내렸는데 종일토록 그치지 않았다. 이날 밤에도 큰비가 내렸다.

二十二日. 又雨, 終日不止. 是夜又大雨.

1802년 7월 23일. 또 비가 내렸다. 비 온 뒤 멀리 앞 들판을 내다보니, 사방의 백곡이 가득히 윤택한 빛을 띠고 하룻밤 새 새로운 푸름이 더해졌다. 지금으로 보면 가을의 풍년을 점칠 수 있겠다.

二十三日. 又雨. 雨後遙望前坪, 則四野百穀, 滿帶膏潤之色, 添得一夜之新靑. 以今觀之, 可占其秋事之登矣.

1802년 7월 24일. 맑음. 흰 물결이 평야에 넘쳐흐르니, 정말로 일전에 물이 넘쳐났을 때 같다. 이것은 이곳에 내린 비로 인해서 이처럼 넘쳐난 것이 아니라, 곧 먼 호수로부터 흘러 내려온 물의 기세가 매우 급한 데다 밀양의 삼랑호에 이르러선 수구가 협착하기 때문에 물이 곧 역류하여 저 평야에 넘쳐나고 큰 강을 이루게 된 것이다. 하늘의 조화는 붉은 땅으로 하여금 흰 물결이 양양하게 하고, 시든 벼를 기름지게 하니, 어찌 그 무궁한 신묘함을 헤아릴 수 있을 것인가?

二十四日. 晴. 白波漲溢於平郊, 正如日前水漲之時. 此非以此處所來之雨致有此漲也, 乃遠湖所流之水勢甚急, 而至於密陽之三浪湖, 水口狹窄, 故水乃倒流, 而越彼平陸, 便成大江也. 天之造化, 能使赤地而白波洋洋, 枯禾油油, 何可測其無窮之神妙哉?

1802년 7월 25일. 어우가 찾아와서 잠깐 막힌 회포를 펼치고, 바둑을 두다가 석양무렵에 돌아갔다. 그리고 얼마 안 있어 심부름꾼을 시켜 죽피 두 묶음을 보내오며 가마 좌석을 만드는 재료로 삼게 하였다. 이것은 비록 사소한 물건일지라도 그가 정성스럽게 돌봐주는 뜻을 손에 잡을 수 있겠다. 이날 생원 임희연이 찾아와서 연일 얘기를 나누었다. 또 본역과 각역의 상중하 3등의 말을 점고하였다. 병풍 장인을 불러서 머릿병풍을 장식하게 하고, 그 풀칠하고 마름질하는 모양을 살펴보니, 과연 선수라고 말할만하다. 그 사람은 곧 본역에 속한 역리로, 성명은 김천복(金天福)이다.

二十五日. 魚友來到, 暫敍間阻之懷, 相與着博, 夕陽時分袂而去. 俄爾委伻送竹皮二束, 使之爲轎席之資, 此雖些薄之物, 可挹其眷眷之意. 是日任生員希淵來到, 連日相晤. 又點考本各驛上中下三等馬. 招來屏風匠人, 粧飾寢屏, 而看其塗糊裁作, 可謂善手. 厥漢卽本郵所屬驛之吏, 姓名則金天福也.

1802년 7월 28일. 석사 김용익이 찾아와서 말하길, "향교의 선비들이 회접할 때 출제하고 고시해주신 노고가 적지 않은데도 아직까지 보답하는 예를 못하고 있어서 항상 낯 뜨거움을 이길 수 없었는데, 이에 대략 몇 잔 안 되는 막걸리를 갖추어 가지고 왔습니다."라고 했다. 내가 웃으면서 놀리는 말로 답하길, "속수례는 옛날부터 있는 일이니, 집사의 말은 말에 혹 괴이할 것은 없지만 나와 같은 고관(考官)은 문장이 짧고 식견이 엷어서 감히 이러한 음식을 감당할 수 없소."라고 하며 장차 물리치려고 하니, 속언에 '숙불환생(熟不還生)100)'이란 말이 있고, 또 그 사람은 백대(百代)의 정의(情誼)로써 여러 차례 찾아온 사람인데, 사람을 대함이 박정함에 가깝기 때문에 비록 받아두긴 했지만, 도리어 스스로 부끄럽다. 김석사의 대인도 여러 차례 찾아왔다가 매양 곧바로 돌아가기 때문에 매우 서운해서 고기 몇 근을 떠서 보냈다.

二十八日. 金碩士翼龍來見而言曰, "校中多士, 會接之時, 出題考試, 勤勞莫少, 而尙稽報答之禮, 常不勝愧赧, 略具數盃薄醪而來云." 余笑而戲答曰, "束脩之禮, 自古有之, 執事之言, 言或無怪, 而如吾考官文短識薄, 不敢當此等之饋云." 將欲退却, 則俗所謂熟不還生, 且其人以百代之誼, 累次來見, 近於待人之薄, 故雖爲領受, 旋切自愧. 金碩士之大人, 亦累來見, 而每每卽還, 心常薪悵, 故以肉斤送之.

1802년 7월 29일. 임생원을 시켜 신구의 현판을 채색하고 그림으로 모란 화엽을 그려내게 하니, 곧 남호곡의 사율시이다. 나 또한 차운한 시를 현판에 새기게 했는데, 다만 분칠만 하고 운각의 채색은 꾸미지 않았다. 또 당호인 '묵헌(黙軒)' 2자를 깎아내고, 대략 운문을 그리니, 볼 때마다 더욱 기특하다. 대개 임노인이 그림 그리는 일을 잘하였기 때문이다.

二十九日. 使任生員, 粧采新舊懸板, 而畵出牧丹花葉, 卽南壺谷四律

---

100) 숙불환생(熟不還生) : 한번 익힌 음식은 날것으로 되돌릴 수 없으니 그대로 두면 쓸모없어진다는 뜻으로, 장만한 음식을 남에게 권할 때 쓰는 말이다.

也. 余亦以所次之律, 刻出于板, 只爲塡粉而不飾雲脚之采. 又刊成堂號
黙軒二字, 略畵雲文, 看看愈奇. 蓋其任老之繪事, 善且巧矣.

1802년 7월 30일. 오후에 출발하여 본부에 이르렀는데, 겨우
관문을 나오자 빗방울이 떨어지기 시작했고, 5리쯤에 이르렀을 때
는 큰비가 퍼붓듯이 쏟아졌기 때문에 비옷을 입고 본읍에 이르렀
었다. 그런데 날이 저물도록 그치지 않아서 곧바로 동헌으로 들어
가 신부사 박효진과 수작을 하였는데, 일찍이 친하게 지낸 사람이
아니라 할지라도 언어가 은근할 뿐만 아니라 기타 접대하는 일에
정성을 다하니, 과연 행세를 잘하는 사람이라고 말할 수 있다.

　三十日. 午後發至本府, 而纔出官門, 雨鈴亂下, 至五里許大霈如注,
故着雨具及至本邑. 終暮不霽, 直入東軒, 與新府使朴孝晉, 相爲酬酢,
而曾雖未親, 非但言語之殷勤, 其他接待之節, 曲盡其誠, 可謂善於行世
者矣.

1802년 8월 1일. 기해일. 밤 4경 1점에 먼저 천담복을 입고 엎
드려 곡하며 사배를 한 후에 개복청으로 나와서 흑색 관대로 갈아
입고 엎드려 곡하며 사배를 하였고, 예를 마친 후에 관사로 나와
잠깐 얼핏잠을 자고 나니 날이 이미 밝았다. 식후에 장차 본관과
작별을 하려고 들어갔더니 순영에서 관문이 왔는데, 예조의 관사
(關辭, 관문의 내용)를 행관(行關, 공문을 보내는 일)한 것으로, 관
문의 내용은 '대왕대비전의 하교에 8월 초하룻날의 일식재계(日食
齋戒)가 국상과 상치되니, 담사(禫事)101)는 초3일로 퇴행한다'는 것
이었다. 그러나 관문을 보기 전에 예를 이미 행하였고 옷도 바꾸어
입었으니, 때가 늦었다는 탄식을 면할 수 없다. 비록 매우 황송할

---

101) 담사(禫事) : 대상(大祥)을 지낸 그 다음 다음달에 지내는 제사. 담
　　제(禫祭).

지라도 어쩔 것인가? 주관과 상의하여 이것을 어찌할 것이냐고 하니 답하길, "옷을 갈아입고 예를 행한 후에 이 관문을 본 것으로, 만약 또 초3일에 예를 행하게 된다면 다만 담례를 거듭 행하는 것일 뿐만 아니라 이미 흑관대를 착용하고 예를 행한 후에 또 천담복을 입는 것이니, 선후가 뒤집힌 것이라서 편안치 못함에 가깝습니다. 그러니 관문의 내용대로 거행할 수 없습니다."라고 했다. 나 또한 말하길, "집사의 말이 정히 저의 소견과 같습니다."라고 하고, 곧 출발하여 본우(本郵)에 도착하였다. 본우에는 이날 유시에 퇴정하라는 관문이 도착했다.

八月初一日. 己亥. 夜四更一点, 先着淺淡服, 俯伏哭四拜後, 出于改服廳, 改着黑冠帶, 俯伏哭四拜, 禮畢後出來于舍館, 少焉假寐, 日已明矣. 食後將與本官作別而入去, 則自巡營關文來到, 而以禮曹關辭行關, 而辭意, 則'大王大妃殿下敎內, 八月初一日, 日食齋戒, 相値國祥, 禫事退行于初三日云', 而未見關文之前, 禮已行矣, 服又改矣, 未免後時之歎, 雖切惶悚, 奈何? 與主官相議, 而此何以爲之乎云, 則答曰, "改服行禮之後, 見此關文, 若又行禮於初三日, 則非但禫禮之疊行, 旣着黑冠帶行禮之後, 又着淺淡服, 則先後倒錯, 近於未安, 不得依關辭擧行云." 余亦曰, "執事之言, 正如吾之所見矣." 即發到本郵. 本郵則是日酉時, 退定關文來到耳.

1802년 8월 2일. 추석 제수를 보내고, 겸하여 큰아버지 제사를 지낼 물건을 용반리 종형 집에 봉하였으며, 또 장례시 제수를 종형 상가에 보냈다. 건포 2접과 황촉 2쌍을 봉하여 사우의 추향제에 올리고, 그 나머지 종인들 집에는 각각 건포 5조각을 보냈다. 그 물종이 약소한 것을 보면 내 마음이 뜻하는 바와 위배되지만 이 역참의 잔약한 상황에서는 어쩌겠는가? 겸하여 각 집안에 서간을 부쳤다.

初二日. 送秋夕祭需, 而兼封伯考祭物于龍盤里從兄家, 又送葬時祭需于從兄喪家. 以乾脯二貼, 黃燭二雙, 封呈于祠宇之秋享, 其餘諸從家, 各送乾脯五條. 看其物種之些薄, 縱違余心之所意, 其如此郵之殘況何? 兼付各家書簡.

1802년 8월 3일. 임생원이 돌아간다고 고하기 때문에 그가 여러 날 동안 일한 노고를 생각하면 잘 대해주는 일이 없을 수 없어서 건포 10조각과 돈 3민을 주어 행중의 자료로 삼게 했다. 이날 느즈막에 어우가 넘어와서 잠시 막힌 회포를 펴고, 이어서 바둑을 두며 울적함을 깨뜨릴 수 있었는데, 성인이 말씀한 '아무것도 안 하는 것보다 낫다'는 것이 이것이다. 석사 김상묵이 또 함께 와서 얘기를 나누고 갔다.

初三日. 任生員告歸, 故念其累日揮采之勞, 不無互待之道, 以乾脯十條, 銅三緡, 聊爲行中之資. 是日晚後, 魚友越來, 暫敍阻懷, 仍與着博, 足以破泮寂, 聖人所謂猶賢乎已者此也. 金碩士相黙, 又爲偕到, 相晤而去.

1802년 8월 6일. 오늘 저리의 고목을 보니, 도정이 지난달 29일에 정행했고, 이때 이판 서매수와 병판 이조승이 맡았다고 한다. 이날 장흥과 무장 두 고을의 김생 두 사람이 산청 보소(譜所)로부터 찾아왔다가 갔다.

初六日. 卽見邸吏告目, 則都政定于去月二十九日, 而吏判徐邁修, 兵判李祖承云. 是日長興茂長兩邑金生二人, 自山淸譜所來見而去.

1802년 8월 8일. 진주병사 이문철의 답장편지가 왔는데 그 내용을 살펴보니 대부분 은근하고 잊지 못하는 뜻이 있다. 또 말하길, "종일 일이 없으니 과연 태평한 장군이라고 말할 수 있는데, 이것은 자신의 다행일 뿐만 아니라 곧 국가의 다행입니다."라고 했다. 어운루의 난간이 풍우가 스며든 것으로 인해 자못 썩은 곳이 있기 때문에 장인에게 명하여 수선하게 하고, 또 기둥과 들보가 색이 변한 곳을 덧칠하게 하였다.

初八日. 晉州兵使李文喆答書來到, 而審其辭意, 則多有慇懃未忘之意. 又曰, "終日無事, 可謂太平將軍, 此非但自家之幸, 乃國家之幸耳." 御雲樓欄軒, 爲風雨滲濕, 頗有朽傷處, 故命匠繕緝, 又加采於柱樑渝色處.

　1802년 8월 9일. 현산면 원호에 사는 족제와 교촌에 사는 족질 등 3명의 서간이 왔기 때문에 하예에게 이 편지가 어디에서 왔냐고 물어보니 대답하길, "편지를 전한 사람이 지금 관문 밖에 서 있습니다."라고 하기 때문에 들어오게 하여 그 얼굴을 보니 전날에 알던 사람이 아니었다. 그 사는 곳을 물어보니, 지금 진도 석현리에 살고 있으며 성명은 김석유(金錫裕)라고 했다. 그의 말에 '끌고 온 좋은 말 1필이 있는데 걸음걸이를 보면 타고난 재목이다'고 하기 때문에 끌고 오게 해서 그 말과 걸음을 살펴보니, 비록 근근히 사용할만 하지만 말을 세워 둘 곳이 없을 뿐만 아니라 청촉(請囑)에 가까운 듯하여 물리치고 되돌려보냈다. 그러자 김생이 말하길, "주머니에 1전도 없으니 내려갈 방도가 없습니다."라고 하기 때문에 돈 2민을 주어서 보냈다. 그리고 족제의 편지에 답장을 하며 긴요하지 않은 말이라고 책망을 하였다. 또 함께 가서도 부쳤다.

　호남의 남원에 사는 김현도(金顯道)와 호서의 김규현(金奎鉉)씨가 산청보소에 있으면서 동보(同譜)하자는 뜻으로 무장 김생편을 통해 편지를 보내왔다. 때문에 서울에 사는 종인들도 합보를 한다면 나 또한 응하겠다는 것으로 편지를 써서 답장하였다.

　저번 날에 본우(本郵)의 유지(遺誌)를 들춰보니, 문곡 김수항과 호곡 남용익 두 선생의 제영이 있는데, 문곡의 현판시는 창취헌(蒼翠軒)에 있다. 창취헌은 전관 때 이미 화재가 있었기 때문에 현판도 모두 불에 타버렸다. 그래서 이곳에 와서 보니 다만 남은 것은 동헌의 터뿐이어서 비록 중건을 하고 싶어도 전년도에 이곳의 농사가 과연 전에 없던 큰 흉년이라고 말할 수 있어서 토목의 일을 일으키기 어려웠다. 그리고 터의 동쪽에 증심헌(證心軒)이 있는데, 증심헌은 병진년에 중창을 해서 비록 정사를 듣는 당이 될 수 있지만 당초에 이 헌을 설치한 본 뜻은 순사가 왕래할 때 연접(延接)하는 객사인 것이다. 장차 창취헌을 중건하고 싶고 겸하여 문곡의 현판도 바꾸고자 하지만 쉽게 수선하는 일은 재물이 있는 것만 한 것이 없는데 재물을 변통해낼 곳이 없으니, 이것을 장차 어찌하겠는가? 주야로 생각해보아도 아직 조처할 방도를 알지 못하겠다.

〈文谷四韻律〉 문곡의 사운시

聞君作客添詩興	듣자니 그대가 객이 되어 시흥을 더한데,
新構郵亭枕小塘	새로 지은 우정이 작은 못가에 있다네.
過臘嶺梅嵐早白	섣달 지낸 영매102)엔 조백이 아른거리고,
近春溪柳弄輕黃	봄이 가까운 계류엔 연노랑 색 희롱하네
簾間拄笏山光滴	주렴 사이의 주홀103)엔 산빛이 방울지고,
竹裡傳盃酒氣香	대나무 속의 전배엔 술의 기운 향기롭네.
猶憶故人千里外	오히려 친구가 천리 밖에 있는 것 생각하고,
直廬寒月夢南鄉	직려에서 차가운 달과 함께 남쪽 고향 꿈꾸리.

初九日. 族弟縣山院湖, 及族侄校村, 三人書簡來到, 故問下隷以此簡之自何來, 則對曰, "傳札之人, 方立官門之外云." 故使之入來見其面, 則非前日所識之人也. 問其居何, 則答以時居珍島石峴里, 而姓名則金錫裕云. 言曰'牽來好馬一匹, 而步則天才云', 故使爲牽來, 看其馬與步, 則雖可僅用, 而非但無立馬之資, 似近請囑, 故退却而還送, 則金生曰, "囊乏

---

102) 영매(嶺梅) : 기후의 차이에 따라 남쪽과 북쪽의 개화(開花) 시기가 다르다는 대유령(大庾嶺)의 매화를 말한다.

103) 주홀(拄笏) : 진(晉)나라 왕희지(王羲之)가 업무를 보라는 상관의 말에 대꾸도 않은 채 수판(手板), 즉 홀(笏)로 턱을 괴고서, "서산에 아침이 오니, 상쾌한 기운이 이는구나." 한 데서 온 말로 한가로운 관직 생활을 뜻한다. 『世說新語 簡傲』

一錢, 元無下去之道云." 故給送二緡銅, 而答族弟之書, 責以不緊之語.
又同付家書. 湖南南原居金顯道, 湖西金奎鉉甫, 在於山淸譜所, 以同譜
之意, 因茂長金生便送書, 故以京居諸宗若合譜, 則余亦應擧之由, 修書
而答之. 曩日披覽本郵遺誌, 則有金文谷壽恒南壺谷龍翼, 兩先生題詠,
而文谷懸板律, 則在於蒼翠軒, 蒼翠軒, 則前官時已爲回祿之災, 故懸板
俱爲灰燼, 而來此見之, 則只餘東軒之址, 雖欲重建, 前年此處之農形,
可謂無前大歉, 難可興作土木之役, 而址之東有證心軒, 證心軒則丙辰重
創, 雖足爲聽政之堂, 當初設置此軒之本意, 則巡使往來時, 延接之客舍
也. 將欲重建蒼翠軒, 兼改文谷之懸板, 易營繕之事, 莫如有財, 財之辦
出計無所劃, 此將奈何? 晝夜思量, 姑未知措處之方矣.

　文谷四韻律. 聞君作客添詩興, 新構郵亭枕小塘. 過臘嶺梅嵐早白, 近
春溪柳弄輕黃. 簾間挂笏山光滴, 竹裡傳盃酒氣香. 猶憶故人千里外,
直廬寒月夢南鄕.

1802년 8월 12일. 석사 민치대가 찾아왔는데, 그때 운봉현에
사는 김생도 함께 와서 잠시동안 얘기를 나누고 그날로 돌아갔다.
이날 저녁때 소나기가 잠깐 내렸고, 밤중에도 또 비가 내렸다. 이
은 비록 바라지 않았는데 내린 비일지라도 또한 곡식에는 많이 유
리할 것이다.

　十二日. 閔碩士致大來見, 而其時與雲峯縣金生偕到, 暫爲相唔, 卽日
還去. 是日夕時, 驟雨乍下, 至夜又雨. 此雖非望霓而得霈, 亦多有利於
穀矣.

1802년 8월 13일. 종일 구름끼고 흐렸다.
　十三日. 終日雲陰.

1802년 8월 14일. 오후에 본부로 달려가니, 주관은 통영(統營)
에 가서 아직 돌아오지 않았다고 하기 때문에 곧바로 연청으로 가

서 하리에게 물어보니 오늘은 행차를 안할 것 같다고 하였다. 홀로 빈 대청에 앉아있자니 무료하였다. 황혼 무렵에 하예가 와서 고하길 본부사가 돌아왔다고 하기 때문에 하예를 시켜 전갈을 하게 하니 답하길, "중도에서 갑자기 또 낙마를 하였는데 일전에 낙상한 병이 다시 더해져서 어렵사리 말에 실려 들어왔습니다."라고 했다. 이날 밤에 또 비가 내리기 시작하여 새벽이 되어도 그치지 않았다. 평명이 되었을 때 비를 가릴 도구를 설치하라고 명하였다.

　十四日. 午後馳到本府, 則主官往統營, 尙未還云, 故直至椽廳, 問于下吏, 則今日似未行次云. 獨坐空廳, 無以自遣矣. 黃昏時下隸來告曰, 本府使還官云, 故使隸傳喝, 則答云, 中路忽又落馬, 更添日前落傷之病, 艱關駄馬入來云. 是夜又雨, 至曉不止. 平明命設蔽雨之具.

　1802년 8월 15일. 오늘은 추석날이다. 흑관대를 착용하고 객사로 들어가서 배례를 할 때 음악을 연주하길 평상시와 같이 하였고, 좌우의 의장 등물 또한 새로운 색깔로 물을 들였는데, 음악을 듣고 색을 보니, 더욱 서글픈 마음이 간절했다. 예를 마친 후에 관사로 나와서 근심스레 앉아서 객중에서 가절을 보내는 것을 가만히 생각하고 있자니 상로지감(霜露之感)[104]이 배나 더했다. 식후에 주관과 작별을 할 때 역민과 한정(閑丁, 국역에 나가지 않는 장정)의 폐단을 성대히 말하니 주관이 답하길, "어찌 역민(驛民)으로 하여금 원포(俱布)의 역까지 담당하게 할 수 있겠습니까? 마땅히 탈을 면할 방도를 찾도록 하겠습니다."라고 했다. 말을 마친 후에 출발하여 본역까지 20리를 오니, 가는 비가 부슬부슬 바람에 비끼며 내렸다. 이날은 곧 명절인데 마당에는 진흙이 있기 때문에 하인을 사관(仕官)하고 점고하는 등의 예는 모두 제하였다. 지난달 29일에

---

104)　상로지감(霜露之感) : 돌아가신 부모나 선조를 서글피 사모함을 이른다. 『예기』 제의(祭義)에 가을 제사 때에 "서리나 이슬이 내리면 군자가 이것을 밟고 반드시 서글퍼지는 마음이 있으니, 이는 추워서 그러한 것이 아니다." 하였다.

시행한 도목정사를 보니, 재종제가 전적의 말망에 들었으나 견복이 되지 못했다. 여관에서 떠도는 생활을 반드시 견디기 어려울 것이니, 운수가 때에 미치지 못해서 그런 것이 아니겠는가? 대개 관직을 얻고 잃는 것은 마음에 담아둘 것은 못 되지만, 천 리 먼 곳에 나와 있는 사람에게는 몸에 하찮은 녹봉이라도 없다면 그 목숨을 보존하기 어려우니, 이것이 염려되는 일이다. 승지 박길원이 안악군수의 수망에 들어 낙점을 입고 외직에 제수되었는데, 이것은 비록 좌천이라고 할지라도 그의 가세가 빈한한 것을 생각하면 또한 다행이라고 할만하다.

十五日. 卽秋夕也. 着黑冠帶, 入于客舍, 拜禮時作樂如常, 左右儀仗等物, 亦染新色, 聞樂觀色釆切愴感之情. 禮畢後出來舍館, 悄然而坐, 默想客中之佳節, 益倍霜露之感. 食後, 與主官作別時, 盛言驛民閑丁之弊, 則主官答曰, "何可使驛民當倶布之役乎? 卽當爲免頉之道云." 言訖後離發, 至本譯二十里, 則細雨絲絲, 斜風而來矣. 是日卽名節, 而庭有濕泥, 故下人之仕官與點考等諸禮, 一幷除之. 得見去月念九日都目, 則再從弟入於典籍末望, 而未得甄復, 旅館棲屑, 想必難耐, 無乃數未及時而然歟! 蓋官之得失, 不足關念於心, 而其於千里遠游者, 身無斗祿, 則難保其軀命, 是可爲悶慮事也. 朴承旨吉源, 以安岳郡守首望, 蒙点除外, 此雖左遷, 言念其家勢之懸磬, 亦云幸矣.

1802년 8월 18일. 황혼 무렵에 종이 돌아와서 본제의 편지를 납부하기 때문에 어찌하여 기한이 지나 이제야 돌아오게 되었느냐고 묻자 대답하길, "도중에 갑자기 큰 비를 만나고 장흥 읍앞의 냇물을 건널 수 없어서 12일에야 겨우 본댁에 도착하였고, 14일에 출발하여 급하게 대령하게 되었습니다."라고 했다. 만약 과연 비에 막혔다면 일자가 늦어진 일은 반드시 그럴만한 것이다. 손을 바삐 하여 봉투를 열고 그 내용을 살펴보니, 집사람은 본병이 다시 재발하여 차도가 없고, 손자는 복학이 아직도 아무 효과가 없다고 한다. 이 무슨 조손 두 사람의 병이 이처럼 지루하단 말인가? 답답하고 걱정스럽다. 종인들의 답장편지도 왔는데 모두 평안하다고 한다.

十八日. 黃昏時夫奴回還來, 納本第書, 故問何以過限而今始回來, 則對曰, "中路忽逢大雨, 未得渡長興邑前之川, 十二日纔到本宅, 十四日發行急待云." 若果阻雨, 則日子之稽緩事, 必似然矣. 忙手開緘, 審其辭意, 則室內之本病復發未差, 孫兒之腹瘧尙爾無效云. 是何祖孫之兩病, 若此支離耶? 悶慮悶慮. 諸從答簡亦來, 而俱平安云耳.

1802년 8월 20일. 오늘은 나의 생일날이다. 낳아주시고 길러주신 부모님의 은덕을 가만히 생각하니, 배나 서글픔이 더해서 근심스레 앉아있었다. 날이 저물 때 이방이 술상을 내왔는데 과연 성찬이라고 말할만하였다. 얼마 안 있어 작청의 아전들도 또 술상을 내왔는데, 잘 차린 음식물이 처음 것보다 내려가지 않았다. 오후에는 관하의 노리들이 또 술상을 내왔으니, 하루에 3번이나 내는 것이 이 관직에 비해 너무 지나친 것은 아닌 것인가? 물리고 하속들에게 나누어주었다. 아들의 앞에 내온 상도 3차례로, 나와 같았다. 종일 배불리 취하니 슬픔과 기쁨이 교차하였다. 이날 거제도에 사는 사인 김규환과 기환 종형제가 백대의 정의로 찾아왔는데, 규환 씨는 전이 이미 여러 번 왔었다. 그런데 애석하게도 술상을 물린 후 갑자기 찾아왔기에 함께 들 수 없었으니, 도리어 때가 늦었다는 한탄이 간절했다. 속어에 한 번 배불리 먹는 것에도 운수가 있다는 말이 진정 이것을 말한 것이다. 본우에서 연례납으로 경기도 고마청(雇馬廳)에 입거목전(入居木錢)을 보내는데, 그편에 재종제에게 편지를 써서 부치고 겸하여 약간의 물건도 부쳐서 여관에서 급한 일에 쓰도록 하였다. 벗 이경중에게는 또 종이 묶음과 편지지와 미역 등을 보냈는데, 이 사람은 곧 동향 사람으로, 이때 신문 밖의 유동(鍮洞)에 살고있는 자이다. 저번에 잠시 그 집에 머물렀기 때문에 향리의 정의가 있을 뿐만 아니라 옛날 주객의 정이 없을 수 없어서 그런 것이다. 또 조세웅과 박희관의 집에도 신발과 미역으로 위문을 하고, 식주인인 안동지 집에도 또 돈 20민과 미역 4단을 보냈는데, 이전에 신영(新迎)으로 내려올 때 준 물건이 비록 이보다 배는 되지만 그가 나에게 정성스레 대한 은혜를 논한다면 사소한 행하의 돈으로는 그 내외 주인의 정을 다 갚기 어렵다. 본우에 도임한 것이 지난해 금월 15일에 있었는데, 그때 이날에도 이미 하속들이 성찬의 다담상을 내왔기 때문에 관도 보답하는 일이 없을수 없어서 대략 주찬을 갖추어서 주었다. 금년 금일은 생각기에 반드시 전년의 관례가 있을 것이기 때문에 미리 술을 빚고 반찬을 준비하여 각방의 하인과 노리들에게 나누어 주었으니, 이 또한 상하가 함께 즐기는 일로, 무슨 해가 되겠는가? 오늘 영주인의 고목을 보았는데, 순사가 오는 24일에 순행을 출발하여 같은 달 29일에 감영으로 돌아온다고 하였다.

二十日. 卽余之生辰也. 默想劬勞之恩, 倍增感愴, 悄然而坐矣. 日晚, 吏房備進盃盤, 可謂盛饌, 俄爾作廳諸吏, 又進盃盤, 而盛備之物, 不下於初. 午後館下老吏等, 亦進盃盤, 一日三進, 比諸此官無已太過乎? 退而分饋于下屬. 家兒之前所進之盤, 三次亦然, 終日醉飽, 悲喜交切. 是日巨濟居士人金奎煥驥煥從兄弟, 以百代之誼來見, 而奎煥甫則前此已累到矣, 惜乎退盤之後, 忽爾來到, 未得共flush 旋切後時之歎. 俗所謂一飽食有數, 正謂此也. 自本郵治送年例納入居木錢于京畿雇馬廳, 而其便修書于再從弟兼付如干物, 以爲旅館救急之資. 李友敬仲許, 又送紙束簡幅甘藿等物, 此人卽同鄕之人, 而時居于新門外鑄洞者也. 曩時暫留于其家, 故非但有鄕里之誼, 不無舊時主客之情而然也. 且曺世雄與朴喜寬, 以鞋藿問之, 食主人安同知家, 亦送銅二十緝藿四丹, 而前此新迎下來之時, 所給之物, 雖倍於此, 若論其於我款待之恩, 則難可以些少行下之錢貫, 盡償其內外主人之情矣. 本郵到任, 在於去年今月十五日, 而其時此日已有下屬之盛進茶啖床, 故官亦不無報下之道, 略具酒饌以饋之矣. 今年今

日, 想必有前年之例, 故預爲釀酒備饌, 分饋于各房下人及老吏輩, 是亦
上下同樂之事, 庸何傷乎? 卽見營主人告目, 則巡使今念四發在巡, 同月
念九還營云.

1802년 8월 21일. 거제도의 김생 두 사람이 절을 하고 갔다.
二十一日. 巨濟金生兩人, 拜辭而去.

1802년 8월 22일. 흐리고 빗방울이 혹 떨어지다가 곧 그쳤다.
二十二日. 陰雨鈴或下而旋止.

1802년 8월 24일. 각역의 말과 역졸의 복색을 점고하였는데,
점할만한 자는 점하고 물리칠만한 자는 물리쳤다. 정오에 파하였
다.
二十四日. 點考各驛馬及驛卒服色, 可点者点之, 可退者退之. 日午而
罷.

1802년 8월 25일. 통영 행을 출발한 것은 장차 목재를 얻어서
동헌을 중건하려고 그런 것이다. 행차가 근주역까지 30리를 가서
점심을 먹고, 오후에 안저점까지 50리를 가서 유숙했다.
二十五日. 離發統營行者, 將欲得材木重建東軒而然也. 行至近珠驛三
十里中火, 午後至岸底店五十里留宿.

1802년 8월 26일. 평명에 출발하여 고성 읍내까지 50리를 가서
잠시 주점에서 쉬고, 하예를 시켜 주관인 민종혁(閔宗赫)에게 전갈
을 하게 하니, 관청에서 공궤를 내왔다. 만약 동헌에 들어간다면
반드시 지체될 것이고 그러면 통영에 도착할 수 없기 때문이다. 오
후에 출발하여 통영까지 40리를 가니, 날이 이미 저녁 다듬이질할
때였다. 사모관대를 착용하고 세병관에서 연명을 하였으며, 예를

마친 후에 들어가서 통사(統使) 이윤겸(李潤謙)을 보니, 그의 말에 "길이 이미 가깝지 않은 데다 고개도 매우 험한데, 어찌하여 먼 곳에서 나를 보러 온 것이오?"라고 하여 내가 답하길 "하관이 상사를 뵙는 것은 진실로 예입니다. 또 하고 싶은 말이 있어서 온 것은 대개 본역의 정당이 지난해 3월 전관 때 불에 타버렸는데 아직까지 개건을 못한 것은 지난 가을에 본우의 농사가 흉년을 면치 못하여 토목의 일을 일으키기 어려웠기 때문에 이제야 비로소 이곳에 와서 재목을 구하는 것입니다."라고 하니, 통사가 말하길, "읍이나 역의 정당(政堂)은 특별히 다른 것이 없고, 또 다른 공청과는 자별하니 세우지 않을 수 없습니다만, 제가 만약 독단으로 허락한다면 스스로 멋대로 허락했다는 혐의에 가까우니, 원컨대 이런 이유로 순사에게 직접 아뢰어서 한마디 말의 중함을 얻는다면 마땅히 보고한 대로 시행할 것입니다."라고 하기 때문에 나는 그렇지 않다는 뜻으로 잔다하게 해명하였지만 끝내 내켜하지 않고 미루기 때문에 하루 머물러 다시 청해보았다. 그러나 처음과 같이 고집하니, 이는 곧 무인이 머리도 두려워하고 꼬리도 두려워하는[105] 일인지라, 비록 관례라고는 하지만 내가 힘써 청한 나머지이니, 어찌 무색한 뜻이 없을 수 있을 것인가?

二十六日. 平明離發, 至固城邑內五十里, 暫憩于酒店, 使下隷傳喝于主官閔宗赫, 則自官廳進供饌, 若入去東軒, 則似必遲滯, 未得達統營故也. 午後離發, 至統營四十里, 則日已夕砧之時矣. 着帽帶, 延命于洗兵館, 禮畢後入見統使李潤謙, 則言曰, "路已不近, 嶺又多險, 何以遠來見我耶?" 余答曰, "下官之見於上使, 固其禮也. 且有所欲言而來者, 蓋本

---

105) 머리도……두려워하는 : 원문의 '외수외미(畏首畏尾)'는 『춘추좌씨전(春秋左氏傳)』 문공(文公) 17년 조의 "머리도 두려워하고 꼬리도 두려워한다면 몸 가운데 두려워하지 않는 부분이 얼마나 되겠는가.[畏首畏尾, 身其餘幾]"라는 대목에 나오는 말이다. 『회남자(淮南子)』에도 이 말이 나오는데 주석을 낸 고유(高誘)는 외수외미를 '항상 두려워한다'는 의미로 풀이하였다.

驛政堂之燒火在於去年三月前官時, 而尙未改建者, 前秋本郵之農形, 未免大歉, 難興土木之役, 故今始來此求材云." 則統使曰, "邑驛政堂, 別無異同, 且與他公廳自別, 不可不建, 而我若獨斷許施, 則近於自專擅許之嫌, 願以此由面稟巡使, 得一言之重, 則卽當依所報施行云." 故余以不然之意, 縷縷開釋, 而終始靳持, 故留一日更請, 而仍執如初, 此乃武夫畏首畏尾之事, 雖是例也, 而於余力請之餘, 豈可無無色之意乎?

1802년 8월 28일. 길을 출발하였는데 중도에서 비를 만나 간신히 고성까지 40리를 가서 유숙하였으며, 조석 공궤는 주관이 담당했다.

二十八日. 離發而中路遇雨, 艱到固城四十里留宿, 而朝夕供饋則主官當之.

1802년 8월 29일. 길을 출발하여 배둔역까지 30리를 가서 점심을 먹고, 오후에 진해까지 30리를 가니, 해가 아직 저물지 않았다. 그리고 주관 정계주(鄭繼周)는 곧 영암 옥천면 사람인데, 각 고을이 앞바다에서 습조(習操)[106]하는 일 때문에 나가서 아직 돌아오지 않았다. 내가 이미 이 고을에 들어온 이상 상면하지 않을 수 없기 때문에 머물러 유숙하면서 상면하고 고향 일을 토로하였다. 또 그의 둘째형 계환(繼煥)과 보성의 선달 김시복(金時福)이 와서 관아에서 머물고 있었기 때문에 더불어 얘기를 나누니, 이 또한 타향에서의 한 가지 기쁜 일이다.

二十九日. 離發至背屯驛三十里中火, 午後至鎭海三十里, 則日猶未暮, 而主官鄭繼周, 卽靈巖玉泉面所居之人也. 以各邑前洋習藻事, 出去未還. 余旣入此邑, 不可不面, 故仍爲留宿, 相面吐鄕事. 且有其仲氏繼煥, 寶城金先達時福, 來留衙中, 故與之共話, 是亦他鄕之一喜事也.

---

106) 습조(習操) : 군졸과 지휘관을 포함한 모든 인원이 모여 진법(陣法)이나 총포 쏘기 등을 조련하는 총체적인 군사 훈련을 말한다.

1802년 8월 30일. 길을 출발하여 창원까지 50리를 와서 유숙한 것은 다음날 망하례에 참여하고자 해서이다.

三十日. 離發至昌原五十里留宿者, 欲參於來明望賀禮故也.

1802년 9월 1일. 기사일. 새벽에 일어나 세수를 한 후 흑단령을 입고 주관과 함께 객사로 나아가 전후로 두 번 사배를 하고, 예를 마친 후에 나왔다. 식후에 본역까지 20리를 와서 각색 하인과 외역 도장배들을 점고하였다. 본현의 읍내 사람인 김철득(金哲得)이 갑자기 와서 안부를 물음에 따라 가서를 받아보았는데, 집사람의 본증이 다시 재발하였고 손자의 복학도 비록 차도가 있긴 하지만 이질로 다시 아프다고 하니, 매우 걱정스럽다.

九月大初一日. 己巳. 曉起盥洗, 着黑團領, 與主官進詣客舍, 前後再四拜, 禮畢後出來. 食後到本驛二十里, 點考各色下人及外驛都長輩. 本縣邑內人金哲得, 忽來問安, 而得見家書, 則室內本症復發, 孫兒腹瘧, 雖差而以痢疾更痛云, 悶慮悶慮.

1802년 9월 3일. 철득이 가는 편에 집에 답장편지를 부쳐 보내고, 또 돈과 어곽 등의 물건을 그 사람에게 내주었다. 그 사람은 곧 내가 신은(新恩) 때 데리고 온 재인이다. 이날 황혼 무렵에 순사가 우도를 순찰하면서 먼저 글을 보내왔는데, 16일에 창원에서 묵는다고 하였다.

初三日. 喆得漢去便, 付送答家書, 且以錢貫魚藿等物, 出給厥漢. 厥漢卽余之新恩時所率之才人也. 是日黃昏時, 巡使右巡, 先文來到, 而十六日宿所于昌原云.

1802년 9월 5일. 오늘 순영 영리의 사통(私通)을 보았는데, 사또가 병환으로 아직 우도 순찰을 나가지 못했다고 하였다. 이날 석사 윤지각(尹之覺)과 석사 강묵회(姜默會) 두 사람이 찾아왔기 때문에 그가 누구 집안의 족인인지를 물어보니, 윤씨는 병계 윤봉구의 방손이라고 말하고, 강씨는 그 선조의 양대가 미호 문하에서 노닐었으며 그의 조부는 사마가 되어 재랑을 겸했다고 말하였다. 애석하게도 칠원에 살고 있다.

初五日. 卽見巡營營吏私通, 則使道以患候姑未發右巡云. 是日尹碩士之覺姜碩士默會, 兩生來見, 故問其爲誰家之族, 則尹曰屛溪鳳九之傍孫, 而姜曰其先祖兩代遊于渼湖門下, 而其祖父爲司馬兼齋郎云, 可惜其居於漆原縣矣.

1802년 9월 6일. 순영 주인이 와서 고하길, "사또께서 추고(推考)의 일로 순찰을 철회했습니다."라고 하였다. 읍이나 역에서는 폐단이 제거되지 않음이 없고, 나의 일에 있어서도 또한 다행함이 있다. 이날 약간의 짐을 보내고 겸하여 가서를 부쳤다.

初六日. 巡營主人來謁而告曰, "使道以推考事, 撤巡云." 其於邑驛不無除弊, 而於余之事, 亦有幸耳. 是日送如干卜物, 而兼付家書.

1802년 9월 7일. 부연마(赴燕馬)가 상경하는 편에 삼청동의 영상댁에 위장(慰狀)을 보냈고, 또 각처에 편지를 썼다. 그러나 역참의 정황이 매우 잔약하여 편지와 함께 보내는 물건이 매우 야박하니, 도리어 마음에 부끄럽다. 보성의 진사 염상오(厭相五)가 울산 관아에 갔다가 돌아오는 길에 들렀다 갔다.

初七日. 赴燕馬上京便, 修送慰狀于三淸洞領相宅, 而又修書于各處, 然而郵況甚殘, 伴簡些薄, 旋爲自愧於心矣. 寶城厭進士相五, 往蔚山衙中, 而回路歷訪而去.

1802년 9월 9일. 재목을 청하는 일과 휴가를 얻는 일 두 건의 일로 순영 행을 출발하여 반월점까지 30리를 가서 점심을 먹고, 오후에는 영산의 심천점까지 30리를 가니, 날이 아직 저물지 않았는데 하예가 와서 고하길, "만약 읍내에 도착하여 유숙하게 된다면 말을 먹이는 일이 반드시 이곳에서 풀이 많아 잘 먹이는 것과는 같지 않을 것입니다."라고 하기 때문에 그대로 유숙했다.

初九日. 以請材得由兩件事, 離發巡營行, 而至半月店三十里中火, 午後至靈山深川店三十里, 則日猶未暮, 而下隷來告曰, "若到邑內留宿, 則喂馬之節, 必不如此處之多草善喂云." 故仍爲留宿.

1802년 9월 10일. 새벽에 닭이 세 번을 운 후에 출발하여 죽현점까지 60리를 가서 점심을 먹고, 오후에는 화원창까지 50리를 가서 유숙했다.

初十日. 曉鷄三唱後離發, 至竹峴店六十里中火, 午後至花園倉五十里留宿.

1802년 9월 11일. 평명에 출발하여 감영까지 30리를 가니, 아침이 아직 밥먹을 때도 되지 않았다. 달려가서 진장(進狀)을 올리려고 했지만 순사가 병환으로 아직 빗질도 하지 않았다고 하기 때문에 진장을 올리지 못하고 종일토록 체류하였고, 다음 날도 또 이러했다.

十一日. 平明離發, 至監營三十里, 則朝尙未飯之時矣. 欲呈馳進狀, 則巡使以薪憂, 尙不梳洗云, 故未得呈進狀, 終日滯留, 翌日又如是.

1802년 9월 13일. 식후에 비로소 순사에게 들어가서 뵙고, 생각하고 있는 두 건의 일을 직접 진달하자, 순사가 말하길, "대저 영건하는 일은 반드시 먼저 들어갈 재력을 구획한 연후에 이룰 수 있는 것이오. 지금 보장(報狀)을 올리지 말고 직차(職次)로 내려간 뒤 그 물력(物力)을 헤아려서 어떤 모양으로 구획하겠다는 방안을 가지고 보장을 만들어서 올려보낸다면, 마땅히 통영에 이문을 하여 시행을 허락하고, 낙급(烙給, 낙인을 찍어 표시하여 줌)해주도록 할 것이오. 그리고 또 자녀가 성혼할 때 휴가는 법전에 밝게 실려 있으니, 어찌 허락하지 않을 수 있겠소? 청한 대로 시행하시오."라고 하기 때문에 곧바로 절을 하고 나왔으며, 휴가와 보장을 올릴 때는 날이 이미 저물었다. 곧바로 출발하여 화원점까지 30리를 가서 점심을 먹고, 출발하여 죽현점까지 50리를 가니, 밤이 거의 경루(更漏)가 처음 떨어질 때였다. 유숙하려는데, 새벽닭이 처음 울 때이고, 달은 아직 서쪽으로 기울지를 않았다.

十三日. 食後始乃入見于巡使, 以所懷兩件事面陳, 則巡使言曰, "大抵營建之事, 必先區處所入之財力, 然後可以成之. 今勿呈報狀, 下去職次, 量其物力, 以某樣區畫之方, 成報狀上送, 則當移文于統營, 許施烙給之道云. 而且子女成婚之由, 則法典昭然, 安可不許? 依所請施行云." 故卽爲拜辭出來, 呈由狀時, 則日已晩矣. 卽發至花園店三十里中火, 離發至竹峴店五十里, 則夜幾更漏初下之時矣. 留宿而曉鷄初鳴, 月未西傾.

1802년 9월 14일. 꼭두새벽에 횃불을 들고 영산의 심천점까지 60리를 가니, 겨우 조반 먹을 때를 지났을 때였다. 점심을 먹은 후에 30리를 가니, 이방이 길가에 와서 기다리고 있었고, 이어서 서울 건량청(乾粮廳)[107]에 보낼 보장을 내기 때문에 싸인하고 관인을 찍어서 보냈다. 곧바로 출발하여 갈전의 김생원 집에 도착하니, 내가 들릴 것을 알고 있었다. 매양 반드시 미리 기다리고 있다가 곧바로 감주와 물고기회 및 과일 등을 내오기 때문에 조금 먹은 후에 하속들에게 내주고 곧 출발하여 본역까지 20리를 오니, 날이 이미 저물었다.

十四日. 凌晨持炬, 至靈山深川店六十里, 則纔過朝飯時矣. 中火後發至三十里, 則吏房來候于路傍, 仍進送京乾粮廳報狀, 故着署踏印而送之,

---

107) 건량청(乾粮廳) : 사신의 양식을 맡은 관아이다.

卽發至葛田金生員家, 則知余之歷訪. 每必預候之, 俄進甘酒魚膾, 實菓
等物, 故少喫後出給下屬, 卽發至本驛二十里, 則日已暮矣.

1802년 9월 19일. 아들을 먼저 보내고, 생각기에 같은 날 출발
하려고 하였는데, 오늘 순사가 순찰을 떠나면서 먼저 보낸 글을 보
니, 22일에 감영을 출발한다고 하기 때문에 출발을 하지 못했다.

十九日. 送家兒而意欲同日發行矣, 卽見巡使之發巡先文, 則念二日離
發于監營云故.

1802년 9월 23일. 말을 달려 밀양의 수안역까지 30리를 가서
유숙했다.

二十三日. 馳到于密陽遂安驛三十里留宿而.

1802년 9월 24일. 순사가 밀양으로부터 출발하여 수안에서 점
심을 먹기 때문에 들어가 뵌 후 먼저 손진두에 나아가 본역 사람
들을 신칙하여 기다리고 있게 했다. 얼마 안 있어 순사가 당도하기
때문에 인마를 분부하여 연봉(延逢)을 담당하게 하고, 나는 순사의
뒤를 따라 배행하였다. 행차가 20여 리를 갔을 때 날이 이미 황혼
이 되자, 길가에 횃불을 밝힌 것이 15리나 뻗어있었다. 본부에서
유숙했다.

二十四日. 巡使自密陽中火于遂安, 故入見後, 先詣孫津頭, 申飭本驛
人, 以待之矣. 俄爾巡使來到, 故分付人馬當其延逢, 而余則隨後陪行.
行到二十餘里, 日已黃昏, 路傍明炬亘立十五里矣. 留宿于本府而.

1802년 9월 25일. 그리고 아침에 들어가서 순사를 뵈니, 순사
가 말하길, "말을 달려 전참(前站)까지 온 것, 이것도 폐가 있는 것
이니, 이후에는 나오지 마시오."라고 하기 때문에 곧 인사를 한 후
에 잠깐 본관과 수작을 할 때 '금번 연봉할 때 역의 인마와 공궤

하는 등의 일은 본읍 부근에 있는 마을에서 나누어 담당하자'는 뜻을 신신당부하고, 곧바로 출발하여 본역에 도착하니, 서울 산의 봉원사(奉元寺)에 있는 대사 최린(最璘) 스님이 길가에서 알현을 하기 때문에 잠시 말을 세우고, 곧이어 노승이 어찌 먼 곳까지 왔는가를 물었다. 순사가 사율(四律)의 제영시를 보여주면서 말하길, "우리 선조이신 호곡의 현판 시가 또한 밀양 영남루에도 있기 때문에 지금 그 시에 차운하여 걸었으니, 바라건대 이 시에 차운하여 영남루에 걸어두게 베껴서 보내주시오."라고 하기 때문에 내가 답하길, "문장이 비록 짧고 졸렬할지라도 감히 명에 응하지 않겠습니까?"라고 했다.

〈巡使南樓懸板韻〉　순사가 남루 현판에 지은 시

禮車趁到菊花天	첨거로 도착하니 국화 피는 계절이라,
先輩風流百感前	선배의 풍류를 전보다 백배나 느끼네.
小子按藩來嶺外	소자가 순찰사 되어 영외에 오니,
彩樓無恙在江邊	채색된 누각이 탈 없이 강변에 있네.
南朝寺刹聞淸磬	남쪽 아침의 사찰에선 맑은 경쇠소리 들리고,
北極山川起遠烟	북쪽의 산천에선 저 멀리 연기 일어나네.
夜久不知簫鼓咽	밤새도록 어느 곳에선가 퉁소 소리 목메고,
畵船移近使君筵	화선 가까이 옮기니 사군의 자리로다.

〈謹次巡使南樓慕先韻〉　삼가 순사가 남루에서 선조를 사모한 시에 차운하다

福善元來必有天	원래 선한 자에게 복은 반드시 하늘 있음이라,
澄淸一道後承前	징청한 한 도를 후손이 앞을 이었네.
陽春重到甘棠下	양춘 때 거듭 감당나무 아래에 오니,
葵藿常傾瑞日邊	해바라기 꽃은 항상 태양을 향해 기울었네.
節駐南藩宣敎化	부절 들고 남쪽에 주둔하며 교화를 펼치니,

詩成孝感饒風煙　시는 효성을 이루고 풍연에 배불렀네.

憑欄黯黯想今古　난간에 기대어 희미하게 고금을 생각하니,

江水東流月滿筵　강물은 동쪽으로 흘러 달빛 자리에 가득하네.

저번에 순영에 도착했을 때 이미 혼사일로 휴가를 얻었었다.

二十五日. 朝入見巡使, 巡使曰, "馳進前站, 是亦有弊落, 後勿進云." 故仍爲拜辭後, 乍與本官酬酢之際, 以今番延逢時, 驛人馬供饋等節, 本邑附近村分當之意, 申申勤托, 卽發到本驛, 則京山奉元寺大師僧最璘, 來謁于路左, 故暫爲駐馬, 仍問老僧何以遠來耶？ 巡使出示四律題詠曰, "吾先祖壺谷懸板律詩, 亦在於密陽嶺南樓, 故今次其韻而揭之, 幸須次此韻懸于南樓而謄送云." 故余答曰, "文雖短拙, 敢不應命乎？"

巡使南樓懸板韻. 禮車趈到菊花天, 先輩風流百感前. 小子按藩來嶺外, 彩樓無恙在江邊. 南朝寺刹聞淸磬, 北極山川起遠烟. 夜久不知簫鼓咽, 畫船移近使君筵.

謹次巡使南樓慕先韻. 福善元來必有天, 澄淸一道後承前. 陽春重到甘棠下, 葵藿常傾瑞日邊. 節駐南藩宣敎化, 詩成孝感饒風煙. 憑欄黯黯想今古, 江水東流月滿筵.

向者到巡營時, 旣得婚由故.

1802년 9월 26일. 때문에 길을 떠나 본부까지 20리를 가서 주관 박효진과 잠깐 말을 한 후에 근주역까지 10리를 가서 점심을 먹고, 오후에 출발하여 춘곡역까지 50리를 가서 유숙했다.

二十六日. 離發至本府二十里, 與主官朴孝晉𪢮語後, 至近珠驛十里中火, 午後發至春谷驛五十里留宿.

1802년 9월 27일. 평명에 출발하여 주막까지 50리를 가서 점심을 먹고, 오후에는 소촌역까지 10리를 가서 그 주관이 있는지 없는지를 물어보니 하리가 대답하길, "순사또께서 오늘 진주에 도착

하시기 때문에 안전주(案前主)께서 행차하셨습니다."라고 하여 만날 수 없으니 한탄스럽다. 전날에 본부에서 병사와 함께 할 때 비록 들리겠다는 약속을 했을지라도 만약 진양에 도착한다면 순사가 떠나기 전에는 출발할 수 없을 것 같으니, 허투루 하루의 행차가 정지되기 때문에 곧바로 주막을 향해 20리를 가서 유숙했다.

二十七日. 平明離發, 至五十里酒幕中火, 午後至召村驛十里, 問其主官之有無, 則下吏對曰, "巡使道今日到于晉州, 故案前主行次云." 未得接晤, 可歎. 前日於本府與兵使, 雖有歷訪之約, 若到晉陽, 則巡使未發之前, 似不得離發, 空停一日之行, 故直向二十里酒幕留宿.

1802년 9월 28일. 미명에 출발하여 곤양의 봉계점까지 30리를 가서 점심을 먹고, 오후에 하동의 두치강 진두에 이르니, 해가 이미 서쪽으로 기울고 있었다. 머물만한 곳이 없기 때문에 광양의 신구영점까지 60리를 가서 유숙했는데, 횃불을 밝히고 간 것이 거의 20여 리나 된다.

二十八日. 未明離發, 至昆陽鳳溪店三十里中火, 午後至河東斗峙江津頭, 則日已西矣. 無可留之處, 故至光陽信九永店六十里留宿, 而明炬而行者, 幾至二十餘里矣.

1802년 9월 29일. 새벽에 출발하여 광양의 읍전점까지 40리를 가서 점심을 먹고, 오후에는 낙안의 향교촌점까지 50리를 가서 유숙했다.

二十九日. 曉發至光陽邑前店四十里中火, 午後至樂安鄉校村酒店五十里留宿.

1802년 9월 30일. 미명에 출발하여 보성까지 50리를 가서 점심을 먹고, 오후에는 장흥까지 30리를 가서 유숙했다.

三十日. 未明發至寶城五十里店中火, 午後至長興三十里店留宿.

1802년 10월 1일. 기해일. 새벽에 출발하여 강진 금천면 내동의 생원 최연흥(崔演興) 집에 이르렀는데, 그가 말하길, "저번에 금의환향을 하실 때 문전을 그냥 지나치고 들리지 않기 때문에 제 마음속으로 스스로 탄식하길 고시에서 말한 '언제 일찍이 포의에 대해 물은 적이 있는가'라는 것이 정히 이것과 똑같은 것이었습니다."라고 하기에 내가 웃으면서 답하길, "대개 귀하가 금천면에 있다는 것만 들었지 노변의 이 마을에 산다는 것은 알지 못했소. 이제야 들어서 알게 되었기 때문에 과연 내방한 것인데, 귀하가 성을 내는 것이 혹 그렇지 않은가요?"라고 했다. 노정은 숙소로부터 이곳까지 40리이다. 점심을 먹은 후에 곧바로 출발하여 해남 읍내에 이르니, 날이 아직 저물지 않아서 본쉬를 보지 않을 수 없기 때문에 곧바로 동헌으로 들어가 대략 막힌 회포를 펼쳤다. 수작을 하는 사이에 어둠이 뜰의 나무에 생겨나기에 그대로 유숙했다. 조석의 지공(支供)은 관에서 담당했다.

十月小初一日. 己亥. 曉發至康津錦川面內洞崔生員演興家, 則言曰, "曩者錦還之時, 憂過門前而不爲歷訪, 故余心自歎曰, 古詩所謂何曾問布衣者, 正合此云." 余笑而答曰, "蓋聞貴之在錦川面, 而不知居於路傍之此村矣. 今始聞知, 故果爲來訪, 貴之生怒或不然乎?" 程途, 則自宿所至此四十里也. 中火後卽發至海南邑內, 則日猶未暮, 而不可不見本倅, 故直入東軒, 略紋阻懷. 酬酢之間, 瞑生庭樹, 仍爲留宿. 朝夕支供, 則自官當之.

1802년 10월 2일. 동문밖에 사는 친한 사람들을 방문하고, 곧바로 출발하여 본제까지 20리를 왔다.

初二日. 歷訪東門外諸親知之交, 卽發到本第二十里.

1802년 10월 3일. 29일까지는 날마다 족속들 및 인근 마을의 친구들과 담화하면서 지냈다.

自初三日, 至二十九日, 日與族屬及隣里知舊, 談話度了.

1802년 11월 1일. 무진일. 빈객들이 구름같아서 수응하느라 겨를이 없었다. 비록 연접에 피곤할지라도 이것은 한 번의 고생이면서 한 번의 기쁜 일이니, 무슨 해가 되리오?

十一月大初一日. 戊辰. 賓客如雲, 酬應不暇. 雖疲於延接, 是一苦而一喜, 庸何傷乎?

1802년 11월 3일. 오늘은 딸의 혼례식 날이다. 내외 손님이 거의 수백여 명이어서 술상이 낭자하게 종일토록 잔치를 열었다. 신랑은 곧 임호대군(臨瀛大君)의 후예이니, 동국의 갑족이 되는 자이다. 그 이름은 득항(得恒)이고 나이는 17세이며, 모골이 훤칠하고 숙성하였다. 하루 먼저 부자가 와서 노송정에서 머물다가 새벽에 납채(納采)[108]를 하였는데, 대개 이 집과는 이미 서로 알고 지내는 사이이다.

初三日. 卽女婚吉禮也. 內外之賓, 幾至數百餘人, 而酒盤狼藉, 終日設宴. 新郎卽臨瀛大君之後裔, 而爲東國甲族者也. 其名得恒, 年方十七歲, 毛骨俊偉而夙成. 前期一日, 父子來留于老松亭, 而朏曉納采, 蓋與此家, 已爲相知者也.

1802년 11월 5일. 사위를 보낸 후에 곧바로 출발하려고 했는데 일에 방해되는 것이 많이 있었다.

---

108) 납채(納采) : 혼례 절차 중 하나로, 신랑측에서 신부집으로 청혼서와 신랑의 사주(四柱)를 보낸 것을 말한다. 절차상 납채는 의혼(議婚) 다음에 행해지지만, 여기에서는 두 집안이 잘 아는 사이라서 바로 혼례 전에 행한 것으로 보인다.

初五日. 送郎後, 意欲卽發矣, 事有多碍.

1802년 11월 7일. 길을 출발하여 청계면 덕정리의 사돈집에 이르러서 잠시 사돈어른 임치건(任致健)과 얘기를 나누고, 점심을 먹은 후 출발하여 비곡면 당산리의 생원 민치빈의 집에 이르니, 날이 이미 저물었다. 이어서 유숙했는데, 인근 마을의 노소 사람들이 모두 찾아왔다.

初七日. 離發至淸溪面德鼎里査家, 暫與査丈任致健相晤, 中火後發, 至比谷面堂山里閔生員致彬家, 則日已暮矣. 仍爲留宿, 而隣里老少之人, 皆爲來見.

1802년 11월 8일. 식후에 출발하여 모촌의 서상인(徐喪人)에게 들러 조문을 하고, 강진현까지 30리를 가서 아들과 함께 동헌에 들어가 주관인 이안묵(李安黙)과 한참동안 얘기를 나누었다. 이때 공궤(供饋)는 관청에서 냈다. 오후에 출발하여 장흥부 전점까지 30리를 가서 유숙했다.

初八日. 食後離發, 歷弔茅村徐喪人, 而至康津縣三十里, 與家兒同入東軒, 與主官李安黙, 有頃相晤, 供饋則自官廳進排. 午後離發, 至長興府前店三十里留宿.

1802년 11월 9일. 미명에 출발하여 장흥 거리점까지 50리를 가서 점심을 먹고, 오후에 출발하여 보성 조성원까지 40리를 가서 유숙했다.

初九日. 未明離發, 至長興巨里店五十里中火, 午後發至寶城鳥城院四十里留宿.

1802년 11월 10일. 새벽에 출발하여 순천 동부원까지 50리를 가서 점심을 먹고, 오후에 광양 병현점까지 50리를 가서 유숙했다.

初十日. 曉發至順天東府院五十里中火, 午後至光陽竝峴店五十里留宿.

1802년 11월 11일. 새벽에 출발하여 신구영점까지 40리를 가서 점심을 먹고, 오후에 출발하여 하동 횡보점까지 40리를 가서 유숙했는데, 점주 문가는 본래 호남의 무안 사람으로, 흉년에 떠돌다가 이곳에 와서 살게 되었다고 한다.

十一日. 曉發至信九永四十里店中火, 午後發至河東橫寶店四十里留宿, 而店主文哥, 則本以湖南務安之人, 凶年流離來接于此云.

1802년 11월 12일. 평명에 출발하여 곤양 봉계점까지 30리를 가서 점심을 먹고, 오후에 출발하여 진주까지 40리를 가서 유숙을 했는데, 병사 이문철이 은근하고 정성스럽게 대접해주었다. 또 말하길, "먼 시골의 연소자들은 응당 기악을 보지 못했을 테니, 아드님을 위하여 촛불을 밝히고 음악을 연주할 것인데 괜찮겠습니까?"라고 하기에 내가 응하여 말하길, "좋을 것 같소."라고 하였다. 곧바로 악공과 기녀들을 불러 춤을 추게 하였는데, 그중에서 2명의 기녀가 추는 검무는 과연 절묘하다고 말할 수 있었다. 춤이 끝난 후에 노래를 부르게 했는데, 또한 청량하기가 대들보의 먼지를 날릴만 하였다. 이 두 기녀는 먼 지방의 보기 드문 기녀이니, 매우 기특하도다! 이날 밤에 달빛이 마당에 가득한데 기녀를 데리고 불을 밝혀서 병사와 함께 진남루에 올라갔다. 누각은 높은 데에 있어서 내려다보니 여염집이 즐비하고 촉석이 우뚝하여 영외의 명승지가 진실로 이것을 벗어나지 않으리로다.

十二日. 平明離發, 至昆陽鳳溪店三十里中火, 午後發至, 晉州四十里留宿, 而兵使李文喆, 慇懃款接. 且言曰, "遐鄉年少應不見妓樂, 爲其令允, 張燭設樂, 可乎?" 余應之曰, "似好云." 卽爲招來樂工女妓, 起舞, 而其中二妓之劍舞, 可謂妙矣. 舞罷後, 使之唱歌, 亦淸亮可飛樑塵. 此兩妓, 則遐方罕有之妓也, 奇哉奇哉! 是夜月色滿庭, 率妓張燭, 與兵使同上鎭南樓. 樓在半空中, 俯瞰閭閻之櫛比, 矗石之崔嵬, 嶺外勝地, 眞不外此矣.

1802년 11월 13일. 평명에 출발하여 소촌역까지 20리를 가서 주관 이영효(李英孝)와 한참동안 얘기를 나누고, 점심을 먹은 후에 출발하여 함안 춘곡역까지 60리를 가서 유숙했다. 대개 이 역은 본우의 소속이다.

十三日. 平明離發, 至召村驛二十里, 與主官李英孝, 有頃相晤, 中火後發, 至咸安春谷驛六十里留宿. 蓋此驛則本郵所屬也.

1802년 11월 14일. 평명에 출발하여 근주역까지 50리를 가서 점심을 먹고, 오후에 출발하여 본부까지 10리를 갔다. 아들과 함께 동헌으로 들어가 부사 박효진과 잠시동안 얘기를 나눈 후에 출발하여 본역까지 20리를 왔다. 관사 아래 사는 백성 남녀노소로서 길을 사이에 두고 바라보는 자들이 얼마나 되는지 알 수 없을 지경이었다. 아마 벼슬자리를 비운 나머지라 간절히 그리워한 바가 있어서 그런 것이겠지!

十四日. 平明離發, 至近珠驛五十里中火, 午後發至本府十里. 與家兒同入東軒, 與府使朴孝晉, 暫晤後, 發至本驛二十里. 館下居民男女老少, 挾路而觀者, 不知其幾許人矣. 抑未知曠官之餘, 有所眷戀而然歟!

1802년 11월 15일. 창고에 앉아서 환곡을 받는데, 일전에 거둔 나락과 합쳐 모두 2900여 석이 된다.

十五日. 坐倉捧糴, 而幷與日前所捧之租, 合爲二千九百餘石.

1802년 11월 17일, 18일. 날이 매우 추운데 연일 창고에 앉아 있었다. 우곡사의 승려가 법당을 중건하는 일로 와서 권선문의 물금첩(勿禁帖, 통행증)을 간청하기 때문에 허락해주었다. 그가 청원

하는 것은 매귀(埋鬼)하기 위해 관하의 각 동에 와서 북을 치는 것이니, 이는 실로 속진과 합하는 도움이고, 또 시행하고자 원하는 마음이 있어서 그런 것이니, 어찌 금지할 수 있을 것인가?

十七八日. 日甚寒酷, 連日坐倉. 牛谷寺僧, 以法堂重修事來, 懇勸善文勿禁成帖, 故許施. 其情願則以埋鬼來擊于館下各洞, 此實塵合之助, 亦或有願施之心而然, 何可禁止乎?

1802년 11월 19일. 생원 정원주가 찾아왔다가 갔다.

十九日. 鄭生員元胄, 來見而去.

1802년 11월 20일. 거두어들인 환곡이 모두 3100여 석이 되었다. 여행한 나머지에 날마다 바쁘게 일하느라 피곤함을 견디기 어렵다.

二十日. 所捧還租, 爲三千一百餘石. 撼頓之餘, 日事勞碌, 憊病難耐.

1802년 11월 21일. 어생원이 석사 김상묵과 함께 와서 집에 다녀온 안부를 물었는데, 회포를 다 풀지도 못하고 곧바로 헤어지게 되니 마음이 매우 서글펐다.

二十一日. 魚生員與金碩士相黙, 來問往還之安否, 吐懷未穩, 卽爲分袂, 心甚悵然.

1802년 11월 22일. 순영의 비장인 최인건(崔仁健)이 김해 설창 도감(雪倉都監)으로서 지나갈 때 들어왔다가 갔다. 연일 환곡을 받아들였는데, 거두지 못한 것은 모두 형세가 없어서 거두기 어려운 백성들뿐이다. 창고 마당에 잡아다 놓고 엄히 분부하여 필납할 기한을 정하고 한 대의 매도 치지 않고 내보냈다. 그러나 각 동의 이임(里任) 무리들에 대해서는 만약 매를 치지 않으면 절대로 검납할 도리가 없기 때문에 날마다 그들이 납부하는 다과를 살펴보고 그중 가장 적은 자를 뽑아서 날마다 매를 치니, 항상 측은한 뜻은 있지만 이것은 형세가 부득이한 일에서 나온 것이다. 옛사람의 시에 '백성들 매질하는 건 사람을 슬프게 하네'라는 것이 진정 이것을 말한 것이다.

二十二日. 巡營裨將崔仁健, 以金海雪倉都監, 過去時入見而去. 連日捧糴, 而未收者盡是無勢難捧之民也. 捉致倉庭, 嚴飭分付, 定以畢納之期限, 不加一杖而退出. 然而至於各洞里任輩, 若不施杖, 則萬無檢納之道, 故日看其所納之多寡, 撮其尤少者, 逐日鞭扑, 常有惻然之意, 而此則出於勢不得已之事也. 古人之詩曰 '鞭撻黎庶令人悲'者, 正謂此也.

1802년 11월 28일. 오늘은 동짓날이다. 누가 동짓날이 춥다고 말했는가? 바람 없이 매우 따뜻하여 봄날과 같다. 이는 하나의 양이 처음 생겨남에 따라 화기(和氣)가 점차 발현하여 그런 것이 아니겠는가? 이날 각색 하인과 외역의 이·병방 및 도장배들을 점고하였고, 예를 마친 후에 팥죽을 본역과 외역의 하인들에게 나누어 주었다. 환곡을 거둔 것과 못 거둔 수요를 적어서 열흘 사이로 순영에 보장(報狀)을 보냈다.

二十八日. 卽冬至也. 誰謂至日之寒? 無風甚暖, 有似乎春, 無乃一陽始生, 和氣漸發而然歟! 是日, 點考各色下人及外各驛吏兵房都長輩, 禮罷後分饋豆粥于本外驛諸下人等. 以還穀捧未捧數爻, 修送間十日報狀于巡營.

1802년 12월 1일. 무술일. 각색 하인과 외역의 도장 무리들을 점고하고, 이어서 삭편(朔便)을 통해 병영에 편지를 썼다. 아들도 또한 병영의 책실에게 편지를 보냈다. 연일 창고에 앉아서 환곡 3900여 석을 받았다.

十二月小初一日. 戊戌. 點考各色下人及外驛都長輩, 因朔便修書于兵營, 家兒亦送書于營冊. 連日坐倉所, 捧爲三千九百餘石.

1802년 12월 4일. 참봉 김세묵(金世黙)이 찾아왔기 때문에 그가 어느 곳으로부터 오는지를 물어보니, 답하길 "천연두를 꺼리기 때문에 지금 우곡사에 머물고 있는데 울적함을 이길 수 없어서 잠시 막힌 가슴을 펼치려고 왔습니다."라고 했다. 내가 말하길, "나이가 거의 70살인데 전염병을 열심히 피하기가 비록 매우 고통스럽다고는 하지만 이 또한 명수에 관계된 일이니, 어찌 한스러워할 것이 있으리오?"라고 하였다. 이어서 유숙을 하고 내일 장차 산으로 향한다고 하기 때문에 그의 가는 길을 만류했지만, "이곳에서 절까지의 거리가 이미 아주 가까우니 오래지 않아 다시 오겠습니다."라고 했다.

初四日. 金參奉世黙來見, 故問其自何來, 則答云, "以忌痘之, 故方留于牛谷寺, 不勝鬱寂, 暫欲敍阻而來云." 余曰, "年近七十, 以疫奔避, 雖爲甚苦, 是亦關係於命數之事, 何恨之有?" 仍爲留宿, 明日將欲向山, 故挽止其行, 則答以 '自郵去寺, 道旣至近, 非久當復來云.'

1802년 12월 6일. 진주병사 이문철과 김해부사 서유봉이 보낸 답장편지가 두 곳에서 함께 당도했다.

初六日. 晉州兵使李文喆, 金海府史徐有鳳, 兩處答書俱爲來到.

1802년 12월 7일. 진사 박사신(朴思臣)이 찾아왔기 때문에 그가 본래부터 이곳에서 살았는지를 물어보니, 답하길, "대구에서 세거하다가 생계의 어려움으로 인해서 잠시 창원에서 군더더기로 살고 있습니다."라고 하며 곧바로 돌아간다고 말하고 갔다.

初七日. 朴進士思臣來見, 故問其本居此土, 則答云, "世居于大丘, 而緣於生計之艱, 暫爲贅接于昌原云." 卽爲告歸而去.

1802년 12월 8일. 밤에 큰 눈이 내리기 시작하여 밤새도록 내렸으며 거의 한 자가 쌓일 정도였는데, 마침내는 그 밤에 비가 잇따라 내려서 과반이 녹았다. 이날 재종의 답장편지가 달력을 사러 간 하인편을 통해 왔기 때문에 열어보니, 지금은 무고하지만 아직까지 견복이 되지 않았다고 하였다. 그의 객지 생활이 더욱 견디기 어려울 것이다.

初八日. 夜大雪, 終宵而來, 厚幾至尺, 竟仍其夜之雨, 消過半矣. 是日再從答書, 自貿曆下人便來到, 故披閱, 則今姑無故, 而尙未甄復云. 想其旅味尤應難耐.

1802년 12월 9일. 하예를 해남 본제에 보내고 겸하여 신력 80여 건을 부쳐서 각처에 전하게 하였는데, 그중에는 혹여 향우지탄(向隅之歎)[109]이 없을 수 없다. 그러나 물건이 비로 사소할지라도 어찌 매 사람마다 기쁘게 할 수 있겠는가? 의령 중교에 사는 김주익(金柱翊)이 이전에 찾아와서 말하길, "조부의 이름이 남서(南瑞)인데, 무과로 등제하여 오랫동안 벼슬자리를 구하다가 마침내 이 도의 웅천현감 자리를 얻게 되었고, 고향에 돌아가지 않은 채 의령에서 살게 되었습니다."라고 했다. 내가 고향에 돌아갔을 때 진도 박생의 말을 들어보니, 그의 이성 친척인 김모가 웅천의 후예로써 지금 영남에 살고 있다고 했는데, 생각기에 과연 이 사람인 것이다. 동종이라고 칭하면서 왔기 때문에 그가 타도에서 외롭게 살아가는 것을 생각하면, 어찌 사람의 아름다움을 이루지 않을 것인가? 좋은 말로 대접해주고, 또 친한 관장에게 부탁하여 혹 존문하거나 심방

---

109) 향우지탄(向隅之歎) : 한(漢)나라 유향(劉向)의 『설원(說苑)』「귀덕(貴德)」에 "가령 사람들이 집에 가득 모여서 술을 마실 경우, 그중에 한 사람이 홀로 쓸쓸히 구석을 향하여 운다면 온 집에 모인 사람들이 다 즐겁지 않을 것이다.[今有滿堂飮酒者, 有一人獨索然向隅而泣, 則一堂之人, 皆不樂矣.]"라고 한 데서 온 말로, 홀로 즐겁지 않은 것을 의미한다.

하게 함으로써 마을에서 빛을 내게 하는 길로 삼게 하니, 이것은 실로 내게 있어서는 비용을 들지 않고도 혜택을 주는 것이고, 그에게 있어서는 반드시 큰 힘이 될 것이다. 무슨 해가 될 것인가? 이날 김생이 심부름꾼을 통해 편지를 보내오고, 겸하여 밤과 곶감을 보내왔는데, 이 또한 잊지 못한 마음이라 매우 기특하다. 돌아가는 편에 신력과 편지지를 편지 속에 넣어서 보냈다.

初九日. 送下隷于海南本第, 而兼付新曆八十餘件, 使之傳于各處, 其中或不無向隅之歎者矣. 然而物雖些薄, 豈可每人而悅之乎? 宜寧中橋居金生柱翊, 前此來見言曰, "其祖父名南瑞, 以武科登第, 積年求仕, 竟得此道熊川縣監, 而不歸故土, 仍居于宜寧云." 余之還鄉時, 聞珍島朴生言, 則渠之異姓戚金某, 以熊川後裔, 今居于嶺南云矣, 意者果此人也. 稱以同宗而來, 故念其他道孤居之蹤, 豈不成人之美乎? 善辭以待之, 又囑所親官長, 或存問而使之尋訪, 以爲閭里光色之道, 此實在余不費之惠, 而於渠則必也大有力焉, 庸何傷乎? 是日金生專伻送書, 兼惠栗柿, 此亦不忘之情, 可奇可奇. 回便以新曆簡幅胎送書中耳.

1802년 12월 10일. 어우가 찾아왔기에 내가 말하길, "눈 속에 벗을 방문해주니, 정은 비록 은근하지만 진흙이 가득한 길을 어떻게 넘어왔는가요?"라고 하자, 웃으면서 "소를 타고 왔지요."라고 답하였다. 내가 말하길, "그대와 같은 사람은 과연 세상에 구애되지 않는 탈속한 사람이라고 말할 수 있겠소."라고 하였다. 한참동안 얘기를 나누다가 갔다.

初十日. 魚友來見, 余曰, "雪中訪友, 情雖殷勤, 泥濘滿路, 何以越來耶?" 笑而答曰, "騎牛而來云." 余曰, "如子可謂不拘於世而脫俗者也." 有頃相晤而去.

1802년 12월 11일. 생원 임희연이 와서 하루 동안 머물다가 갔다.

十一日. 任生員希淵, 來到留一日而去.

1802년 12월 12일. 포폄(襃貶)을 베껴오기 위해 하리가 순영에
간다고 고하기 때문에 내가 웃으면서 말하길, "공직에서 잘하면 최
(最)가 되고 아니면 전(殿)이 되니, 잘하고 못한 것은 오직 나에게
있는 것이라, 어찌 반드시 베껴온 연후에야 포(襃)인지 폄(貶)인지
를 알 것인가?"라고 했다. 그러나 이것은 곧 각 관의 하인이 이미
행해오던 규칙이기 때문에 관례대로 할 것을 하리에게 분부한 것이
다. 이날 밤에 가는 비가 밤새도록 내렸다.

十二日. 襃貶謄來次, 下吏告往巡營云, 故余笑曰, "供職善則爲最, 否
則爲殿, 善否惟在吾, 何必謄來然後, 知其襃與貶乎?" 然而此乃各官下
人, 已行之規, 故依例爲之事, 分付于下吏處. 是夜細雨終宵而來.

1802년 12월 13일. 흐리고 이슬비 내림. 연일 매우 따뜻하여
사람들은 추위를 겁내는 뜻이 없으니, 이 또한 옷이 없거나 언 손
을 불어대는 사람에게는 다행인 일이다. 거두어들인 환곡이 4530
석 11두 5승 9홉이 되기 때문에 내가 맡은 나락은 모두 거둔 것
이라 순영에 보고했고, 미태(米太)는 아직 다 거두지 못했다.

十三日. 陰霏. 連日甚暖, 人無怵寒之意, 是亦無衣呵凍者之幸也. 所
捧還租, 爲四千五百三十石十一斗五升九夕, 故己以租則畢捧, 報于巡營,
而米太則猶未盡捧矣.

1802년 12월 15일. 오늘은 곧 포폄을 개탁(開坼)하는 날이다.
관례상 문을 열어 송사를 듣는 일을 하지 않기 때문에 종일토록
문을 닫아두고 책을 보며 지냈다. 이날은 겨울 안개가 아침부터 저
물녘까지 가득하고 걷히지 않았으니, 과연 겨울이 따뜻하고 양이
회복되는 소치인지 모르겠다. 신병 때문에 망일의 하례식에 참석도
못하고 침상에 엎드려 끙끙 앓자니 매우 죄송하여 이런 사유를 편

지를 써서 본부사에게 보냈더니 답장이 즉시 도착하였는데, 그도 또한 신병 때문에 연일 신음하고 있으며, 또 홍진이 온 집에 가득하다고 하였다. 오늘 우곡사의 승려가 아뢴 것을 들어보니, 김참봉이 천연두를 꺼려 산에 우거하고 있는데, 근처에 혹 꺼리는 곳이 있기 때문에 지금 막 웅신사로 옮겨갈 뜻이 있다고 했다. 그의 정세를 생각하면 매우 답답하다. 저번에 온 편지에 답장을 쓰고 어물(魚物)과 함께 보내주었다.

十五日. 卽褒貶開坼之日也. 例不開門聽訟, 故終日閉閣, 看書度了. 是日冬霧自朝至暮昏翳不捲, 果未知冬暖陽復之致歟! 以身病未得進參於望日之賀禮, 伏枕叫痛, 只切罪悚, 以此由修書于本府使矣. 答札卽到, 而亦以身病連日呻吟, 且紅疹滿室云. 卽聞牛寺僧所告, 則金參奉忌痘寓山矣, 近處或有所忌, 故今方有移接于熊神寺之意云. 言念其情勢, 可悶可悶. 修答向來書, 伴以魚物而送之.

1802년 12월 16일. 포폄을 보니, '인자졸약(人自拙約)'으로 최(最)의 점수를 받았다. 과연 나의 성정을 잘 헤아렸다고 말할 수 있겠다.

十六日. 得見褒貶, 則以人自拙約, 爲題居最, 可謂善爲忖度余之性情矣.

1802년 12월 17일. 순영 행을 출발하여 손진막까지 25리를 가서 점심을 먹고, 오후에 출발하여 심천점까지 35리를 가서 유숙했다. 이날은 날이 매우 추웠다.

十七日. 離發巡營行, 而至孫津幕二十五里中火, 午後發至深川店三十五里留宿. 是日寒甚酷.

1802년 12월 18일. 새벽에 출발하여 창녕의 수성점까지 40리를 가서 점심을 먹고, 오후에 출발하여 현풍의 장산점까지 40리를 가서 유숙했다.

十八日. 曉發至昌寧水城店四十里中火, 午後發至玄風長山店四十里留宿.

1802년 12월 19일. 평명에 출발하여 화원점까지 20리를 가서 잠시 쉰 후에 대구 감영까지 30리를 가니, 해가 아직 저물지를 않았다. 들어가 순사를 뵙고 한참동안 수작을 하는데 순사가 말하길, "곧이어 작별을 하는 것이 무방할 것 같소."라고 하기 때문에 곧바로 인사를 하고 나왔다. 영암 주암에 사는 나생이 뵙기를 청한다고 하기 때문에 들어오도록 허락하고 그의 얼굴을 보니 전날에 알던 사람이 아니었다. 이곳에 온 이유를 물어보니 답하길, "서책을 인출하는 일로 이곳에 온 지 며칠 되었습니다."라고 했다. 이날 곧바로 출발하여 화원점까지 30리를 가서 유숙했다.

十九日. 平明離發, 至花園店二十里, 少憩後至大丘監營三十里, 則日猶未晚矣. 入見巡使, 有頃酬酢, 而巡使曰, "仍爲作別, 似爲無妨云." 故即爲拜辭而出來, 則靈巖舟巖居羅生請見云, 故許以入來, 見其面, 則非復前日所知之人也. 問何以來此, 則答曰, "以印出書冊事, 到此有日云." 是日即發至花園店三十里留宿.

1802년 12월 20일. 새벽에 출발하여 죽현점까지 50리를 가서 점심을 먹고, 오후에 출발하여 심천점까지 60리를 가서 유숙했다.

二十日. 曉發至竹峴店五十里中火, 午後離發, 至深川店六十里留宿.

1802년 12월 21일. 평명에 출발하여 갈전까지 40리를 가서 생원 김성율의 집에서 말의 먹이를 먹이고 잠시 얘기를 나눈 후에 출발하여 본역까지 20리를 왔다.

二十一日. 平明發至葛田四十里, 秣馬與金生員聲律, 暫晤後發至本驛二十里.

1802년 12월 24일. 가서를 받아보았는데, 집사람이 신병으로 그간 위급한 지경에까지 이르렀다가 다방으로 약물치료를 하여 지금은 조금 나아졌고 안질이 더해졌다고 한다. 이 무슨 일신상의 병이 이처럼 많단 말인가? 아이들은 모두 무고하다고 하니, 근심 중에 다행이다. 며느리는 11월 28일에 순산을 하여 딸을 낳았다고 한다. 마음속으로 기쁜 것이 비록 아들을 낳는 것만 못하지만 이것은 이치가 시켜서 그런 것이니, 양이 있으면 음이 있고, 음이 있으면 양이 있는 것이다. 천지와 희역(羲易)110)의 이치가 모두 호대(互對)가 있는 것인데, 하물며 사람에게 있어서랴? 이치를 미루어 사람을 살펴보면, 어찌 만족하지 못하는 마음이 있겠는가?

二十四日. 得見家書, 則室內以身病間至危遑之境矣, 多方藥治, 今則少差, 而眼疾又添云, 是何一身之上病之多端若此耶? 兒少輩俱無故云, 悶慮中幸耳. 婦息至月二十八日, 順産生女云, 心之所喜, 雖不如生男, 此則理之使然, 有陽則有陰, 有陰則有陽. 天地與羲易之理, 皆有互對, 況於人乎? 推理觀人, 安有不滿之心乎?

1802년 12월 28일. 육고기와 물고기 약간을 어우의 집에 보냈다. 답장이 도착했는데 홍진으로 갑자기 세 명의 딸이 죽었다고 하니, 비참함을 차마 들을 수 없다. 천륜의 정리에 있어서 한 사람만 참변을 당해도 오히려 애통할 일인데, 하물며 세 명이 요절함에랴? 이것은 이른바 '재앙은 홀로 오지 않는다'는 것이다. 이날 각방의 하인과 노리 및 각 동수들에게 세육(歲肉)을 나누어 주었다. 또 육고기와 물고기를 용동의 석사 김상묵과 궐산의 생원 김상성 종인 집에 보냈고, 또 쌀과 고기를 신검리의 생원 김원주 집에 보냈는데, 관의 형편이 매우 야박하여 물건이 여의치 못하니, 매우 한탄

---

110) 희역(羲易) : 복희씨(伏羲氏)가 팔괘(八卦)를 그은 역이라는 말로, 『주역』의 별칭이다.

스러울 뿐이다.

二十八日. 以肉鱗少許, 送于魚友家矣. 答札來到, 而以紅疹奄見三女之夭憾云, 慘不忍聞. 其於天倫之情理, 一之慘變, 猶且痛悼, 況三夭乎? 此所謂禍不單行也. 是日頒給歲肉于各房下人及老吏, 各洞首等處. 又以肉鱗, 送于龍洞金碩士相黙, 蕨山金生員商星宗人家, 又以米肉送新檢里鄭生員元胄家, 而官況甚薄, 物不如意, 可歎可歎.

1802년 12월 29일. 저문 뒤에 본부 읍내에 도착하니, 주관이 살옥(殺獄)의 일로 마산포에 나갔기 때문에 만나볼 수가 없어서 더욱 근심스럽고 서운했다. 홀로 밤중에 촛불을 밝히고 조지(朝紙)를 보다가 야심할 때 취침하였다. 얼마 안 있어 천계(天鷄)가 한 번 우니, 구세(舊歲)가 이미 가고 신년이 온 것이다.

二十九日. 晚後至本府邑內, 則主官以殺獄出去馬山浦, 無與接晤, 尤切愁悵. 獨夜張燭, 看朝紙, 至夜深而就寢. 俄爾天鷄一聲, 舊歲已去, 新年忽來矣.